通人情懂世故

中国人的老经验

魏振斌◎著

新世界出版社

可以说，中国几千年，一部二十六史，就是一部充满人际生存竞争的历史，在这里，各色人等围绕着社会国家个人命运进行着激烈残酷的角逐，成败大则关乎国家安危存亡，小则关乎个人的一生，甚至子孙后代的荣辱得失。考察历史上那些最终的胜者，我们不难发现，他们都是一些深通权变的所谓聪明人。相反，如果不通此道，就无法在错综复杂的政治漩涡中生存，更遑论施展自己的抱负了。

权力场有它独特的游戏规则，置身其中的人又因环境的险恶变得极其智慧，在这里，任何简单草率的想法和做法都是幼稚的，在温情脉脉的面纱下，人们暗地里进行的却是权谋的较量。而且，越是出色的表演，越是不漏痕迹，正所谓海底雷霆万钧，海面上却风平浪静。

权变是一把双刃剑，它固然能够克敌制胜，但如果不跟道义相联系，就能把人变成野心家、阴谋家。的确，权变运用得好，它就是一种智慧，甚至能成为一门艺术。可以说，权变无处不在，它不但在政治、军事、外交等领域都可以得到广泛运用，甚至可以化到每个普通人的日常生活中去。

我们今天重温历史，就是要吸取其有益的精华，让古人的智慧经验为我所用，从而更好地去工作，去生活。

魏振斌

2005年9月

目　录

中
国
人
的

老
经
验

第一章 善用人者得天下

汉高祖刘邦出身流氓无赖，看似并不具备什么特殊的才能，却在楚汉战争中一举夺得天下，凭借什么？

刘邦自己颇为清醒地总结说："我之所以能有今天，主要是用人上能够知人善用，任人惟贤。运筹帷幄之中，决胜千里之外，我不如张良；定国安邦、安抚百姓、供应军需、保证粮道畅通，我不如萧何；统领百万大军，战必胜，攻必克，我不如韩信。这三个人，都是人中的精英，但是我会使用他们，这就是我夺取天下的资本。而项羽只有一个范增，却还不能重用，这就是他失败的根本哪！"

一个人纵有超凡脱俗的智慧，也不能掌握世上全部真理；纵有万夫不当之勇，也不能无敌于天下。仅凭自己有限的一生，任何人也无法打破时空的局限。

因此，要想眼观四海，胸怀天下，对大势了如指掌，就必须能识人、用人；因此知彼，因人知人，把别人的优长变成自己的工具；这是一个领导人才干高低的衡量标准之一，而且是一项重要的标准。领导本领再高强，也不可能一个人包打天下，只有组织起一支强大的队伍才能战胜强敌。

得人才者得天下，翻开几千年的中国历史，这类例证不胜枚举。而要得到人才，知人善任是成事的关键。周武王得姜尚而称王，齐桓公得管仲而称霸，秦得人才而一统天下，汉得三杰而有中国，刘备得诸葛亮而三分天下。

第一节　用人先要识人

◆成就事业的资本，没有比辨别人才、量才使用更重大的了。

◆做部属的以自己能干为有才能，而做领导的，善于让别人尽可能地发挥出自己的才干，才算是有才能。

◆身为一个团队的领导，身边应该有不同的人为自己效劳：有左右心腹可以商量事情，有耳目侦察消息通风报信，有干才坚决贯彻自己的命令。

◆泰山之所以高大，江海之所以深广，都是由于不排外，不拒绝广采博纳。就用人而言，相容并包，博采众长而成事，不只是个胸襟和气度的问题，更是一种用人的大智慧。

◆能做到兼容并包，不一定能成就大事业；但真成大事业者，必须做到兼容并包。

1. 用人失察，遗患无穷

西汉王朝赖三个杰出的人物而建立，即大将韩信、智囊张良、后勤总司令萧何。韩信是故楚王国的一个穷苦的流浪汉，张良是故韩王国贵族的后裔，萧何是故秦王朝县政府的低级官员。假如不是时代动乱，他们只有淹没在人海之中。韩信曾当过项羽禁卫军的低级军官，为项羽当过卫兵，屡次向项羽献计献策，项羽都没有采纳。

惟英雄才能识英雄，项羽只是一员勇敢的将领，不是政治家，所以他不能了解韩信。项羽不但对韩信失之交臂，对他惟一的智囊，被尊称为"亚父"的范增，也不能容忍，终于把范增逐出政府。

因此，用人首先要知人。

春秋时期齐国有位国相名管仲，他辅佐国君齐桓公成为众诸侯国的首领，因此只有他敢于在齐桓公面前说真话。

有次管仲病了，齐桓公问管仲："你年纪大了，万一去世后，谁可接替你的位置？鲍叔牙这人怎么样？他办事果断利索，我很喜欢。"

"不行。"管仲说，"鲍叔牙这人刚愎自用，自高自大，容不得别人，不可当国相。"

齐桓公听了有点不高兴，又问："竖刁总可以吧？他为我自动阉割了，来帮我管理后宫嫔妃。"

"不行。"管仲说，"他连自己的身体都不爱惜，他还会爱惜什么呢？"

齐桓公再问管仲："那卫公子开方呢？"管仲还是摇头，说："他为了讨你的欢心，十几年都不回去看望父母，这样没有孝心的人不可当你的左右膀。"

齐桓公赌气地说道："这也不行，那也不行，我想易牙你决不会反对！他为了我连儿子也不要了。"

管仲说："这种人连儿子都可以蒸给你吃，还有什么事不可以做出来？"

齐桓公觉得管仲像是处处与自己作对似的，便问道："那你认为谁可以当国相呢？"

管仲说："隰朋能担此重任。他为人诚实廉洁，能力强。"

齐桓公不以为然，他心想管仲处处反对他所提名的人，说不准有什么私心吧。

一年以后，管仲死了，齐桓公任命竖刁为国相，竖刁勾结易牙等人叛乱，把齐桓公关进冷宫，齐桓公活活被饿死。

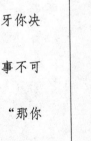

齐桓公因为听不进逆耳忠言，亲手培养了自己的掘墓人。

近君子，远小人，是做官和做人走向成功的基础。但小人是不太好识别的，有一些小人把自己隐藏得很深。同时，权利和才智往往使人刚愎自用，自视甚高以致变得昏聩。

齐桓公的悲剧就在于他的过分自信与其说是被奸人所害，还不如说是自作自受的结果。对任何事情的考察，内因才是事情成败的关键，在这种事上，不能怨天尤人，反省自身是非常必要的。因此不仅仅是需要一双明亮的眼睛，更主要的是要具备君子的情怀，昏庸之人，哪里能辨得出奸人的面目呢？

2. 分清将才与帅才的区别

在尧的时代，舜作司徒，契作司马，禹作司空，后樱管农业，费管礼乐，垂管工匠，伯夷管祭祀，皋陶判案，益专门负责训练用于作战的野兽。这些具体的事尧一件也不做，悠悠然地只做他的帝王，而这九个人怎么会心甘情愿做臣子呢？这是因为尧懂得这九个人都各自有什么才能，然后量才使用，而且让他们个个都成就了一番事业。尧凭借他们成就的功业而统治了天下。

一个人纵有超凡脱俗的智慧，也不能掌握世上全部真理；纵有万夫不当之勇，也不能无敌于天下。仅凭自己有限的一生，任何人也无法打破时空的局限。

三国时曹操、刘备在择用人才上各有千秋，而曹操在这方面尤为突出。他任人惟才，能贵其长而忘其短，能不记私人恩怨和赦人之过。为此，那些原有过失的人对曹操感恩戴德，更加忠心地为他效力。大批贤才也慕名前来投奔曹操。

诸葛亮和刘备都是英雄，但在使用人才方面，刘备却远远高出诸葛亮。

刘备待人宽厚，思贤若渴并善于笼络。他在世时蜀国人才阵容十分可观，其用诸葛亮为股肱，关羽、张飞、赵云、黄忠、马超为五虎大将，许靖、糜竺、其他人如李严、吴懿和魏延，也都可以独当一面。

而刘备一旦死去，诸葛武侯治蜀，便众星寥落、孤月独明，剩下诸葛亮自己苦苦支撑。归根结底在于诸葛亮择才时过分严格拘谨，察人密之又密，待人更是严格近于苛求。具体分析，则包括如一下几个方面。

第一，诸葛亮不善于选贤任能。

他偏爱谨小慎微之辈，往往因小而弃大，过分地求全责备。如魏延虽有勇有谋，但诸葛亮抓住其"不肯下人"的缺点，并因魏延过去的经历而怀疑其易于背叛，故而不用。再如李严，与诸葛亮同受刘备托付，才能与资历可与诸葛亮相匹，偶有过失，即流放终生；事实上，这些人才，只要使用得当，都是可以建功立业。

第二，诸葛亮用人不善于扬长避短。如马谡是一个谋略人才，不该用为战将。

第三，诸葛亮不重视人才的培养。诸葛亮主要是坐镇成都。方法施废，整理戎旅，正是他的特长。刘备死后，诸葛亮事必躬亲，出将入相，独力支撑，辛辛苦苦，压抑了人才的成长。萧何荐韩信，管仲举王子城父，都是用他们的长处来补救自己的短处。诸葛亮有萧何、管仲治国之才，却没有萧何、管仲用人之智，终于劳碌奔波，未能成就大业。以至于他所培养的主要接班人，缺乏实际工作的全面培养和锻炼，所以他一旦撒手西归，就后继无人，蜀汉就从此一蹶不振了。

《吕氏春秋》说："水没有固定的形状，然而有了它万物才能生成，大人物不是事必躬亲，而是使所有的人各尽其能，发挥作用。这就叫没有教导的教导，没有说出来的旨意。"所以说，做部属的以自己能干为有才能，是为将才；而做领导的，善于让别人尽可能地发挥出自己的才干，才算是有才能，是为帅才。

3. 英雄不问出处

成就事业的资本，没有比辨别人才，量才使用更重大的了。如果能这样做，那就能显得既耳聪目明又安闲自在。

泰山之所以高大，江海之所以深广，都是由于不排外，不拒绝广采博纳。就用人而言，相容并包，博采众长而成事，不只是个胸襟和气度的问题，更是一种用人的大智慧。

无论是志士仁人，还是鸡鸣狗盗，都要接纳而用之，多多益善。因为如果下属全是雄才大略者，必然发生争斗，争功邀赏；而如果全是鸡鸣狗盗之徒，那就无人堪当重任，也不足以成大业。因此兼容并蓄重在一个"杂"字。各个方面有一技之长的各色人等，都得有。以一个单位来言，主管公关、财务、策划、后勤、人事的人，都应当兼而有之。

当然，能做到兼容并包，不一定能成就大事业。但是，真成大事业者，必须做到兼容并包。

秦王嬴政十年，即公元前237年，秦国势力已非常强大，各国客卿纷纷涌入秦国，以实现自己参与政事、加官晋爵的梦想。他们当中不乏有才能的人。各国客卿的崛起，使秦国政治中形成了一股新锐势力，严重地威胁了秦国宗室大臣的权势。

这些无所事事，如同蠹虫一般，却养尊处优的宗室大臣，不能忍受那些锐气十足的新贵，便纷纷向秦王上书；先是列陈以前的实例，说韩国间谍郑国为秦修建水渠，其目的是阻挠秦的东征进程；然后，他们又提出：别的国家的人来秦，目的也都跟郑国差不多，大抵都是代他们的主子向秦王游说，或是做间谍，反正有百害无一利。

于是，秦王下达了驱逐各国客人的命令，李斯等一大批客卿都被免除了职务。

在被驱逐的人当中李斯是著名学者荀卿的学生，韩非的同学。逐客令一出，李斯大为着急：为他个人，这意味着他将被驱逐，刚刚开始有了希望的宏图将不得施展；为秦国，他以一个政治家的目光清醒地看到这将堵塞秦的富强之途，无助于秦的扩大发展。于是，他连夜给秦王写了一封信，劝谏他收回逐客令，这就是著名的《谏逐客书》。

《谏逐客书》一开头便指出："我听说要驱逐客卿，我个人认为这是错误的举动。"他分析说："从前，秦穆公求贤人，从西方的戎人那里请来了由余，从东方的楚国请来百里奚等人，兼并了二十个国家，称霸西戎。秦孝公重用商鞅，实行新法，移风易俗，使国家强盛，打败了楚国和魏国，扩地千里，秦国强大起来。秦惠王利用张仪的计谋，拆散了六国的合纵抗秦，迫使各国臣服于秦国。秦昭王得到范雎，削弱贵戚力量，加强王权，蚕食诸侯，确立了帝业。这四代先王都是任用客卿而对秦国做出了贡献。客卿有哪点对不起秦国呢？泰山不拒绝土壤，才能高大。河海不拒绝细小支流，才会深邃。虽不是秦国出产的物品，但有很多是宝贵的。有才能的人虽不是秦国人，但有很多愿忠于秦国。现在下逐客令，正是把武器借给敌人，把粮食送给大国。国内空虚，国外树怨，国家肯定危险。"

之后，他又用了大量类比、比喻来说明逐客的不当。他说，秦国宫殿中罗致的宝物，如昆山玉、随和宝石、太阿剑、千里马等，哪一样是秦自己出产的？如果一定只用秦国产的东西，那大家的首饰、器皿都从哪里来？甚至后宫的美女从哪里来？就连大王每日所听的音乐，不也有很多都是外国的民歌吗？

在篇末，他指出，秦若想强盛，必须博采他国之长，包括宝物、美女，更要包括人才。"不产于秦的东西，有很多都是宝物；不产于秦的人才，也有很多对秦王忠心耿耿，泰山不让土壤，故能成其大；河海不择细流，故能就其深。"

李斯这封辞采丰富、说服力强的信到了秦王案头，秦王读后，立即心悦诚服，下令收回逐客令。从此秦王坚持改革开放，终于使各国人才都能在秦施展才华，使秦的事业生机勃勃。尤其是李斯，更是被秦王大加赏识，他也不负众望，在秦王统一中国的事业中起过重大作用，后来还做了秦的丞相，成为一代名臣。《谏逐客书》改变了中国的历史，在秦的帝业中起到举足轻重的作用。

要做大事，靠一个人的力量是肯定不够的，一定要善于团结不同的人，为你做事。"海纳百川，有容乃大。"做领导，一定要有大胸襟，以公正无私的形象示人。不能搞小帮派，亲近了少数人，冷了众多人的心。大自然要讲生物多样性，用人也要讲多样性。

身为一个团队的领导，身边应该有不同的人为自己效劳：有左右心腹可以商量事情，有耳目侦察消息通风报信，有执行者坚决贯彻自己的命令。

没有心腹的人，就好比一个人在沙漠走路，没有人能指示方向；没有耳目的人，就好比盲人骑瞎马夜半临深池；没有执行者的人，不能做成自己想做的事。

明智的人一定要选用学识渊博、足智多谋，能提出奇妙的智谋，见闻广博，多才多艺的人做自己的心腹。要选用机智聪明、谨慎保密、具有很强的判断力的人做自己的耳目。还要选择勇敢行动力强，像熊虎一样勇猛，像猿猴一样敏捷，性格刚烈如铁石，作战锐利无比的人做自己的执行者。

但也有人只有一些小聪明而没有大学问，只有小能耐而不能办大事，只看重小利益而不知大道理，这种人不能担当大任。

4. 用人须审时度势

在不同的环境中，任何才能都会有长短不同。比如北方人骑马，南方人乘船，彼此都觉得很方便，然而一定要他们换过交通工具到远方去，就会显得很荒谬了。

天下的药没有毒过砒霜的，但是高明的医生却把它放到药柜里，因为它有独特的药用价值。麋鹿上山的时候，善于奔驰的大獐都追不上它，等它下山的时候，牧童也能追得上。

所以，用人的原则是审时度势，合理使用。

战国时期的魏武侯是一个很有远见的政治家，从其继位初的用人方面就可以看到这一点。武侯登基不久的一天，为了笼络与朝中旧臣宿将的感情，便大宴群臣，散席之后，又带领大家游玩。

大家乘船顺河南行，观赏沿岸风光。武侯感叹地对吴起说："这一线山川河谷真太重要了，它们简直就是我们魏国的天然乏城！"

吴起乘机起身应道："国家的屏障不在山川之险，而在于君主的仁德。过去三苗氏左有连波千里的洞庭，右有人烟稀少的彭蓋大泽，但由于不修仁德，终于被大禹所灭。夏桀商纣同样拥有山川之险、城池之固，也终免不了亡国。因此说，国之险在君德而不在山川。如果君主不修仁德，同舟共济的人也将变成敌国。"

武侯听了，对吴起十分信任。但不久任用宰相时，武侯却没有选用吴起，而是让旧臣田文出任。吴起很不理解，就委婉地寻问武侯，武侯没有正面回答，只是让吴起和田文谈谈。田文深知吴起的才能和武侯对吴起的信任，很谦虚地对吴起说："论统兵作战，鼓动三军士气，率领三军攻城陷阵，摧敌三军，我不如将军；论驾驭文武百官，臣服百姓，治理国家，使国库充裕，我亦不如将军；论经营河岸防守，巩固边防，构筑防御工事，使强秦不敢东顾我们魏国，我更不如将军。但是就目前国内形势看，国丧不久，新君初立，众意怀旧，人心不定。在这种新旧更替的动荡时期，你说老百姓是信任我还是信任你？"

吴起恍然大悟，明白了武侯用人的高明之处。

自古用人，多以用才者治、用庸者亡。但世事往往并不存在固定的模式。就才能而言，田文自愧不如吴起，但是武侯却在明知这一点的情况下任用田文而搁置吴起，这样做别说让一般人想不通，就是让名将吴起也想不通。田文的一段话，使我们和吴起醒悟过来，明白了这样一个道理：作为一个执政者，无论是施政或是用人，都要因时因势而动，切实把握客观现实情况，万不可刻意照搬固定模式和前人经验。只有这样才能稳定局势，收束人心，把事情做好。

5. 用人不疑的胆略

一个领导人，掌握了独立任事的权力，就好像一只猛虎，插上了双翅，可以翱翔于四海，应变自如。但是如果他失去了按自己意志领导团队的权威，彼此互相挟制，就可能造成命令不能下达贯彻，部属不听指挥的情况，任有多高的才能，也无从施展。

知人用人，既要看其能力，又要察其品行。品行端正可以任用，但如果能力不够也不会有太多的成效；特殊时期任人惟才，不拘小节，也是形势所迫；但如果任用一个坏人又去怀疑他，那么他越精明能干，危害便越大。

俗话说：用人不疑，疑人不用。一个善于用人的领导者，不仅不会轻易怀疑别人，而且能以巧妙的处理，显示自己用人不疑的气度，消除可能产生的离心力，使得"疑人"不自疑。古代许多君王便是此道高手。

东汉王朝皇帝刘秀打天下时，冯异是刘秀手下的一员战将，他不只英勇善战，而且忠心耿耿，品德高尚。当刘秀转战河北时，屡遭困厄，一次行军在饶阳潭沱河一带，弹尽粮绝，饥寒交迫，是冯异送上仅有的豆粥麦饭，才使刘秀摆脱困境；还是他首先建议刘秀称帝的。

他治军有方，为人谦逊，每当诸位将领相聚、各自夸耀功劳时，他总是一人独避大树之下，因此，军中称他为"大树将军"。

他长期转战于河北、关中，甚得民心，成为刘秀政权的西北屏障。这自然引起了同僚的妒忌，一个名叫宋篙的使臣，先后四次上书，诋毁冯异，说他控制关中，擅杀官吏，威权至重，百姓归心，都称他为"咸阳王"。

冯异对自己久握兵权，远离朝廷，也不大自安，担心被刘秀猜忌，一再上书，请求回到洛阳。

刘秀对冯异的确也不大放心，可西北地区却又少不了冯异这样一个人，为了解除冯异的疑虑，便把宋的告密信送给冯异。

这一招的确高明，既可解释为对冯异的信任不疑，又暗示了朝廷已早有戒备，恩威并用，使冯异连忙上书自陈忠心。

刘秀这才回书道："将军之于我，从公义讲是君臣，从私恩上讲如父子，我还会对你猜忌吗？你又何必担心呢！"

这样的事，在三国时又重演了一次。

潘磨是三国时蜀国的臣属，主管荆州事务。孙权攻取荆州后，他投降了吴国，被拜为辅军中郎将。他以一个投降之人，只有少说话，多干事，由于一贯小心谨慎，又多次立功，后来被授以"太常"这样的高官。

一年，孙权授命他统率五万大军，去吴国与蜀国交界的五溪讨伐当地的少数民族。这时，潘的表兄蒋琬正在蜀国担任要职。

有一个叫卫族的人，因同他有点矛盾，于是便上书孙权，密告他和蒋琬私相往来，可能会投叛蜀国。

这个告密是很能令人相信的，可孙权得到告密信后说："潘磨不是这种人。"

不只没有召还，反而将卫族的信交给他，倒将卫族免了官。潘磨感动异常，从此更加死心塌地为孙权卖命了。

而唐太宗李世民则更是深谙其中的道理。

刘师立本来是李世民属下的一名亲卫，在玄武门之变中，他因参与诛杀李世民的政敌——原太子李建成有功，加官晋级，升至左骁卫将军。后来有人告发说，他宣称自己"眼有赤光，身体上有非同寻常的标记，姓名又与上天所暗示的帝王的名字相同"。在专制时代，说这种话便是大逆不道，便有谋反的嫌疑。

李世民将刘师立召来，亲自讯问他道："有人说你要谋反，是真的吗？"

刘师言立极为恐惧，吓得连忙俯地叩头说："臣在隋朝时，不过是个六品小嚣官，地位低下，从来也不敢想到会有富贵的一天，幸而遇陛下待我宠信异常，我时常想要以性命报效陛下。如今陛下大事已成，我也得以居将军这样的高位。我所得到的，早已超过我所应得的。我是个什么人，怎么会谋反呢？"

李世民笑着说："我知道爱卿不会这样，这全是别人胡说

八道。"

李世民不只没有怪罪他，反而立即赐给他六十匹布帛，并将他请入自己的卧室内安慰勉励。刘师立从此更加忠于李世民，后来受命守御边疆，立了很大的功劳。

唐太宗李世民晚年率师亲征辽东，以宰相房玄龄为留守坐镇长安，有权处理朝中的一切事务，不必向皇帝秉奏。

李世民出发前，有人朝堂告状，说"人有密谋。"

房玄龄问："谁搞密谋？"

告状人说："就是你。"

有人状告自己，房玄龄可不好自作主张了，连忙派人用择车将告密的人送往李世民所在的行宫。

李世民一听房玄龄送来了个告密人，便明白是怎么回事，便令禁卫手持长刀在身边备用，然后召见告密人问："你要告谁？"

那人说："房玄龄。"

李世民说："果然不出我所料。"

连问也不再问，便命禁卫立刻将告密人斩首。同时，他还给房玄龄写了封信，批评他不能自信，并指示："如果以后再有这种事，你可以全权处理。"

以上都是用人不疑的典范，值得我们在工作中学习。用人之长，避其所短。

尺有所短，寸有所长。对于一个领导者而言，其才能的表现绝不是自身的炫耀，而是要善于组织管理，要善于发现人之所长，让人才处在合适的位置上，就像宝石置于亮处闪光一样。

中国人的

老经验

第二节　把各种人用得恰到好处

◆识人需要眼力，用人需要胆略。

◆人才往往都有个性，大才者又大都不拘小节，又难免会恃才傲物；因此，看人要看大的方面，用人要用其所长；这样才能成就大业。

◆每个人所具的才能都是参差不齐的，有些人长于此而短于彼，有自人又短于此而长于彼，很难一个人样样皆精。所以，把人放在最合适的位置上，是用人的上策。

◆在智者的眼里，没有一无是处的人，关键在于如何发现和使用。不意识到这一点，那么天下就没有可用之人。

◆一个聪明的领导人，就在于能够了解团队中的人各自的长短，用其所长，避其所短，把自己的部下组织成一支样样皆精的队伍。

◆与其把人们赶到与自己为敌的一方，不如对他们施以德行，用恩惠来收服他们。

1. 没有不可用之人

在智者的眼里，没有一无是处的人，关键在于如何发现和使用。不意识到这一点，那么天下就没有可用之人。商汤和周武王虽是至圣明主，却不能和渔夫一样划船，泛游江湖；伊尹是贤相，却不能战将一样纵马驰骋；孔子和墨子虽然都是博学的人，却不能像猎人那样登山入林，猎杀虎豹。

相传在很久以前，弥勒佛和韦陀分别负责一个庙。

弥勒佛热情快乐，笑脸迎客，香客非常多，但他管不好账务，所以依然入不敷出。而韦陀虽然管账是一把好手，但黑口黑脸，最后竟香火断绝。

佛祖于是进行机构改革，把他们俩放在同一个庙里，由弥勒佛负责公关，由韦陀负责财务，严格把关。在俩人的分工合作中，庙里呈现一派欣欣向荣景象。

战国时期孟尝君的门客鲁仲连讲过一段很有见地的话。他说："猿猴离开树木浮到水面，就不如鱼虾灵活；要说通过险阻，攀登危岩，良马就赶不上狐狸；鲁国曹沫高举三尺宝剑劫持齐桓公，全军将士都挡他不住，但假使曹沫扔掉宝剑拿起锄头干活，他则不如农夫。"

退一步讲，即使有全才，也很难在外貌、品质等其他方面尽如人意。

因此，用人重在"知人善任"四个字，不因其过而求全责备，勿因其短而弃其长。求全责备甚至忌才不用，或用非所学，用非所长，必然贬损人才的价值，导致人心思背，人才流失而最终失败。

从前伊尹大兴土木的时候，用背力强健的人来背土，独眼人来推车，驼背的人来涂抹。各人做其适宜做的事，从而使每个人的特点都得到了充分发挥。

管仲在向齐桓公推荐人才的时候说："对各种进退有序的朝班礼仪，我不如隰朋，请让他来作大行吧；开荒种地，充分发挥地利，发展农业，我不如宁戚，请让他来作司田吧；吸引人才，能使三军将士视死如归，我不如王子城父，请让他来作大司马吧；处理案件，秉公执法，不滥杀无辜，不冤枉好人，我不如宾肯元，请让他来作大理吧；敢于犯颜直谏，不畏权贵，尽职尽忠，以死抗争，我不如东郭牙，请让他来作大谏吧。你若想富国强兵，那么，有这五个人就够了。若想成就霸业，那就得靠我管仲了。"

诸葛亮说："老子善于养性，但不善于解救危难；商鞅善于法治，但不善于施行道德教化；苏秦、张仪善于游说，但不能靠他们缔结盟约；白起善于攻城略地，但不善于团结民众；伍子胥善于图谋敌国，但不善于保全自己的性命；尾生能守信，但不能应变；前秦方士王嘉善于知遇明主，但不能让他来事奉昏君；许子将善于评论别人的优劣好坏，但不能靠他来笼络人才。"

这是避人所短的艺术。如果让韩信当谋士，让董仲舒去打仗，让于公去游说，让陆贾去办案，谁也不会创立先前那样的功勋。

2. 照黄石公的办法用人

黄石公说："起用有智谋、有勇气、贪财、愚钝的人，使智者争相立功，使勇者得遂其志，使贪者发财，使愚者勇于牺牲。根据他们每个人的性情来使用他们，这就是用兵时最微妙的权谋。"

用人也该懂得这个道理。善用人的长处，是因人成事的第一要务。一个聪明的领导人，就在于能够了解团队中的人各自的长短，用其所长，避其所短，把自己的部下组织成一支样样皆精的队伍。那么，即使他并非技艺超群，而他的团队却是无敌的。

使用人，应该发挥其长处，避开其短处；教育人，应该发展其长处，克服其短处。所以说，一位杰出领导人的高明之处就在于"各因其能而用之"！

公元前 209 年，陈胜揭竿而起，宣告了一个群雄争霸时代的到来。就在这时，阳武县一位名叫陈平的年轻人，前去投奔魏王咎，被任命为太仆，替魏王执掌乘舆和马政。陈平十分聪慧，年少就胸怀大志，而且勤奋读书。他来投靠魏王，原本想有一番成就，但他屡次献计献策都没有被采纳，反而遭到他人的排斥、诋毁。陈平认识到魏王咎是个平庸之人，于是便毅然出走，投奔到项羽麾下，参加了有名的巨鹿之战，跟随项羽入军关中，击败秦军。项羽赐给他卿一级的爵位，但这种职位徒有虚名，并没有实权。

公元前206年4月，楚汉之战正式开始。第二年春天，殷王司马卬背楚投汉。项羽大怒，封陈平为信武君，率领魏王咎留在楚国的部下进击殷王，收降司马卬。陈平取胜后因功被拜为都尉。过了不久，汉王刘邦又率部攻占了殷地，司马卬被迫投降。司马卬的反复无常激怒了项羽，以至于迁怒陈平，要斩以前参加平定殷地的全体将士。陈平害怕被杀，又看到项羽无道无能，难成大气候，于是封裹其所得黄金和官印，派人送还项羽，自己单身提剑抄小路逃走。

陈平一路直奔修武，因为当时刘邦正率领部队驻扎在那里。他通过汉军将领魏无知见了刘邦。刘邦赐给他酒食，并说："吃完了，就休息去吧。"

陈平说："我为要事而来，我对您要说的事不能挨过今天。"

刘邦听他这么一说，就跟他谈起来，两人纵论天下大事，谈得非常投机。刘邦问陈平："你在楚军里担任什么官职？"

陈平回答说："担任都尉。"

当日刘邦就任命陈平担任都尉，让他当自己的骖乘，主管监督联络各部将领的事。

这事一传出，帐下将领不禁大哗，纷纷对刘邦说：

"大王得到楚军一个逃兵，还不知道他本领有多大，就与他坐一辆车子，反倒来监督我们这些老将。"

刘邦听到这些议论后，反而更加亲近陈平，同他一道东伐项王。这样一来，将领们越发不服气。过了一段时间，他们推举周勃、灌婴晋见刘邦说："陈平虽然美如冠玉，恐怕是徒有其表，未必有什么真才实学。我们听说他在家时就德行不佳，与嫂子通奸。而且反复无常，侍奉魏王不能容身，逃出来归顺楚王，归顺楚王不行又来投奔汉王。如今大王器重他，给予他高官，他就利用职权接受将领的贿赂。这样的人，汉王怎么能加以重用呢？"

经这么多人一说，刘邦也不能不怀疑起陈平来，他把推荐人魏无知叫来训斥了一番。魏无知根据刘邦豁达大度、不拘小节的特点，以及求贤若渴、争夺人才的特殊形势，回答得非常精彩。他说："我所说的是才能，陛下所问的是品行。这两者在争夺天下的过程中，哪一方最重要呢？我推荐奇谋之士，是为了有利于国家，哪里还管他是偷还是接收贿赂呢？"

对于魏无知的回答，刘邦也没有什么好说的。他又责备陈平说："先生您侍奉魏王不终，又去追随楚王；追随楚王不终，现在又来与我共事，讲信用的人应该如此三心二意吗？"

陈平听后回答说："我侍奉魏王，而魏王不能采纳我的主张，所以我离开他去侍奉楚王。楚王不信任人，所以我弃楚归汉，封金还印，只落得形单影只。听说汉王善用人，故来投靠汉王。我空手而来，不接受金钱便没有可供花销的。假如我的计策值得采纳，大王您就采纳；如果没有，钱还在，我可以封存起来送到官府，请求辞职。"

刘邦听陈平说完这段话后，立即表示道歉，并说："你能帮助我成就大业，我也要叫你衣锦还乡。"

于是，更加厚赐陈平，把他升为护军都尉。从此以后，诸将领再也不敢说什么了。

陈平屡出奇谋，使刘邦多次转危为安。

公元前204年正是楚汉战争打得最激烈的一年，双方在荥阳争夺得你死我活。刘邦心里非常焦急，他问陈平："天下纷斗不定，什么时候才能真正安定呢？"

陈平从容地分析说："我想楚国存在着可扰乱的因素。项王身边就那么几个刚直之臣，如范增、钟离昧、龙且、周殷之辈。如果大王舍得花几万金钱，可施行反间计，离间他们君臣关系，使之上下离心。项王本来爱猜忌怀疑，容易听信谗言，这样，必定会引起内讧和残杀，到那时，我军再乘机进攻，定能获胜。"

刘邦对陈平的分析大加赞赏，于是拿出四万斤黄金给陈平，让其任意处置。

陈平巧设反间计，除掉了项羽唯一的谋士范增。

陈平的奇计竟产生了如此巨大的效果，而项羽的天下终因其自身心胸狭窄、猜忌多疑的弱点而分崩离析。

俗话说，金无足赤，人无完人。十全十美的人世上是没有的。古今中外成大事业者，能够在选用人才时，知道用人的长处，容忍人才的缺点。这不仅是一种智慧，更是一种胸怀。刘邦就有这个胸怀，他看中的是陈平在智谋上高人一筹的长处，所以，就重用陈平，而且取得了事业上的成功。

作为领导者，不会用人，不善于凝聚人心，实乃大忌，肯定干不好工作；而一个待人刻薄、一向求全责备的人，身边又岂能留住人才呢？

3. 不拘一格降人才

用人以长，不拘一格，这话谁都会说，但真正能够做到的却没有几人。问题何在？齐桓公一语道破：世上的许多国君，都是因为小的过失而失去了贤才。

识人需要眼力，用人需要胆略。很难说哪个更重要，也很难说哪个更难。

人才往往都有个性，大才者又大都不拘小节，又难免会恃才傲物。因此，看人要看大的方面，用人要用其所长，这样才能成就大业。

齐桓公推行招贤纳士，锐意求治的建国方略，任用管仲为相，建立了"九合诸侯，一匡天下"的霸业。

宁戚听到这个消息，就远道来到齐国。他怀有不世之才，又有匡世之志，很想在桓公手下一展才能。但来到齐国，他才感到宫门重重，桓公出入车驾相从，卫兵近臣前呼后拥，守卫森严，不要说上前自荐，就是远远看上一眼也是难事。

他身上本来不多的盘缠已经花得差不多了。现在只有两种选择，一是在这里找点事做，等待机会，二是回老家去，安心种地养牛。他擅长养牛，人家都说他专心养牛，就能发大财。

他最终选择了前者。

一天，桓公外出，在东城的门外听见有人在唱歌。歌唱得并不怎么好，但里面似乎有什么东西深深打动了桓公。

"这是什么人啊?"他问仆人。

仆人向外望了望："一个赶车的，不好好干活，在那儿偷懒。"

"你懂什么!"桓公叱道。他下令停下马车，揭帘向外看去，只见一个清癯的男子，粗布褐衣，正在击着牛角唱歌："浩浩乎白水……"

他唱的是一首古诗。

"浩浩白水，惰惰之鱼，君来召我，我将安居，国家未定，从我焉如。"

诗用的是比兴，表达出为国效力的愿望。

"这是个贤人呵。"桓公感叹说，"怎么能干给人赶车这种粗活呢。寡人要把他请进宫去，和他谈谈。"

于是，一番长谈之后，桓公和管仲都主张重用宁戚。

一位老臣启奏："大王，用人可是关乎国家兴衰的大事。应该慎重。"

桓公说："是啊，用贤人，国家就强盛，用奸人，国家就衰败。这方面的例子，真的是很多。就说管仲吧，要不是当初鲍叔牙推荐了他，寡人就不会有今天。所以，我要把贤能的人都请来，为齐国出力。"

大臣说："好是好，但是不是贤才，大王可要把握清楚。老臣倒是有个主意。"

"什么主意？"桓公倾身问道。

"这个人是从卫国来的，卫国离我们这里又不很远。我们派个人过去，了解一下，他要果然是个贤才，再用他也不晚。"

"不妥不妥。"桓公连连摇头。

"现在我们认为他是贤才，就大胆使用。派人去了解，要是认真，了解到了就会净是一些鸡毛蒜皮的小事。人谁没点小毛病？可知道了他的这些小毛病，就会让我们心里疑惑，不放心。为了小的过失而丢弃了大才，这可是太不上算了。你想想看，世上许多国君失去贤才，不都是这个原因嘛！"

齐桓公正襟危坐，命人颁下诏书：任命宁戚为齐国上卿。

宁戚为上卿，为齐国做了许多事情，和管仲一起辅佐齐王，成就了春秋霸业。

可见，用人不能太苛求，看人看得太细，就容易捐弃。

用人成功和失败的例子几乎一样多。再说齐桓公，本身就是一个最好的例子，他重用了管仲等贤人，以"尊王攘夷"为名，扩充国力，收取人心，成就了一代大业。但在管仲死后，他不听管仲死前的劝告，用了几个小人为相，使得儿子争夺王位，他的尸体在房里生蛆，竟然没人过问。成功和失败的例子如此集中在同一个人的身上，对比是何等的鲜明！

春秋时候，子思向卫国国君推荐苟变，他说："以苟变的才能，统帅五百辆战车的军队不成问题。"

卫侯说："我知道他是个将才，但是苟变做官吏的时候，有次征税吃了老百姓两个鸡蛋，所以我不用他。"

子思说："英明的人选才任官，就好比木匠选用木材，一取其所长，弃其所短。所以一根可以合抱的优质木材，有了几尺朽烂之处，高明的木匠是不会扔掉的。现在国君您处在战乱纷争的时代，正是需要收罗英武人才的时候，您却因为两个鸡蛋放弃了一员大将。您这话可不能让邻国知道啊！"

卫侯两次拜谢说："我接受您的指教。"

每个人都有缺点，不能因为一些小缺点就放弃一个人才。值得注意的是，一些有大才能的人，往往缺点也很明显；而看起来很完美的人，往往天赋一般。所以，用人之道，在于取其所长，弃其所短，不要苛求细枝末节，而是看他大的方面。孟尝君养食客三千，鸡鸣狗盗之徒都派上用场；曹操的智囊集团，他手下任用的要么是谋臣荀彧、郭嘉、贾诩、程昱等一帮知识分子，要么就是武将夏侯淳、张辽、徐晃、张郃等，很少是文武兼备的人才，但他惟才是举，善于让每一个人发挥其长处。荀彧在袁绍手下没有什么建树，但在曹操麾下却屡建奇功；郭嘉也是这样，在曹操手下展示出了自己通晓事理、足智多谋的资质。

英雄不问出处。更重要的是，人都是在不断发展的，他现在有些缺点，以后经过磨炼，可以不断进步，改正缺点。大海之所以博大，是因为它不择细流。用人也是一样，一个有博大胸襟的领导者，手下的人才一定也是多彩多姿的。

4. 别让人才成为对手

刘邦用人不看出身，有能力就行，所以手下人才济济。项羽有人才而不能用，韩信和陈平都是可以平天下的人才，但项羽都没有重用他们，致使他们跑到了刘邦那里，变成了自己的劲敌，最后连身边惟一个足智多谋的范增也被陈平用离间计赶走，失败自然是情理之中的事情了。

所以说，与其把人们赶到与自己为敌的一方，不如对他们施以德行，用恩惠来收服他们。

南宋高宗时，秦桧当了宰相，执掌国家大权，一时权倾朝野。

有一天，下面押送来一个犯人，交给秦桧处理。原来这是个读书人，他模仿了秦相的笔迹，伪造了一封书信，去见扬州太守，想骗取些银子。扬州太守发现了破绽，不敢擅自处理，就把他押送到都城临安，让秦相处治。

秦桧见了这个人，不但没有处罚，反而封了个官给他做。

有人问秦桧："他冒充大人的笔迹，大人不罚他也就罢了，怎么还让他做官？"

秦桧笑着说："这个人，有敢于假冒我笔迹的胆量，一定不是个一般的人物。如果不给他一个官职，把他拢住，那么他不是向北投奔金国，就是到南方去为越人效力了。"

秦桧是奸相，不过小人有时也有大智慧，至少在这件事情上，他处理得还算是很有手腕。

他也是有一定眼力的，至少可以说，他有着权奸的敏锐嗅觉。他看出了那位读书人敢于假冒他的笔迹，一定很有胆量。这

样的人，如果不用，那么一定会为别人所用，那时对自己是个麻烦，还不如留下来，用个小官来笼住他。

第三节　宽猛相济，赏罚并施

◆《孙子兵法》上说：上下同欲者胜。只有用大德进行赏罚的取舍，才能取信于下属，得到下属的尊敬、爱戴，上下方能团结一心，共创事业。

◆赏与罚的作用各有其侧重。赏是用人的激励机制，而罚则是纠正机制。

◆赏罚分明，首先要求上司对下属不能简单用事，一味强调赏或罚。其次，它又要求上司赏罚公正，行事无偏，不能感情用事。它还要要求上司时刻了解和掌握下属不断变化着的心理和想法，及时做出调整，以适应不同形势下的不同需要。

◆赏罚的问题也就是付出与得到的问题，如果赏罚不分明，那么他们就对自己的付出的意义感到怀疑，积极性下降甚至丧失。

◆赏与罚是领导别人的两大"利器"，赏罚分明，令出必行，能够最大限度地激发别人积极性的最佳办法之一。

◆惩罚下属，要掌握时机，注意方式方法，分清主次关系，讲究时间场合，把握轻重缓急。只有这样，才能不会因小失大，顾此失彼，发挥惩戒的最大功效。

1. 什么叫公平

要让部下服从指挥，行动一致，必须用赏罚、禁令来约束部下的行动；执法必须公正、严明。如果做不到上述两点，士气就会涣散、懈怠。

越王勾践从吴国回国，下决心洗雪被俘之耻，马上对士兵进行严格的训练。有一天他来到校军场，问文种："我想攻打吴国，可以吗？"

文种回答说："可以！我平常训练时，奖赏丰厚，刑罚严厉，而且令出必行，大王如想了解情况，不妨试一试。"

勾践于是点着了宫室，集合三军前来救火，下令说："因救火而死者，比照阵亡抚恤；救火而没有死的，比照杀敌奖赏；不救火的，比照降敌刑罚。"

手下人马上披上湿衣服，冲上去救火，很快将火灭掉了。勾践从中看到越军的气势，马上出兵，终于打败了吴国。

赏罚对于促使众人效力，共同完成一项事业十分重要；因此必须要有大胸怀和大视野，赏罚分明，而且必须要有法可依，执法必严。

"用赏者贵信，用罚者贵必。"关键在于赏罚不仅要分明，更要据实进行以示公正，才能起到聚集贤人和驱除害群之马的效果。

姜太公吕望封于齐地。齐地有名华士的名人，自称不朝拜天子，结交诸侯，人们都称赞他为贤人。太公派人三次征召他，他都没有来，于是太公命人诛杀了他。

周公派使者责备太公："此人为齐地之高士，为什么杀了他？"

太公曰："他不朝拜天子，不结交诸侯，难道还指望他能做臣子或结交吗？不能做臣子的人是弃民；征召三次而不至是逆民。当地人把这害群之马当作学习的榜样，全国都仿效他，难道还有人为我所用？"

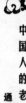

太公建国以后，当务之急是招致天下英雄为之效劳。所谓此一时也、彼一时也，形势不同，需求不同，因此做法也就不同。这本来是统治者惯常的做法。

罚的威胁可以让人有所忧惧，不敢太过放肆。

有时候，如果简单地根据条文和规章来执行赏罚，就可能达不到应有的效果，因此需要用智谋来辅助。

赏罚的大胸怀也是一种大智慧，也就是把赏罚的对象分成三六九等不同对待，在区分的时候，要清醒认识到所依据的标准。

刘邦平定天下之后，大封功臣，萧何地位最高，有人对此有异议。刘邦反驳说："在打猎时，追捕野兽兔子的，是猎狗；但发现兽兔的踪迹，指使猎狗追捕的，却是猎人。你们只能捕杀野兽，功绩如同猎狗。而萧何能发现野兽踪迹，指使猎狗去追捕，功绩如同猎人。"

这种从大处着眼的原则，是以赏罚来引导人所必需的，因此也是赏罚分明中所不可或缺的一条。

赏与罚如果得当，便会起积极的作用，如果不能得当，反而还会坏事。一部分人可以从另一部分已得了赏或罚的人身上照见自己将来的命运。如果预见到自己将不会有什么好结果，那一般都不会认命静等，而会采取某种相应的行动了。

在赏罚的过程中，赏与罚其意不仅仅在被赏罚的人，他还要通过这些对那些未被赏罚的人施加他所需要的影响。可以说，赏与罚在此已不是目的，而是手段了。

从长远来看，公平原则应是行赏用罚不可或缺的，不能从一己之私出发，而是以天下为念，这将对天下英雄起更久远的示范作用。

李氏灭隋兴唐后，李世民登基，封赏有功之臣，房玄龄、杜如晦等人都受到了重用，被视为股肱之臣。这引起了许多旧部的不满，其中他的叔父李神通最为不悦。

淮安王李神通对李世民说："我起兵关西，最先拥戴高祖。如今，连房玄龄、杜如晦这样的人都位居我上，我是李氏家族的长辈，这让我怎么能够服气？"

李神通此言一出，立刻得到反响。那些没有得到升迁的秦王府的旧人，也纷纷抱怨起来。

李世民对李神通说："叔父是我的至亲，我非常尊重您。但您虽首倡义军，却无功于国家。起兵是为了避患，您先在山东全军覆没，后在与刘黑闼作战时望风而逃。如果没有房玄龄等的辅佐，我早就被敌人打败了。我不能因为您是我的叔父，就把您和开国元勋同功论赏。"

李神通面红耳赤，闭口无言。李世民又说："为政之道，只有无私才能让天下人心服。行赏只能按功而论，任用有用之才。秦王府的人虽是我的旧部，但有的人却缺德少才，只会空发怨言，这哪是治国安邦的大计呢？"

听了李世民的一番言辞，众将心悦诚服，纷纷说："陛下如此大公无私，对至亲的叔父和旧部没有一点私心，我们还有什么可忧虑的呢？一点也不敢有非分之想，惟有尽力报效国家了。"

2. 赏罚有时只是一种姿态

赏罚都不一定要直接施到每个人身上，而是用杀一儆百和示范的作用来向大家昭示一种好恶倾向，来取得要达到的效果。

有一次，齐桓公担忧地对管仲说："大夫们多数都是兼并财产而不肯分出一点，宁使五谷在库中腐败却不肯散发给贫苦百姓。"

管仲说："请您下令召城阳大夫来问罪。"

桓公问："这是为什么？"

管仲说："城阳大夫的宠妾穿着华丽服装，连家里养的鹅和鸯都吃稻米。他的家里经常敲钟鼓，吹笙号，大摆宴席，而同姓的兄弟无衣以御寒，无食以果腹，这样的人让他在其位置上尽忠于国家可能吗？"

齐桓公听后就召来城阳大夫，摘了他的官帽，命令封闭他的大门，不得随意出走。

那些受封赏的官宦之家见此情景后，立即争先恐后发放积存的粮食，送给远亲近邻。还有的功臣之家广纳城中贫病、孤苦和不能自立的穷人，分给他们救济粮。从此后，国中没有饥饿的百姓。

既夺取了齐桓公对城阳大夫的宠幸，又劝得功臣施粮于百姓，管仲的只语片言，给齐国带来莫大利益。

粮食价格下跌了，齐桓公深恐余粮流到其他诸侯国，想为本国百姓贮藏些粮食，又来向管仲问计策。

管仲说："今天我从市中心路过，见到新建成的两家大粮仓，请您以璧玉来招聘他们当官。"

齐桓公听完管仲的话，明白了其中道理。于是以贮粮有功的名义聘两家主人出来做官。国中百姓得知，纷纷建造粮仓仿效，每家都藏尽可能多的粮食。

3. 有时重赏不如严罚

在赏罚的运用中，赏与罚的作用各有其侧重。赏是用人的激励机制，而罚则是纠正机制。面对一定的情况，要懂政是该用赏还是用罚。

春秋末期，鲁国国都北边的一片森林着火，正巧天刮北风，火势向南蔓延，快要危及国都。国君鲁哀公亲自救火，但他旁边只有几名随从，其他人都去追赶被火逼出来的野兽，却不去救火。

鲁哀公很生气，把孔子召来问计。

孔子说："那些追赶野兽的人又快活又不受处罚，而救火的人又劳苦又没有奖赏，这就是救火的人少的原因。"

鲁哀公说："你的意见很好，应该赏罚分明。"

孔子说："现在是危急时刻，来不及去赏救火的人，再说，凡是救了火的人都要奖赏，国家的花费就很大，您只要用刑罚就管事。"

鲁哀公下令说："不救火的人，与战争中投降叛逃者同罪；追赶野兽的，与擅入禁地的同罪。"

这道命令颁布后，火很快就被扑灭了。

这个故事形象地说明，行赏还是行罚，需要审时度势，计算哪样更合算、更有效，不可随便施行。

赏与罚的后果对人来说是不对等的。

如果要纠正一个人的错误行为，用罚要比用赏更有效。

西汉时，匈奴部落的酋长叫头曼，前妻生子冒顿。后来，头曼所宠爱的后妻阏氏，又生了个小儿子，头曼想把他立为太子，就派冒顿到月氏王国（甘肃张掖）当人质。等冒顿去了之后，头曼发兵猛攻月氏，希望月氏王把人质杀掉。

冒顿察觉到老爹的诡计，立刻夺得一匹好马逃了回来。老爹有点懊悔，同时却认为儿子很有胆识，于是分给他一万名部众。

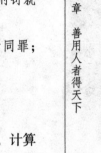

中国人的君经验

冒顿却自有主张，不久就发明一种发射时能发声的响箭——鸣镝，他命令随从说："注意鸣镝，鸣镝所向，你们一齐射。"

打猎时，冒顿用鸣镝射向鸟兽，有未跟着射的随从，立即斩首。冒顿又用鸣镝射自己的战马，有的随从一看是主公的战马，有所迟疑，结果全被斩首。过了一些时候，冒顿用鸣镝射他自己的妻子，随从中又有不敢跟射的，也立即杀掉。

最后，冒顿用鸣镝射父亲的坐骑，随从都不敢再不跟射。冒顿知道已训练成功，于是把鸣镝射向他的父亲，乱箭随之，把老单于射成了刺猬。

冒顿把他的继母与弟弟杀掉，宣称自己是"单于"（匈奴语"元首"），建立匈奴汗国。

4. 以大德不以小惠

赏罚必须要大处着手，以大德不以小惠。所谓以大德不以小惠，有两方面的含义。

首先，要以礼贤下士的大德来收服人心，不要把小惠，也就是物质利益作为永恒的法宝来进行赏罚，很多人可能不吃这一套。

对于品行高洁的人，不能用爵位、俸禄打动；坚守节操的人，不能用刑罚逼迫。招引这些人，要以礼相待，要能让他理解，这样做有助于实现他的理想，而不仅仅是香车美女这样的物质好处。

魏文侯曾受教于孔子的学生子夏，因为很尊敬孔子的另一个学生段干木，当他坐车路过段干木的住所时，没有一次不下车扶着车把走的。秦国想讨伐魏国时，有人说："魏国君主很贤明，大家都称赞他的仁义，上下级的关系也很融洽，不可打魏国的主意。"

秦王于是取消了这个主意，魏文侯因此而在各国诸侯中变得很有威望。

齐宣王召见颜触时说："颜触你到前面来。"

颜触也说："大王你到前面来。"

颜触认为，他到前面去表明他是为权势，齐宣王到前面去说明他礼贤下士。

宣王一听就变了脸，说："是君王尊贵呢，还是士人尊贵？"

颜触说："从前秦国攻打齐国的时候，曾经下过一道命令：有谁敢去柳下季的坟墓五十步之内打柴、采摘的，一律处死，不予赦免。还下过一道命令：有能得到齐王人头的，封他为万户侯，赏赐黄金二万两。由此看来，活着的大王的人头，还不如一个死士的坟墓。"

宣王于是被说服，拜颜触为师。

当时宣王身边的人说："我们大王拥有千乘之地，千斤之钟，四面八方，没有敢不服从的。现在名声高的士人也只是普通百姓，每天步行到地里去干活；等而次之的则住在边远偏僻的地方，做邑里、巷口的看门人。士人的低贱，真是到了极点啦！你还傲慢什么？"

颜触说："从前禹的时候，有诸侯万国。舜是从一个农民发展起来，成为天子的。到了汤的时候，诸侯只有三千。而到如今，西南称王的传不到四代，这难道不是由于不重视士人造成的吗？等到国破家亡之时，诸侯全都被挂在杆子上杀掉，就是想做邑里、巷口的看门人，也不可能了。"

黄石公说："士人所依附的是礼义，为之而死的是赏赐。把礼义和赏赐明明白白地摆在那里，你所需要的人才就会到来。"

其次，以大德不以小惠还有从宏观和长远的角度考虑赏罚问题，而不是一时的短见，赏是如此，罚也应如此。

公元前 203 年，韩信征服了齐国，拥兵数十万，而此时刘邦正被项羽紧紧围困在荥阳。这时韩信派使前来，要求汉王刘邦封他为"假王"，以镇抚齐国。

于是刘邦就派张良前去宣布韩信为齐王，征调他的军队攻打项羽，很快就扭转了汉军的不利地位。

刘邦打败项羽，与他的气度胸怀也密切相关，对看准了的人才，他不计成本地投人。不管韩信要权，还是陈平要钱，只要他觉得必要，眼皮都不眨，就会给予。

以大德不以小惠，就是用大德得到人心，而不是以小恩小惠来买得一时之名。如果目光短浅，必将失去人心。

楚汉争霸中，作为一个叱咤风云的英雄，项羽的确让人敬佩，但作为一个霸主，他的所为却不能不让人有微词。成就事业，建立国家，首先必须取悦民心，"顺德者昌，失德者亡"。

项羽势力正盛的时候，韩信却说："项羽号称强大，但是所过之处杀人放火，肆意地残害生灵，老百姓不顺从他，他就用暴力劫持。这是以势压人，名义上是称霸天下，实际上丧失了人心，因此不过是外强中干。"

刘备能够信任和使用三杰，但是项羽却相反，智谋他信不过范增，在鸿门宴上犹柔寡断，纵虎归山，放了刘邦；带兵打仗，他又信不过手下的众多大将，总是身先士卒冲锋在前。

最能暴露项羽无能莫过于他收买人心的方式。每当遇到伤病员，他能亲自送饭、喂汤。但是对于人才，项羽却不提供应给的东西。即使下属立下了大功，该封官授印，他把官印在手上反复摩玩，直到了有缺角，也舍不得给人。正因如此，原来在他手下的人才如张良、韩信、陈平都转投刘邦。

后世史学家称项羽为"妇人之仁"，他最终不得不惨死于乌江边上。

战国时，子产曾对子大叔说："只有有德的人，才能以宽来收服别人。其实不如严厉些。大家都知道烈火危险，所以看见就避之不及，因而很少有人被烧死；而水看上去清净喜人，人们就跳到其中游玩，却不知道其中的危险，因而被淹死的就很多。所以一味以宽待人，示之以小惠，反而是害了他们。"

三国时，曾经有人批评丞相诸葛亮是个吝惜赦免宽大的人。

对此诸葛亮回答道："治世用人要以大德不以小惠。"一针见血地揭示出问题的关键所在。

《孙子兵法》上说：上下同欲者胜。只有用大德进行赏罚的取舍，才能取信于下属，得到下属的尊敬、爱戴，上下方能团结一心，共创事业。项羽不能给下属带来发展空间和实际利益，怎么斗得过一个勇于给下属利益与空间的刘邦呢？

第四节　善用情感

◆孟子曾经说过："君主把臣下视为手足，臣下就会把君主视为腹心；君主把臣下视为狗马，臣下就会把君主视为一般人；君主把臣下视为泥土草芥，臣下就会把君主视为仇敌。"

◆感情在驾驭部下的过程中是一种有广泛影响的手段，亦即感情投资，它是一种精神上和感情上的赏赐。一个关切的举动，几句动情的话语，几滴动情的眼泪有时简直可以胜过高官厚禄的作用，他所影响的不仅是受惠人，而且能造成相当广泛的影响。

◆正是因为感情的存在才使无数难于解决的矛盾化为乌有，让无数大智大勇的人为你赴汤蹈火，死而无憾。

◆一个聪明的上司如果能够在不违犯原则的情况下多体恤下

级一些，对营造团结和谐的气氛从而促进工作无疑是有利的。

1．要真做，才有真回报

古人说过："士为知己者死。"人非草术，怎能无情？有了能体恤下属的上司，下属怎么能不尽心竭力地报效呢？历代高明的统治者没有不能深刻理解这一点的；因此历史上出现许多君主与大臣联姻的现象，君主关怀臣下的事情也不绝于书。正是因为感情的存在才使无数难于解决的矛盾化为乌有，让无数大智大勇的人为之赴汤蹈火，死而无憾。

《吴起传》里描绘了吴起与士卒"共安危"的情况，给我们具体揭开了吴起每战必胜的原因：

吴起在魏国为将时，同最低级的士兵穿一样的衣服，吃一样的饭菜，睡觉不另设床铺，行军不乘坐马车。他还跟士兵一样亲自背负粮食，在衣食住行上都没有一点特殊，与士兵同劳苦。有一个士兵身上长了毒疮，吴起用嘴给他吸吮疮脓，这位士兵的母亲听了不禁痛哭起来。

人们很不理解说："你的儿子是个小兵，而将军为他吸吮疮脓，这是对你儿子的重视和关怀，为何要哭？"

这位母亲从其直觉中，已感觉到吴起如此爱护他的孩子，必将使她的儿子深感吴起的恩爱，必激发他的战斗意志和牺牲精神，终将效死沙场，因此她为儿子的即将战死痛哭。

吴起干得出"杀妻求将"这样的事，绝不是一个通人情、重感情的人，史书说他是残忍刻薄之人。可就是这么个人，却又能干出吸脓吮血的事，自然不是他爱兵如子。

士卒的母亲一语道破："吴起将军哪里是爱护我的儿子呵，

无非是要我儿子替他卖命罢了。当年吴将军也曾替这孩子的父亲吸吮脓疮，后来打仗时，他父亲格外卖力，终于死于战场；现在他又这样对待我的儿子，看来这孩子也不会有什么好下场了！"

但不管吴起出于真心还是假意，统帅能与士卒同安乐，共患难，使军队团结一致而不离散却是不争的事实。吴起的感情投入可谓用意深远。

2. 要把事做到关键处

孟子曾经说过："君主把臣下视为手足，臣下就会把君主视为腹心；君主把臣下视为狗马，臣下就会把君主视为一般人；君主把臣下视为泥土草芥，臣下就会把君主视为仇敌。"

李世民作为历史上少有的几个明君之一，不仅文韬武略俱备，善用情感笼络下属的功夫也是超一流的。

李勣是唐朝开国功臣，是第一个被赐为"国姓"的人，也是唐太宗李世民晚年嘱以托孤重任的人，对唐代前期的政治有重要的影响。

对李勣这样的人，李世民十分重视感情投资，据说有一次李勣得了急病，医生说："胡须灰可以救治。"

李世民听说后，当着众臣的面毫不犹豫地剪下自己的胡须派人送给李勣。

在身体发肤受之父母不可损伤的观念影响下，古人一向视发肤为神圣之物，至于皇帝的毫发更是珍贵无比，而李世民为救大臣竟毫不吝惜地剪下，实在前无古人！

后来李勣知道后感动得热泪长流，叩头以至流血，表达他感激不尽的心情。有这样的主子，李勣怎能不竭力相报呢？

魏征是唐初著名的谏臣，他在太宗贞观年间曾上奏二百余道，极切时弊，为"贞观之治"作出了重大贡献。

对魏征这个人，唐太宗也倾注了大量的感情：他曾将自己心爱的女儿嫁与魏征之子，魏征每病太宗必亲临看望，魏征死后太宗特亲临哭送，并停朝数日以示哀悼。

唐初著名政治家房玄龄，曾率先投奔李世民参加反隋起义，又帮助李世民登上皇帝宝座，贞观年间长期担任宰相之职，为唐初政治制度的建立、社会经济的发展作出过重大贡献。

对房玄龄，唐太宗也给予特别的恩宠，他曾数次亲临房玄龄的府上慰问。房玄龄病重时，唐太宗为了及时了解病情，探视方便，竟令人将皇宫围墙凿开，以便直达房玄龄家。他每天都遣使臣问候，派名医去治疗，让御膳房为他准备饮食。房玄龄临终时，太宗亲自话别，悲不能禁。

贞观年间，李世民之所以能聚集一大批有才干又有高度忠诚心的大臣，是与他巧用感情分不开的，也正因为此，唐太宗李世民树立起了"英明君主"的形象。一个聪明的上司如果能够在不违犯原则的情况下多体恤下级一些，对营造团结和谐的气氛从而促进工作无疑是有利的。

3.巧用善意的欺骗

孙子云："令素行者，与众相得也。"就是说，将军的命令能在部队中一贯执行，畅通无阻，就是因为将军与士兵大众互相投合的缘故。这也是军队作战胜利的保证。

高明的将帅总是能够调动士气，激发士兵的最大潜力。

曹操征讨张绣时，一日行军途中，士兵们口渴难耐，步伐渐渐放慢。

曹操心生一计，用马鞭朝前随便一指，说："前面有梅林。"
士兵们马上口齿生津，脚下生风，很快赶到了前线。

虽说曹操是在欺骗士兵，但这种欺骗是善意的，所以即便前面没有梅林，士兵们也是会谅解的。

宋朝时狄青征讨侬智高，也采用了类似的办法。

当时，大军集结到接近前线的桂林。

早在出征前，他就听说南方有崇尚鬼神的风俗，于是便让人准备好一百个铜钱，做出与神订下誓约的样子，祈祷说："万能的神啊，如果你想让我军获胜的话，请让铜钱的正面都朝上。"

左右幕府的官员都劝他不要这样做，担心倘若不如意，会动摇军心。狄青不听，一定要投掷铜钱。这时成千上万的士卒都紧张地注视着狄青，只见狄青挥手一掷，一百个铜钱落地，竟然全部正面朝上。

全军欢呼，声震林野。狄青也非常高兴，让左右的人取一百个钉子来，按着铜钱落地时疏疏密密的原状，贴地将铜钱钉住，然后用青纱将这块地面笼罩起来。

狄青亲手把它封死，说："等到我们凯旋时，一定拜谢神灵，然后再取起这些铜钱。"

敌人听说这件事后，十分紧张，认为是天助狄青，因此军心震动惶恐，很快被狄青率军平定。狄青凯旋时，履行前言来取钱。拨开钉子以后，幕府的人才看到，这一百个钱原来是特制的，两面都是正面。

当时作战任务艰巨，军心惶惑不稳，因此狄青使用诈术来鼓舞士气，以坚定大家的信心，同时扰乱敌人的军心，也同样取得了很好的效果。

作战用兵如此，为政又何尝不是如此呢？领导者如善于激励士气，他的整个团队就会平添一股力量，尤其是在危急关头。

4. 给属下留足面子

中国人死要面子，尤其是官场中的某些领导；自己要面子固然不错，但也得给别人留面子。倘若你自恃自己的面子大，不把别人放在眼里，碰上死要面子的朋友，就可能不吃你那一套，甚至可能撕下脸皮和你对着干，这样常会把所结成的关系搞糟。

一个人活在世上有的时候为了名字可以舍利，可以忘生。掌握这一点，对于处理人情关系至关重要，无往不利。只要抠到人的尊严这块"骨头"，做领导的都很注意面子，但也不能忘了给下属以面子，如此下属便会"士为知己者死"，"女为悦己者容"。

有一次，齐威王和魏惠王一起到野外打猎。魏惠王问："齐国有宝贝吗？"齐威王答道："没有。"魏惠王听后得意地说："我的国家虽小，尚且有直径一寸大的珍珠，光亮能照到车前车后十二辆车，这样的珠子共有十颗，难道凭齐国如此大国，竟没有宝贝？"

齐威王别有意味地回答道："我用以确定宝贝之标准与您不同。我有个大臣叫檀，派他守南城，楚国人就不敢来犯，泗水流域的十二个诸侯都来朝拜我国。我有个大臣叫盼子，派他守高唐，赵国人对着徐州的北门祭拜求福，赵国人从徐州的西门迁移而求从属齐国的有七千多户。我有个大臣叫种首，派他警备盗贼，做到了路不拾遗。这四个大臣，他们的光辉将光照千里，岂止十二辆车呢？"

这段话既是对魏惠王有力的回答，使他羞愧难言，同时更是对自己臣下的极好赞扬。正是通过诸如此类巧妙得体的赞扬，齐威王在笼络人心方面做得非常出色，使一大批诸如田忌、孙膑、淳于登等杰出人才心服口服，心甘情愿地为其效劳。于是，齐国大治，出现了"坐朝廷之上，四国朝之"的局面。

在现代社会中，这种做法仍有实用价值。因为人的社会性决定了人需要得到他人和社会的承认与肯定，而你发自肺腑，恰如其分地给予赞扬，是对别人热情的关注、诚挚的友爱、慷慨的给予和由衷的承认，必然会起到鼓励的作用和引发感激的心理效应，甚至他会把你当成知己，得到类似"士为知己者死"的报效。

俗话说得好，人心都是肉长的。一个感到别人对自己友好并尊重自己的人，是不会以怨报德的。给人面子，等于凭空借给了别人一笔人情债，这样的好事，何乐而不为?

中国人的老经验

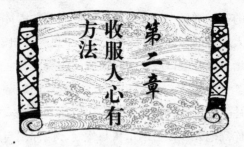

第二章　收服人心有方法

一条小河边住着一只蝎子和一只青蛙。

蝎子想过河，可是不会游泳，于是到青蛙面前央求道："劳驾，青蛙先生，你能驮我过河吗？"

青蛙回答："我当然能。但在目前情况下，我可不敢答应你，因为你可能蜇死我。"

蝎子反问："可我为什么要这样做呢？蜇了你对我毫无好处，因为你死了我就会沉没。"

青蛙虽然知道蝎子是多么狠毒，但又觉得它说得也有道理。青蛙想，也许蝎子这一次会收起毒刺，于是就同意了。

蝎子爬到青蛙背上，它俩开始横渡小河。就在它们游到小河中央时，蝎子突然弯起尾巴，狠狠地蜇了青蛙一下。

善良的青蛙牺牲了，因为它不相信天性，也不懂得如何避免蝎子的毒针。世界上每个人都像蝎子一样本性难移，各有自己的动机以及独特的思维方式和交往风格。不要为这些差异而悲哀，也不要试图消除它，而要加以了解和利用。

正是由于存在统御谋略上的差异，才有流氓无赖出身的刘邦能依赖能征惯战的勇将韩信南北厮杀，满腹玄机的谋士张良运筹帷幄，最终打败不可一世的西楚霸王项羽而独有天下；也才有大字不识、一贫如洗的穷和尚朱元璋，能够招揽到大批的饱学之士为他出谋划策，最终击败群雄而建立了大明帝国；不少组织能够团结协作，众志成城，无坚不摧，无往不胜，任何困难压不垮打不散，只要领导人一声号令，大家都能挺身而出，义无反顾，这其中领导人的驾驭能力是至关重要的。

第一节　树尊立威

◆和下属之间保持一定距离，不要"见人全抛一片心"，增加上司的城府和庄严，进而让人有所敬重，不敢相欺。这是统驭的秘器。

◆所谓"深藏不露"，不只是藏其形，尤其要藏其心。不要轻易暴露自己的喜怒好恶，否则就会被有所图者所利用。

◆平反前任造成的冤假错案无论如何都是一件善事，不仅使受惠的人更因此得以解脱而感恩戴德。更重要的是，通过这一举措可以凭空轻树威信，巩固自己的地位。

◆一个人如果胸无甲兵，愚不可及，一定会在现实面前撞得头破血流。

1.深藏不露的妙用

树尊立威，让下属臣服，历来都有许多方法可供你借鉴，而不让下属知其根底，不轻易示好，就是二条定律，颇具普遍性。它能让上司和下属之间保持一定距离，增加上司的城府和庄严，进而让人有所敬重，不敢相欺。

不轻易地表露自己好恶、见解和喜怒哀乐，把自己的思想感情隐藏起来，不要让人窥出自己的底细，这样臣下就难以钻空子了，就会对君上感到神秘莫测，就会产生畏惧感，也容易暴露自己的真实面目。

上司如同在暗处，下属如同在明处，控制起就比较容易了。这种手段进一步发展，上司甚至连自己的行动、踪迹都要加以掩饰，使下属无从窥伺。这实在是一种有效的驭臣之术。

秦始皇处处追求神秘，无端让人摸不着头脑，令臣下无可猜测。

一日，他在梁山宫所在的山上看到一队车马从山下经过，他见其阵容庞大，十分招摇，不禁眉头一皱。当他得知这是丞相李斯的车队时，惯有的猜疑心让他十分恼怒，大为光火。

这本是件十分机密的事，不想第二天李斯却突然大大减少了车队数量，且无任何排场可言。秦始皇再次见到，惊疑之下，自知定是有人通风报信，遂严命追查此事。

原来，丞相李斯为了探知秦始皇的喜怒哀乐，早用重金收买了秦始皇身边的一个宦官。当日，这名宦官见秦始皇对李斯生怒，恐对李斯不利，随后马上将此消息传了过去。李斯闻此，惊惧交加，所幸得报及时，他马上将车队大部裁撤，以便让秦始皇消除疑虑。

追查竟毫无结果。当日在场的那个宦官深知始皇帝的暴戾性格，更是不敢承认。

秦始皇极为震怒，下令将当时侍奉他的所有宦官一律诛杀。在他看来，这件事非同小可，长此以往，朕就绝无秘密可言了。那样，臣下知道他的一举一动，了解他的真实态度，就会预防在先，有所戒备，势必难以驾驭。

秦始皇之所以采取如此严厉的手段，倒不完全是由于侍从暴露了他的行踪，更主要的还是因为他担心内外臣属勾结，暗中窥伺着他，使他处于被监视的地位。他的好恶被臣下所掌握，他们就可以以此来迎合他，欺骗他，使他无从了解臣下的真实面目，失去了控制臣下的主动权。

韩非主张"以暗见疵"，即君上在暗中观察臣下的过失，而不是臣下暗中窥伺君上，一个强有力的掌权者是不能容忍这种关系颠倒的。

韩非说："不表现自己的好恶，群臣就会显露出本来的面目。群臣显露出本来的面目，君上就不会受蒙蔽了。"

深藏不露，是韩非关于"术"的重要思想，也是一种十分有效的驭臣的手段。

秦始皇死了，他的这种办法却被秦二世继承下来。秦二世其实只不过是个傀儡，实际掌权的是大宦官赵高，他为了能长期独掌大权，便向秦二世建议说：

"陛下还年轻，刚刚登上帝位，干吗要同公卿大臣一起在朝堂之上议事决策？如果有的事情处理不当，反而在群臣面前暴露了自己的短处。天子地位尊贵，不应该让臣下听见您的声音。"

从此，秦二世便呆在九重官禁之中，不与大臣见面，凡事只和赵高讨论决定。其结果是大权旁落，朝中大事全凭赵高说了算，最后自己不仅丧失了帝位，连性命也丧失于赵高之手。

赵高的话也有可取之处。专制时代是没有什么民主可言的，皇帝的话就是圣旨，是法律，是一锤定音的最高指示。刚刚继位的年轻国君，对处理国家大事还没什么经验，不要轻率表态是有道理的。这不只是由于言语不当会降低自己的威信，更主要的是，可避免因草率决策而给国家带来的损害。多听听，多想想，经过深思熟虑而后作出决断，这不只有利于国家，也是提高自己威信的一种重要手段。

对于一个强有力的雄主来说，深藏不露是用以控制臣下的一种手段，但是，对一个软弱无能的主子来说，深藏不露反而为居

心叵测的奸臣提供了擅权、篡权的机会和条件。

所谓"深藏不露"，不只是藏其形，尤其要藏其心。不要轻易暴露自己的喜怒好恶，尤其是行政、决策、用人等方面，否则就会被臣下所利用，以达到自己的目的。

2. 纠以往的错可以得人心

唐朝初年，由于久经战乱，社会经济异常凋敝，因而自皇帝以至臣民都崇尚节俭。然而随着社会经济的恢复发展，社会的稳定，统治阶级的消费观念也发生了很大的变化，自武则天执政后，奢靡之风更是愈演愈烈，成为危及统治的一大问题。

唐玄宗李隆基继位后，他为表示以俭治国的决心，断然采取一项惊人的行动。

玄宗下令将收缴来的太平公主的玉帛宝物，以及宫中珍物，在宫中庭院公开销毁。只见一股股烈焰腾空而起，噼叭作响，浓烟蔽空，一群宦官将一匹匹色彩斑斓的绫罗绸缎、一捧捧绝美的珠玉饰物投入火中，卫兵还不断从库中将宝物不断运来，供人焚烧，玄宗亲自监督。

"新官上任三把火"的说法大概即源于此。

唐玄宗的这把火，烧掉了数以千万的财富，警告官僚不要崇尚奢侈之风，为玄宗树立起以俭治国的形象，从而为"开元盛世"的创建起到了积极的作用。只可惜玄宗骨子里也是奢魔之君，他所开创的"开元盛世"因此昙花一现，不复存在。唐帝国也因此衰落下去，他本人也落个客死异乡的结局。悲剧的原因就在他改除奢侈之风有自己的政治目的，因此不能持久。

宋孝宗赵眘（shèn）是南宋的第二代皇帝，其前任是宋高宗赵构。

　　赵构是一个有名的软骨头皇帝，他对金朝女真贵族的入侵，一味妥协乞和。他打击、迫害力主抗金的爱国将领如张浚、韩世忠等，而重用内奸、卖国贼秦桧。民族英雄岳飞，便是在他的怂恿之下，由秦桧出面，以"莫须有"的罪名害死的，同时被害死的，还有岳飞的长子岳云及女婿张宪。岳飞的妻子及其子女都被流放到遥远的岭南。他还下令，对岳飞及其一家，永不赦免。因而，在他当政的那些年，对岳飞一案，没有人敢提出非议，岳飞一家也未能翻身。

　　公元 1162 年，赵构因年老体弱，让出帝位，由赵昚继承。新上任的赵昚，怎样才能摆脱父皇的阴影呢？他决定反父皇之道而行之。屈辱求和，重用秦桧，杀害岳飞，是赵构一生中最为天下人所指责、所反对的几件大事。赵昚便从这里入手，和他的父皇唱反调。

　　赵昚登基才十几天，便召回了因主抗金而被贬在外地的大臣张浚，向他咨询朝廷的大政方针。张浚仍表示坚决反对议和，劝赵昚坚定抗金的决心。赵昚对张浚大加褒奖，赐他以少傅的头衔，晋封为魏国公，负责江淮边防的守卫及军马的调动。赵昚以此向天下人表明，他是不同于他的父皇的。

　　紧接着，他又为岳飞平反昭雪，恢复了岳飞原来的官职，并下令寻访岳飞的后代，以便朝廷录用。至此，这桩沉冤达 20 年之久的大冤案，终于被彻底地翻了过来。后来他又将秦桧的心腹亲党全都驱逐出国都临安（今浙江扬州），不允许他们随便进京。

　　这几件事无疑都是很得人心的，因此赵昚赢得了爱国臣民的好感，他的目的达到了。其实，赵昚并不是什么真正的抗金派，不久张浚因在抗金之战中受挫，便又被降职，重新起用秦桧之党的人为宰相，与金人讲和，从此再不言抗金了。

　　冤案是继任者手中一笔重要的政治资本，只要将冤案一翻，继任者便会被视为"青天"。他的形象会凭空高大起来。平反那些影响最大的冤假错案，是最为有效的一种手段，不仅受惠的人更因此得以解脱而感恩戴德，采取这一举措的人更因此而树立起威信，巩固了自己的地位。

3. 否定前任是最讨巧的事

　　明朝末帝崇祯皇帝朱由俭素为史家所称道，原因就在于他上台后对前任的弊政进行了大胆的否定。

　　崇祯皇帝的前任天启帝朱由校，是个十分荒唐的君主。他根本不理政事，终日在宫中操练土木工艺，将一切大权全委托臭名昭著的大宦官魏忠贤。魏忠贤是个极阴险狡猾的人，他对上讨好迷惑天启帝，对外残害忠良，他所控制的特务更是无孔不入，因此凶焰极高，成为政治矛盾的焦点。与此同时，在天灾人祸的条件下，人民起义纷纷爆发，明王朝与新兴的满族势力在东北的较量也如火如荼，明王朝的统治摇摇欲坠。

　　为了扭转衰势，树立自己的"明主"形象，崇祯必须改变宦官专政的局面，首要的就是把恶贯满盈的魏忠贤除掉。

　　然而魏忠贤爪牙遍布朝廷内外，年轻的崇祯帝还不敢贸然从事，因此他入宫之初，对魏忠贤和颜悦色，作出很尊重的样子，以安其心，随后解散宫内兵丁，解除魏的爪牙的职务。待魏孤立后，崇祯立即宣读魏的"十大罪状"，将其发配到凤阳看守皇陵。魏在行至阜阳时上吊自杀，他的尸体被千刀万剐，脑袋也被割下在其故乡挂杆示众。随后为万历天启年间的冤假错案平反昭雪，朝政为之一清，崇祯的威望也一下子树立起来，被天下称为"明主"。

崇祯的这一手可谓有胆有谋，干得漂亮，但他仍是孤独的人。他不能不依赖身边的宦官，宦官势力在崇祯年间仍有发展，直到明王朝寿终正寝。

乾隆是清朝第六代皇帝，其前任是他的父亲雍正皇帝。

雍正治国，一向以政令繁苛，手段严酷而著称于世，对待政敌，他更是冷酷无情。据传，雍正耍手腕夺得了帝位，他的行为招致了众多的皇兄、御弟的不满和反对，尤其以八弟和十四弟的反抗最为激烈。

雍正即位不久，便对他们严加惩处，撤销官职后，削去他们的宗籍，即取消他们作为皇室成员的资格，甚至连他们的名字也被强行改用一些侮辱性的字眼"阿奈那"、"塞恩黑"（满语猪、狗之意），并宣布他们的罪行，将他们拘押在高墙之内，监禁终身。

雍正对待拥立他称帝的功臣也是薄情寡义。在他夺权的过程中，有两个人参与其事并立了大功，即妻兄年羹尧和舅舅隆科多。可雍正在地位巩固之后，翻脸不认人，他罗织罪名，向这两个人下毒手。年羹尧的罪名多达九十二条，被赐死，隆科多则被囚禁而死。

雍正一手制造的这些大冤案，在朝野臣民当中引起了十分强烈的不满，但慑于雍正帝的淫威他们敢怒而不敢言。

乾隆继位时已经二十四岁了，他自然清楚地了解他父亲的苛政所带来的恶劣影响和严重后果。他决心反其道而行之，但他却又不能公开否定父皇，那样怕被人指责为不忠不孝，在政治上对他也很不利。于是，他来个"明修栈道，暗渡陈仓"，对雍正抽象肯定、具体否定。他一方面说什么要"时时以皇考（即雍正）之心为心，以皇考之政为政"；同时又在"刚柔相济"的名目之下，明确表示说："联主于宽"，要"减去繁苛，与民休息"。

他首先做的一件事便是大刀阔斧地纠正雍正钦定的冤、假、错案，恢复了允禵等人的皇室成员的身份，已死的，录用其子孙为官；对年羹尧一案及其株连人员，也都加以平反昭雪。

乾隆的这一举措，的确出手不凡，他立刻赢得了朝野的一致称颂，为其历时六十年的统治创立了一个良好的开端。

一个精明的继任者为树尊立威，自然会巧妙地利用前任执政过程中留下的使下属反感、影响不好的失误、冤案等，大张旗鼓地加以批判、否定和纠正，从而轻而易举地博得下属的拥护。

4. 立信立德以服天下

中国古代的政治家们向来重视道德品质和信用，把它作为修身、齐家、治国平天下的根本条件，强调统御过程中的以身作则，以德服人，以信服人。

孔子就曾说过："其身正，不令而行；其身不正，虽令不从"（《论语·子路》）。

诸葛亮也曾说过："上之所为，下之所瞻也。"强调领导者的表率作用。尽管在官场中缺乏真正的道德，也缺乏真正的信义，但一个真正具有高远政治眼光的政治家，为了自己的长远利益，还是比较讲究道德信义的。

诸葛亮在第五次出祁山之前，长史杨仪向他提出了一个分兵轮战的建议："数次行兵，军力疲惫，粮草又很难及时供应；现在不如把军队分成两班，以三个月为期，轮流作战，徐徐而进，中原就有希望攻下了。"

诸葛亮采纳了杨仪的建议，率军一半到前线作战，另一半军队休整、屯田，以百日为期换班。

这天正是换防的日子，诸葛亮便令前线兵士收拾行装启程，准备返回后方。谁知令刚传下，哨兵来报告说，曹军二十万前来助战，司马懿亲自率兵欲攻卤城。

在这新兵未到、老兵欲返，敌人即将大举进攻的危急时刻，众将都极力劝诸葛亮将换班士兵暂且留下，待新兵来到再返回后方，但孔明却说："我孔明用兵命将，以信为本；既然已经有令在先，怎么可以失信于将士呢？况且应该回去的蜀兵都已整装待发，他们的父母妻子在家里倚门相望，期盼着与他们的亲人相聚。我现在即使面临再大的灾难，也决不能滞留他们了。"

于是，孔明毅然传令："让那些应返回的士兵当天起程。"

蜀军众将士听说此事后，群情激奋，坚持要留下抗击敌军。

孔明不允，但众军士执意作战，此时谁也不愿回家。于是诸葛亮下令军队出城安营，以逸待劳，迎击魏军。当远道而来，人困马乏的西凉援军到达城下，马超刚要扎营驻寨之时，蜀军就发起猛攻，他们个个奋勇，人人争先，把雍、凉人马杀得尸横遍地，血流成河，溃不成军。

古人说："信盖天下，然后能约天下。"这里讲的"信"就包含着信任、信誉、信义之意。统帅用兵命将，只有守信用，严明军纪，严格照章办事，不徇私情，才能取得部下的信任。

元末至正十九年（公元 1359 年）春天，朱元璋准备攻打浙江一带，发兵前，他先派主簿官吏蔡元刚前往元庆，希望能招降其守将方国珍，以减少不必要的兵戎相争。

方国珍是个老奸巨猾的家伙，见朱元璋派人来招降，便对部下众将说："现在看来元朝大势已去，灭亡只在早晚！我看各路英雄豪杰中，也就是朱元璋所统辖的军队纪律严明，势不可挡，如果我们与他相抗衡，无疑是拿鸡蛋碰石头，自找苦吃。不如就

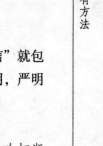

暂且佯作归顺，一来可以等待时机，观察时局将怎样变化。二来还可以他为援，告诫西敌张士诚和南蛮陈友谅不得窥视我。"

言毕修书一封，并遣使者送给朱元璋，答应顺从他。为使他相信，还将温州、台州、庆元之郡奉献给朱元璋，遣次子方关至朱元璋处作人质。

朱元璋得知后，重赏方关并让他回到方国珍身边，同时带回朱元璋的话："古时候联袂双方结盟发誓，是怕有人不守信用。后来因为盟誓也不能约束住一些无耻之徒，才想出了相互交换人质做抵押这种不友好的办法。现在你们既已归附我，只要以诚相待就够了，没有必要送什么人质。"

此后不久，朱元璋就封了方国珍官爵。因为方国珍心怀鬼胎，又找不出推辞理由，只好假称有病，迟迟不肯赴任。朱元璋识破了他的诡计，旋即修书一封告之："当初我认为你是识时务的豪杰，才封官加爵，让你统领一方。不料你却欺骗了我，想利用你儿子作人质这种关系来暗中察探我的虚实。请千万不要忘记，聪明的人可能转胜为败，贤明的人也可因祸得福。其中主要原因就是要以诚待人，希望你三思。"

方国珍见朱元璋明察秋毫，无计可施，只好命人带着金银珠宝、饰物鞍鬐等东西前来谢罪。朱元璋语重心长地对他的使者说："请转告方国珍，我统一天下所急需的是文武将相栋梁之材，所急需的是粮食、布匹；珍玩奇宝都不是我感兴趣和需要的。"

言毕令使者将礼物原封不动地带了回去。

这件事一经传开，大江南北的仁人志士都为朱元璋的大义所感动，纷纷前来投奔，这为他统一天下，建立明王朝奠定了一定的人才基础。

朱元璋之所以能在元末的农民起义队伍中由一个亲兵而逐渐取得了领导地位，不断发展势力，扩大地盘，终于推翻了元朝的统治，建立起大明王朝。这是与他的足智多谋、深明大义等个人品质分不开的，从他对方国珍这件事上，可以窥见一斑。

信任本身就是力量，用兵如此；理政为民，处事为人，又何尝不是这样呢？

5. 慈不掌兵，仁不聚财

中国俗语说：慈不掌兵，仁不聚财。意思是说，过分慈悲的人不能带兵打仗，因为他难以严照军法；过分仁义的人不能发财致富，因为他会对别人施舍过度而散去钱财。

环境险恶，如果一个人胸无甲兵，愚不可及，一定会在现实面前撞得头破血流。

速浑察是蒙古大将木华黎的孙子，公元 1239 年，他继承了其兄的爵位，总领中都行省的蒙汉军队，位高权重，身份显赫。

一次，他去营中巡察，见许多士卒为琐事争吵，见他前来，也无敬畏之意。他勃然大怒，立时传命将闹事人等尽皆斩首。

这时他的身边人便劝他说："大人上任不久，应善结人缘，以增人望。如此处置，又显过重，杀人太多，恐对大人不利。"

速浑察说："正因我初掌权柄，人们才视我为轻，不以为意。如此下去，有令不从，将命难行，于我事小，于国事危。今之杀众，虽明知不可为亦为也。"

一待众人伏法，全军皆惊，多有不服叫屈者，意欲造反起事。有人报知速浑察，他却不改初衷，只道："此事非彼事也，你等勿惊。"

他随后传命为死去的士卒举行祭奠大会。会上，他痛哭流涕，抢天扑地，哀声道："你们死得实在有些冤枉了，可不这样，谁又会听我的命令呢？皇上交我重任，我诚惶诚恐，自知资历浅

中国人的老经验

薄，本想取悦众人，助我成事。万不想你们欺我太甚，视我如无物。如此让皇上见责，杀我全家，还不如拚其一死，先杀尔等，我再以死相殉了！"

他摘下头盔，作撞柱自尽状，他的心腹死死抱住他，连声哀嚎，此情此景，那些想生事的人看呆了，一时之间，怨气已经消了大半。再一想他的话亦有道理，又觉得那些已死的兵卒实也太过无礼，何况造反乃是死罪，他们只是出于一时激愤才有此念的。这般想来，他们不仅怨气全无，而且全都跪在地上，请求速浑察的宽恕。

速浑察悉数赦免，发誓说不再追究此事。兵卒尽感其恩，欢声雷动。眼见一场大祸消于无形，速浑察才露出了别人不易察觉的一丝微笑。原来，这只是他精心表演的一出戏而已，只因他工于心计，表演逼真，竟是瞒过了所有人等，一举树立起了自己的权威，没有谁敢不俯首听命了。

有些人拿别人当作玩物与傻瓜，对此若是还没有一丝锋芒，忍下去傻下去，就只有落得"马善叫人骑，人善让人欺"的结局了。对付那样的人，就不能心慈手软，不能让他放纵下去，否则，他会越来越猖狂，认为那是理所当然。一旦形成这种境况，想再扭转就会变得极为困难了。

第二节　巧用矛盾

◆聪明人巧于利用各派系之间的矛盾搞平衡。或充当和事佬，使对立双方各得其所；或坐山观虎斗，任凭双方争斗消耗，自己坐收渔人之利；或者一边倒，利用一方去吃掉另一方，目的只有一个，就是服服帖帖地让人为我所用。

◆凡事皆有矛盾，有矛盾就可以取而用之。要善于在敌我友各方中分析矛盾，利用矛盾，运用智谋转移矛盾，使自己从矛盾的漩涡中跳出来，从危机中脱身。

◆借用事端，使之互斗，各个击破，不战而胜之。这是统御的秘器。有智慧的人往往不直接和小人对抗，而是极力促成小人间的厮杀。

1. 再难的事都能找到变通的办法

有不少聪明的政治家巧于利用各派系之间的矛盾搞平衡。他或者充当和事佬，使对立双方各得其所；或坐山观虎斗，任凭双方争斗消耗，自己坐收渔人之利；或者一边倒，利用一方去吃掉另一方，目的只有一个，就是让人服服帖帖地为我所用。

唐代武则天晚年最为苦恼的事，便是把她亲手创立的大周天下传给谁。

由于武则天立周是通过不流血的方式完成的，在她统治初期，为了与李氏相抗衡，她极力扶持武氏家族势力，有时甚至是纵容，使得武氏集团的势力恶性膨胀，野心也日益突现，在他们看来，既然皇帝姓武，继承帝位的自然是武氏后代。

而李氏宗室及在朝多数大臣认为，武则天的皇帝宝座是从李氏手中夺走的，她死后应该归还李氏后人。

宠臣狄仁杰甚至上书问她：侄子亲还是儿子亲？如果传位侄子，她在宗庙只会供奉自己的父母，而没有当姑母的位置；传位给儿子，自己的位置就会予以保障。这使她深为震动。

但武则天清醒地看到，武氏与李氏势力集团的矛盾已根深蒂固，在她死后必然难以和平共处，她必须协调好这种关系。她除了在人事安排上有意压制一下武氏势力外，最绝妙的一招便是于圣历元年下诏立儿子李显为太子，同时让其改姓武氏。

武则天的这一手法确是一箭双雕：既让那些以为非武氏子弟不能继承帝位的人有口难言，又使那些主张继承人非李氏子弟莫属的李氏大臣得到了满足，暂时调解了两派的矛盾，也为她死后地位的稳定奠定了基础。

凡事皆有矛盾，有矛盾就可以取而用之。要善于在敌我友各方中分析出矛盾，利用矛盾，运用智谋转移矛盾，使自己从矛盾的漩涡中跳出来，从危机中脱身。

有一种办法是故意将与对手的矛盾公开化，从而避免被对手恶意中伤。另一方面，还可以利用将与对手的矛盾隐藏起来的办法，达到破坏对手阵营团结的目的。

东晋时的殷仲堪在荆州做官人称殷荆州，他学问高，为人也好。

秘书丞王国宝的族弟琅琊内史王绪这个人平素好到王国宝那里说殷荆州的坏话。

殷为此很是忧虑，就跑去向王东亭求教。王东亭说："你只要常去见王绪，到了那里就命周围的人退下，然后随便议论些什么事，这样时间一长，王绪与王国宝就要疏远了。"殷荆州按此去做。

一日王国宝见了王绪，问道："那人与你说了些什么？"

王绪答："都是些家常话。"

王国宝认为王绪对自己有所隐瞒，两人的友情就越来越淡薄，于是二王议论殷荆州的谗言也就停止了。

这也是曹操离间韩遂与马超的老方法。实际上，这种例子在现实之中也多得很，其神机巧妙并不输于古人。

2. 借用矛盾以制人

小人不惧君子，却是害怕比他们还奸险的小人。用更凶险的小人来对付小人，可谓一招妙法。仁义之道对君子之类的人物颇具奇效，对奸恶小人就另当别论了。有智慧的人往往不直接和小人对抗，而是极力促成小人间的厮杀。

春秋齐景公在位时，晏婴任相国，同朝共事的还有威震齐国的"齐邦三杰"，即公孙接、田开疆、古冶子，这三人都勇猛异常，他们勾结在一起，依仗其功劳和勇力，目空一切，十分傲慢无礼。而齐国还有一位名叫陈无宇的奸臣，四处散发钱财，收买人心，企图篡夺齐国的政权。这四人又结成为帮伙，盛气凌人，为非作歹。

晏婴深感忧虑，请求除掉他们。景公叹口气，面露难色地说："这三个人膂力过人，一般人不是他们的对手，行刺恐怕也未必能成功。"

晏婴思索了片刻，然后想出一条分化瓦解、各个击破的妙计。

某一天，鲁国国君前来齐国访问，景公予以隆盛的招待。

宴席间，晏婴特地进献了六颗珍贵的桃子。景公和鲁君先吃了一颗，然后各赐一颗给晏婴和另一位鲁国大臣。还剩下两颗桃子，晏婴便向景公建议，让臣下们说说自己的功绩，看看谁的功绩最大，就赏给谁吃。

景公觉得有趣，便吩咐左右传令下去，让众臣叙述自己的功劳。

那三名勇士这时都在堂上，其中一人听了立刻站出来说："有一次我随主公打猎，突然有只猛虎向主公扑来，我赤手空拳

把他打死，救了主公一命。单凭这件事，就应该吃个桃子吧？"

景公称是，赏了他一颗桃子。

第二个人接着说："哼！打死一只老虎有什么稀罕。当年主公渡河的时候，有只巨鳖跑出来咬住船头，我赶紧下水杀死巨鳖，救了全船的性命。这功劳不见得小吧？"

景公觉得不错，便也赏了他一颗桃子。最后一名勇士见桃子都分完了，气冲冲地大声说："我曾经奉命征伐徐国，斩杀敌将，俘虏敌兵五百，吓得徐国投降还不算，连邻近的郯国、莒国也归顺我齐国。凭这种功劳，竟然吃不到桃子，我还有什么脸面活在世上？"说罢当场拔剑自刎。

全场的人都吓了一大跳，而另外两名吃了桃子的勇士，马上走到景公面前请罪说："我们凭着自己一点小小的功劳，抢了别人的赏，吃了桃子，如果还活着，怎么对得起他呢？"讲完话后，也跟着举剑自杀了。

世上小人作恶，往往形成帮派群党，你呼我应，互相勾结。这样就常常被小人们的暗箭射中，对于已经形成帮派群党的小人们，应该毫不手软地置他们于死地。而从前古代君子已施用过的且已成功了的策略之一，就是挑起事端，使之互斗，各个击破，不战而胜之。这是统御的秘器。

"桃子"即是荣宠。其实就算这三个勇士不自杀，这两个"桃子"也会在他们之间制造矛盾。这三个勇士纯是浅薄的武夫，只知夸耀，不知深藏，晏婴据此设了这个让他们夸耀武功的局，轻轻松松地就除掉了三个勇士。

鹬蚌相争，渔人得利，实际上说的是不付出一点代价，轻轻松松地坐收渔人之利。这样的好事，谁都不愿放过。

所谓堡垒最容易从内部攻破，实际是说内部纷争倾轧，为他人坐收渔利提供了条件和前提。反过来说，在对手内部制造内讧，挑起矛盾，把水搅浑，便为坐收渔利创造了条件和前提。在中国历史上，利用和制造矛盾坐收渔利的案例，可以说是俯拾皆是。

3. 丢卒保车平人心

韩非说："事情成功了，国君坐享其功劳；谋划失败了，臣下担当其罪责。"

在某些特殊情况下，领导者自己做错了事，却又不能自担罪责，恐局势更乱；便只好借下属做替罪羊，以收服人心。

曹操讨伐私自称帝的袁术时，袁术坚壁清野，闭门不出，曹操大军的粮食越来越少了，渐渐陷入了困境。

这天，曹操正在为此发愁，忽见主管粮食的仓官王厘进来请示说："粮食将尽，丞相可有万全之策？"

"你用小斗发放粮食，自可多维持几日。"

王厘忧心道："丞相这般欺瞒将士，明眼人自可看出。他们定会不满生事，恐怕麻烦就更大了。"

曹操一笑说："这个你不要担心，有事我自会解决，你只管照做便是。"

王厘还要进言，见曹操再不理他，只好默默地退出，长吁短叹。

王厘依命而行，果如王厘所料，将士们怨气冲天，都暗怪曹操蒙骗他们，军心一时大为动摇了。王厘急在心上，却无可奈何，连连顿足而叹。

曹操见大事不妙，遂把王厘招至营中，沉沉地说："如此形势，危急万分，你可有良策平息众怨吗？"

王厘叫苦连天，忙道："没有粮食，下官能有什么好办法呢？

丞相不听下官之言，方有此事。"

"你有所不知，只怪你太老实了。不过这不是你的错。"

他随后对王厘说要借他的头一用，王厘大惊失色，急道："我忠心耿耿，丞相所命，从不敢违，丞相为何忠奸不辨，要杀我呢？"

曹操至此才说出真相，口道："我让你改用小斗发放粮食，本想暂时救急，以度难关，孰料将士怨气太盛，远超过我的想象。如今只好借你之头，以息众怒，否则乱象一生，你我都死无葬身之地了。"

王厘泣不成声，痛道："想不到我忠心听命，却是因此致祸，天下可有这样的道理吗？"

曹操心中怜惜王厘的忠义，嘴上却说："道理由人评说，忠奸也非你所能论定。你虽无罪，眼下只好委屈你了，休要怪我！"

他不等王厘再言，便命刀斧手将他斩首。曹操还把他的人头悬挂起来，并张贴榜文，说他克扣军粮，奸恶已极，故而杀。此事大快人心，将士们都把王厘视为奸佞小人，无不放声怒骂。他们不再怨怪曹操，反视他为除奸去恶、主持正义的英明之主了，一场即将发生的变乱也自平息。

找替罪羊，从来都是掌权者维护局面的一种有效手段。为了丢卒保车，他们便要找替罪羊。而用来充当替罪羊的，很多都是最忠于主子的人，有的还在主人的阴谋活动中充当谋臣策士的，没想到事成或事败之后倒被主子抛了出来。

4. 打了狐狸不惹臊

处于变乱中而不惊慌，面临危境而不慌乱。见机行事，用计来智取，这是大将的风度。

曹玮在渭州做知州，号令严明，羌人十分畏惧他。一天，曹玮正在和诸将饮酒聚会，忽然有探子飞马来报：

"大人，有数千叛变的士卒，正在向西羌的边境逃窜！"

曹玮正在向大家劝酒。听了报告，众将面面相觑，神色大变。

曹玮却把杯中酒一饮而尽，笑着说：

"我已满饮此杯，大家也一定要干掉才行！"

他已带有几分醉意了。

他又转向探子，慢慢地说：

"他们是我派去的。这件事不可张扬出去！"

说完，他又和大家接着饮酒，谈笑。

西羌人听到这消息，以为那些叛军是来袭击他们的，就命大军把他们全数杀掉。

曹玮在这里用的是借刀杀人之计。

明明是叛逃到那边去的，却偏要说是自己派去的。这样既不丢自己的面子，消息传了出去，又借西羌人的手除掉他们，一石二鸟，妙得很。

为将者，要临事不乱，即所谓泰山崩于前而色不变。不乱是一方面，另一方面还要想出相应的对策。后者同样重要。不然，就不是大将，而是不怕开水烫的死猪了。

战国时楚大臣费无极心机极深。他觊觎权臣郤宛的位置，就建言郤宛交好宰相，并且安排一次阅兵式迎接以示隆重。郤宛同意了，始召集人马进行准备。

费无极却跑去对宰相说："报告宰相，大事不好！郤宛布置了大量的军队。"宰相也是个糨糊脑袋，马上调来自己的军队，把郤宛全家杀了个片甲不留。

中国人的老经验 通人情懂世故

第二章·收服人心有方法

所谓打了狐狸不惹臊，是一种借刀杀人的方法。自己不出面，利用或挑拨别人去消灭自己的对手。这样既能达到目的，又神不知鬼不觉，打得巧妙，打得轻松，杀人不见血。甚至可以在达到目的后给自己罩一层大仁大义的光环。

这同时告诉我们在复杂的社会环境中生存，不仅要学会驾驭身边的情势，更要学会在这种情势中保护自己。

第三节　恩威并施

◆不用计谋统御下属，下属有的就无法治理；高明的人总是根据形势的不同采取不同的对策，有时甚至不惜作出一些局部的牺牲，以换取全局的有利。

◆惩罚下属，要掌握时机，注意分寸，恰到好处，才能收到明显的效果。

◆人有喜好的东西，用喜好的东西引诱他没有收服不了的。

◆官职往往是满足私欲的巢穴、制造罪恶的渊薮。有的人因为有了它而逞快一时，有的人却也因此而葬送了自己。

◆像饲养猎鹰一样，要把封官的过程拉得特别长，使臣下的官欲得不到满足，这样他才有建功立业的动力。

◆封官不但不能到位，而且最好永远不要到位。官做大了，进取的意志便会懈怠；且官位至尊，不但进取的意志消失殆尽，而且还可能因此而滋生野心。

◆在权势者看来，治理天下，管理众人，需要讲究策略。人有惧怕的东西，用惧怕的东西逼迫他没有不接受的。

1. 小的牺牲能换取大的胜利

作为上司，不用策略统御下属，下属有的就无法治理；高明的人总是根据形势的不同采取不同的对策，有时甚至不惜作出一些局部的牺牲，以换取全局的有利。

宋太祖赵匡胤陈桥兵变，当上皇帝之后，天下并不太平。当时的宋朝有许多故人，环伺周围。西有蜀国，南有南汉，东南面有南唐、越国，北面有北汉，契丹人对中原虎视眈眈。

一次宋太祖和大臣议事，宋太祖说："大敌不去，我寝食难安，你们可有安邦灭敌之策？"

大臣们各抒己见，宋太祖却都不满意，他说："打仗亲兄弟，上阵父子兵。安邦灭敌，还得靠精兵猛将。精兵易得，猛将难求，而忠于自己主子的猛将就更难得了，这才是最最要紧之处。"

宋太祖有此想法，便极力对手下臣子多加拉拢。他想了很多主意和办法，以便让臣子心存感激，为他效力卖命。

高怀德在陈桥兵变中立有大功，他又统领大军，能征善战。宋太祖对他十分看重，便想进一步和他拉近关系，促其心无杂念，死命杀敌。他为此把高怀德召进宫中，嘉勉一番。后说："将军劳苦功高，若有所求，我无不应允，将军可有话说？"

"皇上加恩于我，已然足矣。臣只想尽忠报国，别无所求。"

高怀德走后，宋太祖怏怏不乐，他对自己的妃子说："高怀德别无所求，这才最是让我担心之处啊，我左思右想，真不知该如何赏赐他了，故而心烦。"

宋太祖的妃子说："可惜他不是皇亲，要不还能让皇上这么费心吗？"

一句话提醒了宋太祖。他顿觉释怀，击掌道："你说得不错，若是成了一家人，我还用担心他吗？"

宋太祖想到了守寡的妹妹，决意把她嫁给高怀德为妻，如此高怀德身为妹婿，自是一家人了。

宋太祖将自己的想法告诉了杜太后，杜太后却说："身为女人，最讲贞操节烈，你让公主再嫁，一则损其声誉，二则伤及皇上威名，此事实不可行。"

宋太祖耐心解释了初衷，最后说："皇上巩固，臣子尽忠，我也不能不多想办法啊。为了大事，何必拘于小节呢？此事未必对皇妹不好，还请太后以天下为重，准予办理。"

杜太后最终被说服，宋太祖的妹妹又不反对，宋太祖遂派赵普和窦仪为媒，向高怀德提亲。

高怀德受此恩宠，满心欢喜，一口答应。宋太祖于是命太史择定吉日，为其二人完婚。

婚后第二天，宋太祖就命高怀德带兵讨敌。高怀德非但无有怨言，却是激情万丈地奋勇杀敌，为宋太祖立下了许多战功。

对下属的待遇不同，效果也大相径庭，这方面有高下之分，优劣之别，自是需要谋划和心计了；高明的人能舍弃一时的小利，自己并没损失什么，赢得的却不少，孰大孰小一看便知。

2．总有一样让你满意

人有喜好的东西，用喜好的东西引诱他没有收服不了的。

为上者若不能治下，名实不符，势必为人架空，形同傀儡。为下者多怀心机，轻易是不会死心塌地为上司卖命的。聪明的上司便会采取迂回之术，满足下属的欲望，掌握他，征服他。下属在感恩戴德之下，往往会更忠心，做事不遗余力。

宋太祖赵匡胤一向以驭臣为能事，他对大将曹彬说了谎，而曹彬还是甘愿为他效犬马之力，亦可见其高超的治下之术。

攻取江南南唐时，他左思右想，最终决定派大将曹彬担此重任。

事情本来该到此结束，可赵匡胤疑心甚大，又恐曹彬不尽全力，于是他把曹彬召来，当面对他说："建功立业，封侯拜相，这是人臣的毕生所求，想必你也不会例外，如今有此机遇，愿卿以为珍重，奋勇杀敌；待你得胜还朝，一定封你为丞相。"

有了皇帝的亲口许诺，曹彬喜出望外，信心倍增，他带领大军直捣江南，冲锋陷阵，很快就消灭了南唐政权，俘虏了皇帝李煜。

回朝之日，曹彬满心欢喜，只等皇帝诺言兑现了。

不料赵匡胤竟出尔反尔，未封他丞相，只是漫言："丞相为百官之首，无可再升。如今四海未平，天下未定，尚需你等出力分忧。并非有意骗你，只是人心难测，倘若你官居丞相，志得意满，怕是不会那么卖力为我打仗了。"

曹彬失望之至，怅怅回府。

进得屋来，却见室中堆满了钱，数额甚巨。

当他得知这是皇上赏赐的五十万钱时，刚才的不快顿时一扫而光了，他心下感恩，嘴上说："皇上这般用心，我曹彬还有何话可说？何况就算当了丞相，也不过多得点钱财；如今有了这么多钱，我又何必争当什么丞相呢？"

他高兴至极，再不以赵匡胤说谎为念。他竭尽心力，为宋王朝征战扩土，立下了不朽的功劳。

利益的驱动是最能调动人的积极性的必要手段。同样，高官厚禄，功名富贵，最能使人消磨意志，不起异心，尽忠报效。有了这方面的羁绊，整个人便被束缚住了，为了保住这些，他更会拼死卖命，而不会轻易贪求更大的奢欲。这就是"禄以驭其富"。

历史上那些短视者，常常因为吝惜封赏而导致更大的祸患，进而失去的更多。唐代的一位有名的智谋大臣李泌在总结"安史之乱"的经验教训时，便这样说过：当初国家如果以土地、民户来酬赏安禄山的军功，他最多也不过拥有方圆百里的一块收租的封地，从子孙后代的利益着想，他也要设法保住它，不会造反了。

这方面的教训，决定了为人上者，不能只凭自己的好恶行事，即使心有不愿，也要勉为其难，故作慷慨。

3. 表面上的恩赐也是好的

有时候为了统驭那些强悍的下属，聪明的上司会违心地作出许诺，促其效力至于诺言能否兑现就另当别论了，至少它使下属暂时得到了满足，不会产生二心。

楚汉相争之初，项羽大搞分封，而刘邦却不这样做。他曾对臣下说："封王封侯，只能使臣下野心加剧，削减人主的权威，弄不好各自为政，造起反来，那么人主不就危险了吗？项羽那么做，结果人心各异，事与愿违，看来此事断不可行。"

刘邦的手下却不这么看。他们追随刘邦，舍生忘死，追求的正是出人头地、封王封侯的名利地位。刘邦不搞分封，他们颇有怨言，只因刘邦态度坚决，只好隐忍，以待时日。

刘邦被项羽的大军困在荥阳时，几次派人命韩信来救。韩信早就觊觎王位，今见时机已到，便以此要挟，命使者传话说："齐地实属战略重地，应重点固守。今齐地无主，宜封王镇之。臣虽无才，自请代理齐王，为主公分忧。"

此话虽冠冕堂皇，却露骨地显现了韩信对封王的渴望，更让刘邦气恼的是，此事这会提出，分明是乘人之危的小人行径了。他忍不住破口大骂，恨声说："我危在旦夕，他却要自立为王，不来救驾，岂有此理！"

话音未落，刘邦身边的张良、陈平已是连连踢他的脚，暗示他不可再说下去。张良还俯首过来，低声说："危难时刻，主公岂可意气行事？眼下脱困乃最为急迫之事，不如暂且答应他，以慰其心，使其速来解围。何况鞭长莫及，主公即使吝惜封赏，不予应允，于事也是无济的。"

刘邦聪明过人，经他点拨，顿时会意，暗道险些误了大事。

他脸色倏变，假意骂道："大丈夫志向远大，要当就当个真王，何必当什么假王？"

他立即派张良为代表，正式封韩信为齐王。韩信见已愿已成，遂无他念。他举兵救驾，刘邦终于化险为夷。

事后，刘邦感叹封赏之功，便一改前态，先后封了彭越、英布、卢绾等人为王，使其个个安下心来，为打败项羽而团结一致，倾尽了全力。

官员的设置与晋升，张良提醒得很及时，刘邦的反应也够快，联系此后的事就可以知道，此时韩信威震天下，若不答应他称王，韩信极有可能会拥兵自立。人们说刘邦"一忍得天下"即为此事。因此，有时哪怕是个虚名，也可以用来安抚下属。

4. 让你永远没法满足

《周礼》上说："爵以驭其贵。"

利用官职来驾驭、控制臣下，历来是最高掌权者手中的法宝。在长期实践过程中，他们对于官职的分配，高低顺序的排列、封给的对象、时机、手段，都有了一些匠心独运的机谋。

中
国
人
的

老
经
验

南宋初年，面对着金人的大举入侵，当时号称名将的刘光世、张俊等，慑于金兵气势，一味地避乱，不敢奋起反击。一方面因为他们天生患有软骨病，另一方面也因为他们官高位尊，即使再立了大功，也不会再有所升迁。这使他们苟安现状，什么国家利益、民族利益全都抛在脑后。

当时岳飞在抗金斗争中，虽然已崭露头角，毕竟还没有太大的名望，官职也很低，但只有他在和金军进行着殊死的战斗。

当时有位叫郡缙的人，上书朝廷，极力推荐岳飞，他的奏疏写得很有意思："如今这些大将，都是食官棒、享富贵，却不肯为朝廷出力，有的甚至手握重兵挟制朝廷，专横跋扈，这样的人怎么能够再重用呢？"

"驾驭这些人，就好像饲养猎鹰一件，饿着它，它便为你搏取猎物；喂饱了，它就飞掉了。如今的这些大将，都是还没出猎都早已被鲜肥美肉喂得饱饱的，因此派他们去迎敌，他们都掉头不顾。岳飞却不是这样，他虽然拥有数万兵众，但他的官爵低下，朝廷也没有给他什么特别的恩宠。这样一个默默无闻的将领正是饥饿的雄鹰准备振翅高飞捕捉猎物的时候，如果他立一次战功，然后赏他某一级官爵，收复了一片土地就给他一些荣誉，就好像猎鹰那样，抓住一只兔子，便喂它一只老鼠，抓住一只狐狸，就喂它一只家禽。以这种手段去驾驭他，使他不会满足，总有迎敌求战为国效力之意，而不是封官赏爵一步到位，这样他就会为国家屡建奇功了。"

郡缙把岳飞看作贪图功名之人，也许是出于一种小人见识，但他对封官术的宏论却道出了权势者驾驭属下的高明之处：

一是分割封官的过程，像饲养猎鹰一样，立小功封小官，立大功封大官；要把封官的过程拉得特别长，使臣下的官欲得不到满足，这样他才有建功立业的动力。

二是封官不但不能到位，而且最好永远不要到位。官做大了，进取的意志便会懈怠；且官位至尊，不但进取的意志消失殆尽，而且还可能因此而滋生野心。王莽、曹操、司马昭、刘裕等人就是活生生的例子。

5. 触动人最敏感的神经

人有惧怕的东西，用惧怕的东西逼迫他没有不接受的。在权势者看来，治理天下，管理众人，需要讲究策略。社会组织不能没有章法。而对于章法，不知者尚可以教育；明知而故犯者就不是仅靠教育就能解决的了。对这些人就要讲威讲罚。

治下的方法不能千篇一律，对不同的人，就要采取不同的手段；对同一个人，在不同的时间和地点，也要有所变化，方法多样。在权势者看来，运用惩罚的办法治理下属，有时要比一味的奖赏更管用。在他们看来，人有满足的时候，却少有不怕失去的时候。如果针对下属最恐惧的所在做文章，便是抓住了他们最脆弱的地方，一举便可将其制服，事半功倍。

清朝的文字狱，骇人听闻，涉案中人，少有活命者。雍正朝时，钱名世因赠年羹尧诗中有"钟鼎名勒山河誓，番藏宣刊第二碑"之句，为雍正所忌，定为大案。出乎所有人的意料，钱名世却得以不死。

原来这并非出于雍正的恩典。在雍正看来杀死一个钱名世，实在是太便宜他了。他要用更有效的方法来惩治他，令其生不如死，亦可震慑天下的读书人和官僚。

他的妙法首先从读书人最在乎的名节之处下手，他把钱名世定为"名教罪人"，且亲笔题写匾额，命地方官挂在钱家的大门之上。

要知"名教"乃封建社会立国的指导思想，是做人的最基本信条。读书人向以名教弟子自居，如今钱名世成了名教的罪人了，他就成了万恶不赦的罪人了，人所不齿，子孙后代也将蒙羞。如此处罚，当真要比处死还要严厉百倍。

非但如此，雍正还发动官僚，在钱名世被逐回乡时，人人做诗"赠行"。这些诗作自然是对钱名世罪行的声讨之作，其用语之毒，用词之酷，皆达极至。雍正还让钱名世将这些诗作刊行出版，名为《名教罪人诗》，并让全国学校收存，研习阅读。

钱名世痛不欲生，深悔他没有当时自尽，以受此辱。钱家众人也对他恨之入骨，至亲好友上门叫骂者日日不绝。

文人重名，这自然也是他们的致命弱点。雍正皇帝就是抓住这一点，对"冒犯"了他的一个文人钱名世进行"精神惩罚"，雍正的做法可谓是阴损之极，令人发指。

6. 秋后算账也不迟

惩罚下属，要掌握时机，注意分寸，恰到好处，才能收到明显的效果。否则，即使再严厉的处罚，也是无益于大局的。

这就要求上司注意方式方法，分清主次关系，讲究时间场合，把握轻重缓急。只有这样，才不会因小失大，顾此失彼，发挥惩戒的最大功效。

赵匡胤为后周大将时，领兵和南唐元帅李景达交战。

战斗打响，赵匡胤身先士卒，战况尤为激烈。战至半天，双方皆有死伤，胜负不分，只好各自收兵。

赵匡胤回到营中，下了一道奇怪的命令，竟让将士们把他们头上戴的皮笠献上。所有人都莫名其妙，议论纷纷。

但见赵匡胤对将士们献上的皮笠逐一察看之后，忽命几个将士上前，厉声道："你等临阵退缩，险些坏了我的大事，如不将你等重罚，何以治军杀敌？"

他不容分说，命人将他们拉出斩首。

事情这么突然，众人也不明其故，于是有人上前为其求情，赵匡胤口道不准，为释将士心疑，他说："各位可看见他们皮笠上的剑痕吗？"

众人虽见赵匡胤高高举起皮笠上的剑痕，仍是一头迷雾。赵匡胤指指点点，这才解释说："方才交战，敌众我寡，形势对我极其不利。他们几个不尽力杀敌，却屡屡退缩，我见得真切，于是剑砍他们的皮笠，以为标记。当时事关成败，我不便处置。此刻若是姑息，必有日后之患。望大家引以为戒，奋勇杀敌，否则必军法从事！"

众人听此，暗自庆幸之余，不免心惊肉颤，一待行刑之人将那几个将士的人头献上，大家更是惶恐色变。

第二日，赵匡胤领兵再战，李景达等南唐兵卒却发现此刻的周兵，远非昨日可比，他们凶猛异常，再无一个退缩者。此役周兵大胜，赵匡胤带兵追南唐军至江边，杀得南唐人马死伤无数，元帅李景达骑马涉江，侥幸活命。

得胜的周兵无不敬服赵匡胤处罚高明。他适时忍耐，以安军心。事后杀一儆百，整肃军纪，人人生畏，如拘于军法，急于治那些违纪将士，只怕会军心大乱了。

秦穆公曾问政赛叔，赛叔说："秦国处于偏僻的西土，与戎狄为邻。地势险要，兵力强盛，进可以战，退可以守，所以不列中华者，是威德不及的缘故。没有威力不能使邻国畏服，没有道德不能使人感怀，不畏不怀，何以成霸？"

穆公说:"威与德之者孰先?"

赛叔说:"德为根本,威力济之,有德无威,其国自削,有威无德,其民内溃。"

治理军队,如何树威立德,尤为重要。百万之众,指挥如一,不立威无以统率三军。所以孙武演阵杀美人,田穰苴出征杀璧幸,魏绛治军惩杨午,韩信出兵斩殷盖,都是以惩办显贵而立威者。显贵遭诛,法不阿贵,见者心寒,闻者足戒,军威大振,因而无敌于天下。

恩惠和威力一起施行,才能和品德互相比较,如果这样做还没有成效,莫非就是天意了吧?

第四节　宽严之间见微妙

◆凡待人宽一步则感,急一步则怨。

◆过分的宽大仁慈容易使人误以为软弱,从而得寸进尺,变本加厉;过分的威猛严厉容易导致残暴,从而引起强烈反抗,法纪大乱。所以,宽与猛互相补充调节,可以避免走极端造成的不良后果,让人们心服口服地遵纪守法。

◆宽大仁慈,并不意味着软弱。它实际上既体现了胸襟和气度,也体现了涵养与明智。宽大为怀,是为了征服人心,使人心服,也是自信心的表现。

◆如果凡事一定要把对手置之死地而后快,那么对手就会困兽犹斗,就可能给自己造成不必要的损失。

1. 惟以宽而能成其大

曾国藩曾经向人传授管理强悍部将的经验,他举了一个

例子。

李世忠是投诚过来的湘军将领，因战功显赫而官至一品，他为人暴戾险诈，很不驯服，其部下也经常为非作歹。那么曾国藩是怎样对待这样的部将的呢？他用的是二宽二严之法，也就是两个方面宽容，两个方面严格。

宽容的方面，一是在金钱上对李世忠慷慨大方，绝不计较，资金充裕时动辄拨给他几十万上百万，视金银如粪土；资金困窘时宁可自己受穷也要对他解囊相与。

二是不与他争功，一齐打了胜仗以后多归功于他，有保荐的机会也优先照顾他。

严格的方面，一是与其保持距离，尽量少打交道，不与其攀交情，避免频繁往来，来往的书信简明扼要，一句话不多说。

二是明辨是非，凡是李部手下与百姓争斗而告上来的，一律分清是非曲直，绝不袒护，要求李严加惩治。

曾国藩自己总结说："宽者，利也，名也。严者，礼也，义也。四者兼全，而手下又有强兵，则无不可相处之悍将矣。"

宽大仁慈，并不意味着软弱。它实际上既体现了胸襟和气度，也体现了涵养与明智。宽大为怀，是为了征服人心，使人心服，也是自信心的表现，可以当作笼络人心的"胡萝卜"。

宽宏大量是一种美德，尤其对于一个身居高位的人来说，心胸是否宽阔在一定程度上决定了他是否拥有良好的人际关系，进而决定了他在仕途上的升降命运。

2. 圈套总是先松后紧

王樊在《野客丛谈》中说，君子制服小人不能做得太过分，如果无节制地打击他们，将来他们的报复也一定很残酷。处置对手太过苛刻，则对方也用恶行来对付自己。所以，不能只知道尖锐凶猛地攻击，图一时的痛快，更要认识到其中的危害。

同时，也不能一味宽容手下，适当的威慑也很有必要。有时候，采取强硬手段能迫使越轨者和不法之徒循规蹈矩，遵纪守法。

明朝人况钟从小吏提拔为郎官，由于杨士奇、杨博、杨荣的推荐，做了苏州知州。皇帝召他到朝堂，赐给他皇帝自己签署的文书，授予他不待上奏、自行处置事务的权力。

他刚到苏州，管事人拿着公事案卷来上呈，他不问下吏对事情处理得是否得当，便判个"可以"。这样，下吏们便藐视他，认为他没有能力。接着衙门中发生的弊病、漏洞就越来越多。通判赵某千方百计地欺凌况钟，他也只是嗯嗯而已。

一个月以后，况钟令手下人准备好香烛，把掌管礼仪的礼生也叫来，所属官员全都聚集起来。

况钟对大家说："有一封皇帝的诏书没有来得及向大家宣布，今天就来宣布这道诏谕。"

当官员们听到诏书中有"所属官员如做不法之事，况钟有权自己直接捉拿审问"这一句话的时候，全都震惊了。

宣读诏书的礼仪结束后，况钟升堂，召来了赵某，宣布说："某天有一件事你欺骗了我，偷了财物多少，对吗？某天你又这样做了。"

宋哲宗元祐年间，王安石变法失败以后，完全恢复了旧政。这时，吕汲公、梁祝之和刘器之等王安石革新派三十多位变法人物遭到严厉的打击，有的被贬，有的监禁，同时朝廷还将他们的名单公布于世。

这时，范纯仁上疏给皇帝，认为镇压罪魁就可以了，对协从者应不予问罪，但是没有被采纳。

他叹息着对同僚们说："这样下去，我们这些人也免不了要遭到报复。"

后来形势急转直下，革新派重新掌了权，果然如范纯仁所预料的那样，对旧党的处理更加严酷。

过分的宽大仁慈容易使人误以为软弱，从而得寸进尺，变本加厉；过分的威猛严厉容易导致残暴，从而引起强烈反抗，法纪大乱。所以，宽与猛互相补充调节，可以避免走极端造成不良后果。

3. 少打鞭子多喂食

在特定的环境下，从宏观上"睁一只眼，闭一只眼"也是必要的，对于非原则问题，能够放过去的就放过去。所谓"水至清则无鱼，人至察则无徒"也就是这个意思。

班超因在西域很久，上书给朝廷说，自己希望能活着回到玉门关内。于是朝廷召回班超，派校尉任尚代替班超的职位。

在交接工作时，任尚对班超说："您在西域干了三十多年，现在我来接替您的职务。我担当重任而思考问题却很浮浅，请您多多指教。"

班超说："塞外的官吏士兵，本来就不是孝子顺孙，而是因为犯罪才来屯田戍守边疆的，而那些异族部落又常常怀着侵占边疆之心，对他们更是难以安抚和团结。我看您的性情过于严厉和急躁，水太清澈，鱼就难以存在，政事上要想明察，处理问题就要平和，希望您开朗简易，尽量宽恕别人的小过错，只要掌握大原则就可以了。"

班超离去后，任尚私下对亲近的人说："我以为班超君有什么超人的奇策呢，今天听他讲话也都是平平常常的道理。"

后来，任尚在西域数年后，那里就发生了叛乱，正如班超所告诫的和预料的那样。

忍让，需要有气度。所谓气度，则来自于宽容。古人曾说："水至清则无鱼，人至察则无徒。瑾瑜匿瑕，川泽纳污。其政察察，斯民缺缺。老子此言，可以为法。苛政不亲，烦苦伤恩，虽出鄙语，薛宣长乘，称柴而爨，数米而炊；擘肌折骨，吹毛求疵。如此用之，亲戚叛之。古之君子，于有疵是增长无过，所以天下无怨恶。今之君子，于无过中求有过，使民手足无所措。"

此段话的意思是说，鱼不会生活在太过清澈的水中，而太过认真的人则不会有朋友。美玉中藏有瑕疵，江河中容纳着污垢。在苛严的政治下，百姓会变得狡黠。老子的这番话，可成为治理国家的法则。严厉、苛刻的政治会导致统治者与被统治者之间产生隔阂、矛盾，百姓苦难深重，便会出现怨言炽闷，使统治者失去民众的拥戴。

薛宣以俗语规劝帝王仍不失一位臣子的祥德之气。如果每次烧火时都要先称一称柴薪，每次做饭都先数一数米粒的话，虽然计算得精确仔细，却不免吹毛求疵了。若以此法治理国家，则连亲戚也会背叛他。古时的君子是在有错的人身上寻找无错，故而能使天下人无怨恨，现在的君子却欲在无错的人身上找出错误来，所以使百姓不知所措，不知该如何做才好。正如《菜根谭》中所言："人之短处，要曲为弥缝，如暴而扬之，是以短攻短；人有顽固，要善为化诲，如忿而疾之，是以顽济顽。"

孔子亦曾言："严以律己，宽以待人。"

人往往是将别人的缺点错误看得清清楚楚、明明白白，却总是不能清楚明白公正地看到自己的短处。于是乎，责人时严厉苛刻，不留余地，却不知或许自己也正好有同样的缺点和错误，极易引起他人的反感，甚至遭致他人的怨恨而不自知，不仅未能达到目的反为自己种下了祸根。

有了宽容之心，方有忍人之量。"不责人小过，不发人隐私，不念人旧恶。三者可以养德，亦可以远害。"

可见以大度之气待人处世，不仅可以修养自己的品德，还可以让自己或别人避灾免祸。

做人要宽容一点，要允许别人犯错误。尤其是做领导的，如果能宽恕下属的一些小错误，下属往往会加倍努力，把事情想做得更好，并寻找机会证明自己的潜力。

春秋时，楚庄王有一次和群臣宴饮，当时是晚上，大殿里点着灯，正当大家酒喝得酣畅之际，突然灯烛灭了。

这时，庄王身边的美姬"啊"的叫了一声，庄王问："怎么回事啊？"

美姬对庄王说："大王，刚才有人非礼我。那人趁着烛灭，牵拉我的衣襟。我扯断了他帽子上的系缨，现在还拿着，赶快点灯，抓住这个断缨的人。"

庄王听了，说："是我赏赐大家喝酒，酒喝多了，有人难免会做些出格的事，没啥大不了的。"

于是命令左右的人说："今天大家和我一起喝酒，如果不扯断系缨，说明他没有尽欢。"

群臣一百多人马上都扯断了系缨而热情高昂地饮酒，尽欢而散。

过了三年，楚国与晋国打仗，有一位将军常常冲在前边，勇猛无敌。

战斗胜利后，庄王感到惊奇，忍不住问他："我平时对你并没有特别的恩惠，你打仗时为何这样卖力呢？"

他回答说:"我就是那天夜里被扯断了系缨的人。"

原来这个人心里一直没有忘记楚庄王的宽容,并加倍地回报了他。

春秋时秦穆公的一匹良马被岐下三百多个乡下人偷着宰杀吃了。秦国的官吏捕捉到他们,打算严加惩处。秦穆公说:"我不能因为一条牲畜就使三百多人受到伤害。听说吃了良马肉,如果不喝酒,对身体会有害。赏他们酒喝,然后全放了吧。"

后来,秦国和晋国在韩原交战。这三百多人闻讯后都奔赴战场帮助秦军,正巧看见穆公的战车陷入重围,形势十分险恶。这些乡下人便高举武器,争先恐后地冲上去与晋军死战,以报答穆公的食马之德。晋军的包围被冲散,穆公终于脱险。

穆公的宽容让他捡了一条命,这就是宽容的代价。

容忍他人小的过失,他会以自己的一技之长来感谢;释放与你有大仇的人,他会以自己的性命来报答。只因报恩的情意常常压在心底,一旦有机会能让其发挥长处时,他必定会报答,如果激励他,他就会竭尽所能。由此看来,那些刻意寻求他人过错、追寻仇人的人,又岂不是太愚蠢了吗?

在现实生活中,如果碰到你身边人的行为在有意或无意之间伤害了你,而且对你构成了侮辱,这个时候,最好的办法是淡然处之,视而不见,表现出一种博大的胸怀。此时如针锋相时,双方矛盾就会加剧,一旦矛盾升级,后果将不堪设想。如果你能忍一时的侮辱,事情过后,对方经过反思后,很可能会改变对你的看法,也有可能化敌为友。

楚庄王在处理王后受辱的事情上,体现出了一代王者的宽广胸怀。因为他平时能容人,所以他的臣下才能真诚为他效力,在战场上不怕牺牲,为他冲锋陷阵。

一般来说,宽容比施恩更能带来人际上的效益,也比较能控

制成本。因为施恩若失去准则，对方容易贪求无厌，得寸进尺，甚至施恩反成招怨！而宽宥是免除对方的"罪"，由死而生，其感谢自然不在话下，而且一次即足，对方也不会再作进一步的要求。

但宽宥也不能无条件无尺度，也就是说，必须考虑情节的轻重以及原则问题。至于如何才不违反原则，"得饶人处且饶人"是个指针，虽然模糊，但至少是一把"心尺"。只是不能为了一时的不忍或为了看对方感谢的眼神而漫无标准地宽宥别人，否则会为你带来不可测的灾难！

居上位者特别需要宽阔的大肚量，律法不外人情，但看你怎么解释；法外开恩常能为自己召来死忠之士，秦穆公的遭遇是一个最好的例子。

4. 洞察隐秘佯装不知

人要善于控制自己情绪。另一方面，若察知别人心思，可以不说破，但不能不防备。

古语说："察见渊中鱼，不祥。"这句话是说，窥见或料知一个人隐秘的心思，这不是件好事，因为这会造成自己和对方的不安，有时会造成灾祸。

汉朝初年天下甫定，百废待兴，朝廷致力于抚恤百姓，恢复生产，各藩王诸侯也积极地培植国力。

其中吴王刘濞，广招天下亡命之徒开采国境内盛产的铜矿，私自铸造钱币。又加上东南临海之利，煮水为盐，于是乎，国力富饶。到了汉文帝时期，吴国已成为一等的大国，实力几可与中央政府匹敌。

汉文帝对各诸侯王颇为敬重，宗藩间的关系还算良好，但后来发生了一件人伦惨剧，让文帝与吴王之间产生了裂痕。

有一次，吴王的太子到长安朝见天子，与皇太子刘启（就是日后的汉景帝）一起下棋。吴太子的师傅属从皆吴楚一带之人，骄悍轻傲，言语得罪了刘启，刘启愤怒之下拿起棋盘挥打，却不小心打死了吴王太子。

吴太子的遗体遣丧归葬至吴的时候，吴王刘濞怒说："哼！天下同宗一家，既然死于长安，就葬于长安吧，何必远葬吴地？"

命人将遗体送回长安安葬。吴王从此渐失藩臣之礼，称病不朝。

吴王刘濞诈病的消息不久传到了京师，因此只要吴国的使者到来，都受到朝廷的盘问责怪。这使得刘濞开始紧张，以为汉文帝要对付他了，于是积极整备兵马，企图反叛。

以吴国的强大，若是掀起叛旗，必会对汉朝造成严重的打击，因此刘濞不臣的举动也让朝廷跟着紧张了起来。有的大臣主张先下手为强，扣留吴使，讨伐吴国，但汉文帝认为没有必胜的把握，不敢下此重大决定。

后来有一个吴国使者对汉文帝说："敝国太子死于长安，吴王口中不言，心中岂能无怨？但鉴于与圣上乃兄弟之属，不愿破坏同宗之谊，是以暂时称病不朝，以免双方见面尴尬，这也是情有可原啊。然而朝廷数次怪罪，致使吴王心生恐惧，谋求自保，这是圣上所愿意见到的吗？俗谚云：'察见渊中鱼，不祥。'如今朝廷察知吴王诈病，指其无礼而屡屡见责，只会逼吴王愈行险径，造成不可收拾的后果啊！"

汉文帝醒悟，立刻赦免了吴使，并下诏体恤吴王年老，赐之几杖，准他可以无需入朝晋见天子。

吴王刘濞见朝廷准自己不朝，又赦免了使者，没有怪罪的意思，也就暂时停止了造反的密谋。

吴国使者对汉文帝说的话，让汉文帝对吴王的称病不朝有人情上的了解，同时也让我们体悟到，很多是非若不能站在人情的立场来看，就会酿成不可收拾的风暴！古人说"设身处地可息争"，这句话真值得所有人牢记啊！

不过我们也要对汉文帝的态度表示敬佩，不管他是为了领导统御的考虑，或是明白了利害关系，至少他让一个隐然成形的政治风暴悄然化解，而且还增加了他的领导威望，真不愧是明君啊！

有时候窥见一个人的隐秘心思并不是故意，而有些人则是具有这样的天赋。然而这并不是灾祸的种子，甚至还可这么说：若不具有察知别人隐秘心思的能力，有时候还要吃亏呢！关键应在于你对待你的"察知"的态度！最重要的是，不可让对方发觉你的"察知"；而要让对方不知不觉，最好的方法是不说破、不暗示，宁可长期观察，而不采取行动！要知道，很多隐秘的心思只是想法而已，并不具有特别意义，而且也不可能化为行动；若把它说破，对方不但不可能承认，还会以各种方式为自己辩护，辩护不成，就有可能变成真实的行动！当然，若察知对你不利的隐秘心思，你在不动声色之余，还是要有所防备，否则就有可能吃亏！

5. 莫把人逼到墙角

诗云：宜将剩勇追穷寇，不可沽名学霸王。这种斩草除根，不给对手喘息机会的策略，在你死我活的战争中是不可缺少的。但是在和平岁月，你死我活的残酷斗争应该少之又少，如果凡事一定要把对手置之死地而后快，那么对手就会困兽犹斗，就可能给自己造成不必要的损失。

这时，我们就必须学会网开一面的策略，避免把对手逼到墙角。

宋仁宗时，宰相富弼采用朝士李仲昌的计策，从擅州商湖河开凿六深渠，将水引入横贯陇西的故道。

北京（大名府）留守贾昌朝素来憎恶富弼，私下与内侍武继隆勾结，命令司天官二人，等到朝臣聚会时，在殿廷提出抗议，说国家不应当在京城的北方开凿渠道，这样会使皇上龙体欠安。

几天后，两个司天官听从武继隆的主意，向皇上上书，请皇后与皇上一起出来听政。

史志聪将他们的奏章拿给宰相文彦博，文彦博看后藏在怀中。他不慌不忙召来两个司天官：“日月星辰、风云气色的变异，才是你们可以说的事，因为这是你们的职责。为什么胡言乱语干预国家大事？你们所说的话有灭族之灾。

两个司天官十分恐惧。文彦博又说：“看你们两个也是狂妄愚昧之极，今天不忍治你们的罪。”

二人走了后，文彦博把他们的奏章拿给同僚们看，富弼等人十分愤怒地说：“奴才们胆敢如此胡作非为，为什么不斩了他们？”

文彦博说：“斩了他们，事情就公开化了，宫中会闹得不安宁。”

过了不久，大臣们又决定派遣司天官测定六深渠的方位，文彦博还是派那两个人去。这二人怕治他们的前罪，就改称六深渠在京城东北，而不在正北。

这就是示之以威，而后网开一面，从而造成威慑的例子。而将此一策略运用得出神人化的，则当属宋朝赵鼎。

宋高宗时，刘豫在山东张榜，狂妄地要求天下给他这个皇上进奉药物，太监冯益恰好派人去收买飞鸽，山东境内传播着许多流言。沁州知州刘纲将情况上奏朝廷，枢密使张浚奏请皇上，要求斩掉冯益以消除流言蜚语。

赵鼎继而上奏："冯益的事确实十分暧昧不清，值得怀疑。此事有关国家大体，朝廷如果忽略了不加处罚，外面的人必然认为是皇上派他去的，有损于圣德。不如暂时解除他的职务，派到外地去任职，以清除众人的疑惑。"

高宗欣然应允，将冯益调往浙东。张浚认为赵鼎与自己在唱对台戏，十分生气。赵鼎说："从古以来，凡是想处置坏人，搞急了，他们的朋党会互相匀结，反而招致大祸；缓一缓，他们之间就会互相挤对，不攻自破。现在冯益犯了罪，杀掉他，并不足以叫天下人拍手称快。但是一杀他，众太监们会害怕皇上杀了一个，就会想杀第二个，必然会竭力争取减轻冯益的罪责。不如贬谪他，将他放到远离京师的地方，既无损于皇上的尊严，冯益自己看见受的处罚很轻，也不会花费心机去求人，争取回到原来受宠的地位。他的同党见他被贬，必然会伺机窥求上进，哪里肯让他再进宫呢？如果我们着力排挤他，他的同类必然会因此而畏惧我们，他们勾结得愈发紧密，我们就无法攻破他们了。"

张浚听了赵鼎的分析，不得不叹服。

得饶人处且饶人。

生活中常常有些人，无理争三分，得理不让人。而有些人真理在握，得理也让人三分。前者，往往是生活中的不安定因素，后者则具有一种天然的向心力；一个活得叽叽喳喳，一个活得自然潇洒。假如是重大的或重要的是非问题，自然应当不失原则地论个青红皂白，甚至为追求真理而献身。但是日常的待人处世中，往往为一些非原则问题争得不亦乐乎，谁也不肯甘拜下风，非得决一雌雄才算罢休，结果严重的大打出手，或者闹个不欢而散。争强好胜者未必掌握真理，而谦下的人，原本就把出人头地看得很淡，更不消说一点小是小非的争论，根本不值得较劲了。

6. 治大国若烹小鲜的道理

水过于清澈，就藏不了鱼；做人如果过于苛刻，就容易失去人缘。与人相处时，难免会有一些差异，会有一些小矛盾，对别人的小缺点不要太在意，一个小肚鸡肠，神经过敏的人，没人喜欢和他做朋友。

宋朝的吕蒙正，不喜欢与人斤斤计较，他刚任宰相时，有一位官员在帘子后面指着他对别人说："这个无名小子也配当宰相吗？"

吕蒙正假装没听见，大步走了过去。其他参政为他愤愤不平，准备去查问是什么人敢如此胆大包天，吕蒙正知道后，急忙阻止了他们。

散朝后，那些参政还感到不满，后悔刚才没有找出那个人。

吕蒙正说这样就像是堵涔鼠洞一样无济于事。对此，他说："水若过清则鱼不留，人若过严则人心背。一般而言，君子都看不惯小人的所作所为，如过分追究，恐有乱生。不若宽容之，使之知禁，这样才能顺利做事。从前，汉朝的曹参对司法与市场的管理非常慎重，他认为在处理善恶的执法量刑上应该有弹性，要宽严适度。谨慎从事，必然能使恶人无所遁形。这正如圣上所言，就是在小事上不要太苛刻。"

不过分吹毛求疵，凡事皆留有回旋的余地，对微末枝节的小事不妨姑且放过，这乃是大部分中国人的处事为人的信条。

《道德经》说："治大国，若烹小鲜。"这句话的意思是说，烹煮小鱼不要不停地翻动它。否则，小鱼就易碎掉。治理偌大一个国家，和煮小鱼是同样道理。政令不能繁苛，要懂得适当地放权于民。否则，老百姓就会不堪其扰，民怨沸腾。

海纳百川方显其磅礴，地容万物才显其生机，"故君子当存含垢纳污之量，不可持好洁独行之操。"

宽容，使我们心境平定；忍让，让我们凸现人性之光辉。

冰释化解自己与别人之间的怨恨仇绪，与人握手言欢之时，自己的修养亦借此得以提升，方可更加从容地待人处世，更加祥宁地坦然面对俗世中的万千事物，不轻喜、不急怒，平淡之中显己之真性情。

7. 功过不可少混，恩仇不可过明

《菜根谭》云："功过不容少混，混则人怀惰堕之心；恩仇不可太明，明则人起携贰之志。"意思是说，功劳与过错不能有丝毫混淆，功过不分，会挫伤人们的积极性，使大家丧失进取心；恩德与仇恨不能分得太清，分得太清了，就会使矛盾激化，导致叛乱。

人的功与过是别人对其行为价值的某种评定。赏功罚过，不仅是对做出贡献者的肯定，也是对有过失者的一种鞭策。赏罚分明，会调动人们的积极性，使人不断进取；反之，则会挫伤大家的进取心，使人心涣散。国与国之间、单位与单位之间的竞争，说到底是人的素质与积极性的竞争。因此，贯彻赏罚分明的原则，关系到国家与社会的发展与进步。

容人，不仅要有容人之过之量，更要有容人之好之度方得忍让之真谛。

明朝尚书夏原吉器量宽广，同僚大臣有好的意见，他都能虚心采纳。有的人有小的过错，也能宽容，并尽力为之遮掩。

有人不小心弄脏了他的织有金线的御赐官服，夏原吉说："不要害怕，我不怪你，脏迹可以洗干净。"

又有人弄脏了珍贵的机要文书，这人叩头请求以死抵罪。夏原吉不责问他，自己入朝引咎自责，皇帝命人换了一套文书。

吕震曾经排挤夏原吉。后来，吕震为儿子求官，夏原吉认为吕震在"靖难"之役中有功劳，便替他请求。平江伯陈煊也与夏原吉关系不好，夏原吉却时常称赞他有才干。有人问夏原吉："器量可以从学习中得到吗？"

他回答说："我年幼时，有人冒犯我，我也免不了要生气发怒。于是，我下决心修炼自己的性格。开始在表情上忍耐，进而在内心忍耐，久而久之，就不存在忍耐不忍耐的问题了。"

建立一个和谐的同事关系，乃人之所愿。许多人常常为处理不好同事关系而大伤脑筋。如何与同事相处呢？夏原吉的经验就是"恩仇不可过明"。

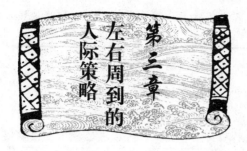

第三章
左右周到的
人际策略

庄子在其著作中曾经讲到"意怠",是一种平庸的鸟。别的鸟飞,它也跟着飞;傍晚归巢,它也跟着归巢。队伍前进时它从不争先,后退时也从不落后。吃东西时不抢食、不脱队,因此很少受到威胁。表面看来,这种生存方式显得平庸保守,但是仔细想想,这样做也许是最可取的。看似平庸,但它是有效自我保护的一种方法。

官场中的一切,都是以利益的得失,来左右人们对之评判的标准。地位变了,环境变了,时间变了,都可使官场中的人和事发生明显的变化;从而促进人们改变看法,选择取舍,重新确定敌友。

没有永久的朋友,只有永久的利益。

正因为认识到了这一点,许多人会适时地调整自己的人际关系,不停地捞取对自己有用的东西。为了保护自己,他们会因人而异地采取一些与其本心相违的处事方法。这原本是小人的交往之道,可悲的是,君子也不得不为之,否则就难以在官场容身。置身官场,若是不如此行事,十之八九会碰得头破血流。

第一节　超凡脱俗难用世

◆人性中有妒忌的一面。谁都不愿意别人比自己强,无论是在才能上、名誉地位上，还是在品德上。妒贤嫉能可以说是人类的天性。

◆有些人表面上推崇君子，贬斥小人，可实际上却是亲小人而远君子。这种现实和失落使得人们难为君子。

◆如果自己的形象太光辉了，就使它柔和一些，而不至于太显著；如果别人身上有尘土，那么自己就不应该显得太洁净，而应该与别人保持一致。这叫"和光同尘"。

1. 自恃孤高不如"和光同尘"

老子《道德经》中有一个词——"和光同尘"，意思是如果自己的形象太光辉了，就使它柔和一些，而不至于太显著；如果别人身上有尘土，那么自己就不应该显得太洁净，而应该与别人保持一致。显而易见，这是与群相处自我保护的一种好方法。

在自然界中，许多动物都根据所面临的情况做出反应，进行自我保护。正是这种适应环境的能力，保证了动物的生存。刺猬身体能缩成一团，鸷鸟能趴在地上一动不动，蟒蛇能把自己的伤口显示给对手，这都是十分高明的自保招数。

智慧不如人类的动物尚且能够做到这一点，面临情势更加复杂的社会，人更应从中受到启发。人要做一个全身成事的英雄，而不是一个舍生取义的莽汉。在周围人都沉醉不醒的情况下，不怕危险，自恃孤高以殉其节的态度当然很了不起；不过，如果还想实现自己志向的话，和光同尘也可以算是避免灾祸的一种生活准则。

晋时嵇康跟随隐士孙登在山林间遨游三年，嵇康向他请教问题，他从来不回答。将要分别时，嵇康对他说："先生，您难道在最后分别时也无话可说吗？"

孙登于是说："你认识火吗？它生来就有亮光，如果不用，那就浪费了它！人的才能就像暗夜的火光一样，如果不用，也会浪费殆尽！保存火光的关键在于免遭外部的风雨，发挥才能的关键在于顺应外界的事物，有十分清醒的见识，只有这样才能长久。我看你不随流俗，刚有余而韧性不足，才气多而见识太浅，在当今世上恐怕很难有所作为！"

不出孙登所料，嵇康后来一直没有被朝廷任用，最后竟然因吕安事件牵连入狱，被司马氏杀害了。

古人说："诽谤不实之词太多了，金子也会被熔化。羽毛数量多了，也能把船压沉。尘土多了，同样能把车轴压断。不实之词太多了，能把人的名声搞臭。"因此，老子李耳要去西域时，提前换上胡人的装束，大禹路过裸人国时，就主动脱下衣服，孔尼与武人交朋友时，就比试射猎。散宜生为了达到目的，也曾行贿，更有仲雍为了自保，剪掉头发，裸体文身。有人会说，原来圣贤的智慧也有用尽的时候。但事实上，这不表明圣贤黔驴技穷了，而是说明他们从来都不是故步自封的，而是能够灵活多变地顺水行舟，用以自保实现更大的理想。

2．"飞扬跋扈为谁雄"

在古代，真正的文人都是性情中人，但官场和文坛却是两个决然不同的世界。一个优秀的文人如果不幸踏入了官场，十有八九，命运会变得悲惨起来。

杜甫诗言李白"飞扬跋扈为谁雄"，写尽李白的性格特征。这种人如果能在长安城里久事功名，那才不可思议。

天宝元年，唐玄宗诏令荐举博学、文辞英秀及军谋武艺者，李白因诗名震动京师而被推荐。

当他在安徽南陵接到征召去长安的诏书时，掩饰不住内心的狂喜和踌躇满志的心情，在《南陵别儿童入京》的诗中说："会稽愚妇轻买臣，余欲辞家西入秦。仰天大笑出门去，我辈岂是蓬蒿人！"

由于受玉真公主（唐玄宗的妹妹）、贺知章等人的称誉，李白的《蜀道难》等诗作轰动长安，李白受到唐玄宗的隆重接见。

接见那天，唐玄宗像汉高祖接待"商山四皓"一样，以七宝床赐食，亲手调羹给李白吃，并命人给诗人换便鞋。

李白便把脚向皇帝身边的宦官高力士伸过去，叫道："给我脱靴！"

高力士不得不委屈地给诗人脱下靴子。

高力士本是唐玄宗身边的红人，连宰相李林甫、杨国忠、武将安禄山都要巴结他，太子李亨称他为二兄。但在李白眼里却是比草芥还渺小。

后来，一次唐玄宗和杨贵妃在兴庆宫沉香亭观赏牡丹，把李白叫到营中，即席赋《清平调词》三首，描写了杨贵妃体态的美艳，杨贵妃很高兴。

杨贵妃再三吟唱，高力士乘机挑出其中"借问汉宫谁得似？可怜飞燕倚新妆"两句，悄悄说："奴才原以为娘娘听了李白此词一定会恨入骨髓，娘娘怎么反而这样喜欢此词呢？"

杨贵妃吃惊地问："翰林学士会用此词来侮辱我吗？"

高力士阴险地挑拨说："他以赵飞燕来比喻娘娘，对娘娘真是莫大的侮辱！"

原来，赵飞燕是汉成帝的宠妃，又与燕赤凤通奸。

从此杨贵妃常对玄宗说李白轻狂酗酒，无人臣之礼。宠妃、权贵的谗毁，使唐玄宗疏远了李白，不召他侍宴，也不留宿殿中。

李白内心十分苦闷。

天宝三年，李白知道留在长安已再也不能有所作为，便上疏请求还山。玄宗问他有什么要求。

李白答道："臣一无所需，但得杖头有钱，日沽一醉足矣！"

玄宗便给他一些赏赐。李白离开长安时，已四十四岁。

庄子在其著作中曾经讲到"意怠"，是一种平庸的鸟。别的鸟飞，它也跟着飞；傍晚归巢，它也跟着归巢。队伍前进时它从不争先，后退时也从不落后。吃东西时不抢食、不脱队，因此很少受到威胁。表面看来，这种生存方式显得平庸保守，但是仔细想想，这样做也许是最可取的。看似平庸，但它是有效自我保护的一种方法。

3. 轻视小人往往阴沟里翻船

荣宠之人，最易忘乎所以，放松警惕，从而让人有机可乘，借以攻击。这其中，对小人最需小心防范。也许你不小心地一句话刺伤了他，他便会不顾一切地要致你于死地。轻视小人往往阴沟里翻船，历史上许多大人物命丧于此，这方面的教训是深刻的。

西汉景帝时，魏其侯窦婴为大将军，势力显赫，门庭若市。满朝文武之中，惟独将军灌夫不去巴结窦婴，且说："人们趋炎附势，丑态百出，正人君子怎会干下如此勾当。"

此言传到窦婴耳里，他便在一次私下场合当面问灌夫说："将军不喜和我结交，也就罢了，为何还要贬损拜见我的人呢？"

灌夫直言道："大将军位高权重，势利小人才会无耻攀附。若是大将军一日无权，可还会如此风光吗？在下今日提醒大将军，自盼大将军不要为小人所惑啊。"

窦婴心中不快，说道："你所说的小人，可能为我指出一二？"

灌夫随口便说："田蚡。"

田蚡是孝景皇后的弟弟，此时还只是个普通郎官。他为人险，工于心计，表面上却极做谦谦君子之态，对窦婴更是谦卑逾常，媚态十足。窦婴为他所惑，对他信任无二。

灌夫却不以为然地说道："若是别人，我还可信你一次。若说田蚡，我只能笑你狂妄无知了。你这样率性而为，出口无忌，不识奸小，我还能责怪你什么呢？望你当知敛翼，否则后患无穷啊。"

灌夫一笑置之。灌夫平生嫉恶如仇，性情刚直，他不仅不去奉承人，反而故意侮辱地位在他之上，为人卑劣之人。对贫贱之士，对地位比他低的正义之士，灌夫却能恭敬有加，不敢丝毫怠慢。

他的这番行为，灌夫的一位挚友却深以为忧，且反复劝他说："兴衰之道，世之常情，将军何以颠倒致此呢？要知尘世之中，官场之上，趋炎附势本是常事，亦是迫不得已的事。一个人显达的时候可以装模作样换取名声，一个人平庸的时候也不必顾忌小人的行为。这都是情之所迫啊，你为何违逆太多呢？你如此不识时务，绝非幸事。"

灌夫一叹说："我行事磊落，不屑与小人为伍。纵小人道长，我也难与之周旋。只恨苍天无眼，世道不公了。"

后来，窦婴失势，田蚡当了丞相，朝中文武都转而巴结田蚡，灌夫又反其道主动和窦婴交好，窦婴至此感慨地说："人之荣辱，一致如此，将军的品德，这会儿才显现出来了。"

他们至此变得无比亲密起来。有人提醒灌夫说："将军身处下位，这会儿不去交结丞相，却和失势的窦婴为善，这哪里是为官处事之道呢？纵然这是君子行为，可对你又有何益？"

灌夫不以为然，且每每痛斥别人说："世道人心，都是你等小人所败坏的。虽不敢自称君子，却也效仿君子之所为了，岂是尔等所能窥测的！"

田蚡小人得势，骄横异常。灌夫在一次酒宴上，故意出言不逊，讥讽田蚡，结果被田蚡抓住把柄，关进牢中。

窦婴为灌夫四处奔走，他的夫人便对他说："灌将军和丞相作对，人人惟恐避之不及，你又何必趟这个浑水呢？你已失势，非比从前，只怕救人不成，反要祸及自身了。"

窦婴哀声说："我悔不该不听从灌夫之言，以致让田蚡这个奸恶小人爬上如此高位，祸国殃民。如今灌夫又被此贼所害，我怎能袖手旁观？这样一来，别人会怎样说我？"

窦婴的夫人哭道："眼下保命要紧，你又何必在乎别人怎样说你呢？你有权有势时，固可以当君子，如今失势无权，当回小人又何妨？情势如此，你万不可学那灌夫的样子了。"

窦婴心有所动，可还是不忍如此行事。最后，灌夫不仅仍被处死，窦婴也因救助灌夫获罪被杀。

实际生活中，"君子"常败，小人长胜的现实，似乎在提醒人们：君子不仅难为，做到了也不见得有什么好处，反是小人好做，好处却有不少。这种现实和失落促使许多人走向反面，进而造成小人众多、世风日下的严酷局面。难怪古来的君子大多不敢以君子自居，他们甚至故作平庸，以免四面树敌。这是君子的智慧所在。

第二节　左右逢源

◆聪明的人会适时地调整自己的处事标准和为人方式，不停

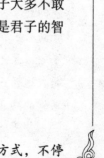

地获取对自己有用的东西，同时，他们更会保护自己，因人而异地采取一些与其本心相违的方法行事。

◆同事相处最棘手的问题莫过于被夹在两个有矛盾的同僚之间。如果处理不好，就会袒佑一方而得罪一方，或者两方都得罪。聪明的做法就是不得罪任何一方，或者两边都落好。

1. 聪明人面子上总是光滑的

靠游说谋取官位是战国时代文人墨客的时尚，而这些文人为在诸侯面前争宠而相互拆台排斥则是很常见的事了。

张仪是当时著名的说客，他一到魏国便把在魏落脚的惠施排挤出去。

惠施没有办法，只得流落到楚国。楚王听说惠施也小有才能，便收留了他。

这时楚大夫冯郝却对楚王说："把惠施从魏国驱赶走的，是张仪。现在大王又亲自约留张仪的对手惠施，这是等于欺瞒张仪。我认为大王不要这样，您想，惠施这次是由于张仪的排挤才来楚国的，他到楚国，很明显会恶化大王您与张仪的关系，并且惠施可能长时间在我国住下来。现在我看不如这样：诸侯都知道宋国很喜欢惠施，不喜欢张仪，我们就设法把惠施送到宋国去，让宋国国君任用他，然后大王您再给张仪修一封书信，就说看在他的面上，我们已赶走了惠施。张仪接到大王的书信，一定会十分高兴。至于惠施，他现在是个穷困潦倒的人，大王亲热地接待了他，又把他推荐到欢迎他的国家去，一定会对大王您感恩戴德。这样一来，大王您既巩固了与张仪的友好关系，又可以取得惠施的感激，岂不是一举两得？"

楚王听了，十分赞同，就依计把惠施送到宋国。

就当时情况看，张仪和惠施周游列国，都是有很大影响的人物，楚王如果轻易得罪了任何一个，对楚国都不会有多大好处，楚王纳惠施，必定得罪张仪，相反则势必得罪惠施，冯郝的两面逢源之计，恰当地解决了这个难题。

在碰到这样两难背反的问题时，从问题的两难之外，寻找一个两全其美的解决办法，才能使问题的处理不至出现带有任何不痛快的结局。

战国时有个小国叫中山国，相国司马熹辅佐中山君王治理国家，应付各种复杂的局势，使弹丸之地得以长期独立，因而中山国君对司马熹也非常信任。

不知何时何地何事，司马熹得罪了国王的宠姬阴简，以致她几乎每天都在国王面前说他的坏话。司马熹听说后非常担心国王相信后会危害自己的地位。

有一天，当时的大国赵国派来一位使者，司马熹在殷勤招待之际，故意说："听说贵国擅长歌舞弹奏的美女很多，而我们中山国也有一位倾国倾城的美人，她的相貌没有一处可挑剔的，她的才质风度更是天下无双，她就是我国君的宠姬阴简。"

使者回国后，便将情况报告了赵国国王。赵王本是个好色之徒，听说有此尤物，能不动心？故很快派使向中山国索讨。

中山国王虽很懦弱，而对此事却毫不含糊，表示坚决拒绝赵王的要求。形势骤然紧张起来，大臣们只是七嘴八舌，但都没有什么好主意。

胸有成竹的司马熹暗自高兴，在关键时刻向国王建议说："时至如今，大王只好将阴简正式封为王后了。既封为后，赵王也不好强求，因为到目前还没有人敢索讨别国王后的事。如此，赵王也不会生气，从而可保护我国免遭兵祸。"

情急之下，中山王只觉眼前柳暗花明，盛赞司马熹之后，即封阴简为王后，以厚礼打发了赵国使者。使者报告赵王后，赵王虽很遗憾，也无可奈何而作罢。从此，阴简再也不说相国的坏话了。

司马憙的做法不仅使自己摆脱了困境，而且一笔勾销了他与阴简的前怨，同时巧拒赵王要求，保全了中山国的名声和存在。

唐朝的张咏做益州知府期间，招讨使王继恩打败李顺的军队，屯兵益州府。部下居功骄横，恣意妄为。

一天，有个百姓向知府控告王继恩帐下的士兵仗势欺人，勒取民间财物，还伤有人命。那个士兵知道后，用一根长绳从城墙上坠出城外，连夜逃遁。

张咏派衙役前去追捕。临行前，他告诫衙役说："你把他捉拿住之后，不要打他，也不要伤他，只要找到一个深井，将他衣冠整齐地推进井里，然后来报告我，就说此人逃走后投井自杀。"

当时官军中正议论纷纷，气势汹汹要借机闹事，听说那个士兵自己投井而死，也就没有别的话说。

张咏这样处理，可谓是巧妙之极。因为像当地官军的犯法逃兵，既不能公开斩杀，也不能捉回来，因为捉回来就可能成为激起兵变的导火线。

只有这样处理，才能既惩办了凶手，又避免了与官军主帅王继恩不和的恶名，真是够圆滑。

2. 减少不必要的麻烦

明英宗天顺年间，宫廷中爱好宝玩成风。太监出主意说，三十年前宣宗宣德年间，曾派遣三宝太监出使西洋，获得无数珍宝奇玩。皇帝就命令太监到兵部去，查找三宝到西洋的海上路线。

当时刘大夏为兵部侍郎，兵部尚书项忠命令掌管文书的都吏去翻检过去的数据，刘大夏先将那份资料搜检出来，偷偷藏好。都吏查了半天查不到。

项忠又命令其他官吏去查，并且质问都吏说："部里的公文怎么会弄丢了呢？"

刘大夏笑着拉过尚书，对他说："当年下西洋，花费了钱财粮食几十万，军民死亡数以万计，这是当时的弊政，即使那些公文还在，尚且应当销毁，以除掉病根，为什么还去追究它的有无呢？"

尚书项忠一听，面色严峻，一再给刘大夏作揖致谢，指着自己的椅子说："刘公这样通达国家事体，这个位置不久后就属于你了。"

又如安南人占了许多城池，向西侵犯当地土著，但在与老挝作战时被打败。太监汪直就想乘机讨伐安南，派人索取英公征服安南的路线图，刘大夏将图藏起来没有给他。一兵部尚书又亲自替来人去要，刘大夏悄悄地告诉他："只要这仗一打，西南的局势立即就会混乱。"

尚书明白了，就再也不提这件事。

在这两件事上，刘大夏既避免了因战乱政的危险，又不让自己受到任何攻击，可以说是深谋远虑，远远超过那些只知道抗命直谏或与对手以死相拼的人。

3. 最凶恶的敌人总是以好朋友的面目出现

对手对你怒目而视，并不可怕；如果对你异常殷勤，那你可要小心了。

秦始皇死后，车府令赵高欲攫取高位，便怂恿丞相李斯和他

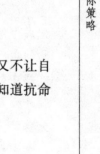

一起篡改了始皇立长子扶苏的遗诏，改立胡亥为皇帝，是为秦二世。

秦二世登基后，赵高又想独自专权，就千方百计地加害李斯。他一方面在二世面前大肆诋毁李斯，另一方面在李斯面前大肆吹捧李斯，怂恿李斯劝谏沉湎酒色的秦二世。

他对李斯说："关东盗贼纷起，皇上却仍从那里抽夫拉丁，这可不利国家啊！您位极人臣，又有犯颜直谏的名声，可这件事为什么没有劝劝皇上呢？"

李斯说："我早有此意，可惜总见不到皇上。"

赵高说："等皇上空闲时我通知您。"

而赵高两面三刀，却选择秦二世把盏品酒，怀拥美女，歌舞声乐，玩得正高兴时通知李斯去见二世。秦二世当然不见，李斯再次请求，二世大怒。赵高趁机造谣说李斯时常怨恨，心怀不满，这等于火上加油。

秦二世遂将李斯囚禁，后车裂而死。

汉景帝的皇后，由于没有生男孩，地位就下降了。由谁取代她成为皇后，成了当时宫中的热门话题。

在后宫妃姬之中，栗姬最先生个男孩儿。按惯例，这个长男就是皇太子，他的生母栗姬也该立为皇后。但栗姬的嫉妒心很强，给人的印象极坏，景帝了解后自然和她疏远了。栗姬对此毫无察觉，因她为景帝生了长男，她更加得意忘形。

景帝曾委托栗姬将来照应其他妃姬所生诸子时，她很不高兴。景帝变得更讨厌她了，但只因她是皇太子的生母，不能随便把她轰出宫。对这种情况了如指掌的王夫人，悄悄地对景帝的一个大臣说："皇后的位子空着总不是事，我想，立太子的生母栗姬为后，你觉得怎么样？"

这位王夫人没有说栗姬半句坏话，反而在帮她提升，这不是不徇私情的大义之举吗？那位大臣也许是被感动了，或许是想作"栗皇后"的第一位推荐人，马上向景帝进言，"太子的母亲栗姬不应该再和一般的夫人们平起平坐，臣以为应立为皇后。"

景帝吃了一惊："你怎么能说出这种话？"

正犹豫是否把她轰出宫门的女人怎么能继皇后之位？景帝闻知自然勃然大怒了，立即把那位大臣打入监牢，废掉了原太子。栗姬终于忧愤而死。

结果，王夫人升为皇后，她生的儿子也被立为太子，就是后来的汉武帝。

很显然，王夫人鼓动大臣奏请立栗姬为后，借此来激起皇帝的更加愤怒，无异于火上添油。这是她事先预谋好的寓贬于褒中的妙计。这种场合，如果王夫人说栗姬的坏话，事态如何发展就很难预料了。通过迂回的举荐，却收到了超过直接中伤的效果，王夫人谋后，可为煞费心机了。

4. 两头卖乖，好事占尽

晚清时期，湖南有个道台单舟泉。这人善于观察，办起事来面面俱到。所以大小官员都很佩服他。

有一年，一个游历的外国人上街买东西，有些小孩因未看见过洋人，便追随着他。洋人很恼火，手拿棍子打那些孩子。有一个孩子躲闪不及，被打中太阳穴，没多久就死了。小孩的父母当然不肯干休，一齐上来，要扭住那外国人。外国人则举起棍子乱打，连旁边看的人都被打伤几个。这样，激起公愤，大家一齐上前，捉住那外国人，拿绳子将他捆了起来，送到衙门。因为是人命关天，而且又是外国人，所以感到很棘手。

此事落到单道台手里，他不愧是官场老手，又有丰富的办案

经验，马上就将卖乖绝招运用自如。一方面他认为湖南阔人很多，而且民风开放，如果办得不好，他们会起来说话，或者聚众为难外国人，到那时，想处治外国人做不到，而不处治又办不到。不如先把官场上为难的情形告诉他们，请他们出来帮忙圆场，只要绅士、百姓动公愤，出面同外国领事硬争，形成僵持局面，外国领事看见老百姓行动起来，就会害怕，因为洋人怕百姓。到这时，再由官府出面，去压服百姓，叫百姓不要闹，因为百姓怕官，所以他们也会听话。而外国领事见他压服了老百姓，也会感谢官府。

主意想好，他马上去拜会几个有权势的乡绅，要他们大家齐心合力与领事争辩。倘若赢了，不但百姓伸冤，而且为国家争了面子。此话传出去，大家都说单道台是一个好官，能维护百姓利益。他又来到领事处，告诉领事，如果案子判轻了，恐怕百姓不服。外国领事听他这么说，又看着外面聚集的人群，果真感到害怕。单道台又说："贵领事也不必太害怕，只要判决适当，我尽力去做百姓的工作。不会让他们胡闹。"

案子判了下来，自然也是虎头蛇尾。但单道台却两面得到好处：抚台夸他处理得好，会办事；领事心里感激他压制百姓，没有闹出事来，于是替他讲好话；而绅士们，也一直认为他是维护百姓的。

许多人会适时地调整自己的处事标准和为人方式，不停地获取对自己有用的东西。同时，他们更会保护自己，因人而异地采取一些与其本心相违的方法行事，主动操纵人心，两头落好。

5. 表忠心也得讲点策略

遇事该方则方，不该方时就要圆熟一些，尤其在遇到将要对己不利的形势时，应将刚直不阿和委曲求全结合起来，可随机应变，先保护自己以屈求伸。迂直与固执往往等同于愚蠢，会害了自己。

　　王权是明太祖朱元璋的御史，他行事光明磊落，每以古时忠臣自比，任何人被他查出过错，他都要据实上奏，严加弹劾。

　　朱元璋起初对他十分赏识，总夸他是难得的忠臣。

　　王权自慰不已，总对别人说："皇上英明，好忠厌奸，真是天下苍生之幸啊。"

　　熟知朱元璋性格的一位王权好友，私下为王权担忧。一次，二人闲聊之际，他便对王权说："皇上没有一个说喜欢奸臣的，可事实上并不是这样。自古以来，哪个忠臣不历尽磨难、受尽了屈辱？你每以忠臣自居，这对你多有不利，何必天天挂在嘴头，惹人在意？"

　　王权和他辩白说："忠臣致祸，只不过没遇上明主罢了。岂能为此责怪忠臣呢？我无欲无求，自不屑献媚邀宠，皇上还是照样赏识我？所以说，皇上是真正的英明之主，由此可见一斑了。"

　　王权的朋友长叹声声，不便再言。

　　王权为了国事，一次和朱元璋发生了争执。朱元璋好说歹说，王权就是不肯让步，朱元璋急了，怒吼着："你不是自比古时的忠臣吗？怎么一再违逆我呢？"

　　王权不屈地答："君主有错，一味顺从，这是奸臣所为，臣若是这样做了，还算得上忠臣吗？皇上若不接受谏言，臣宁肯以死抗争。"

　　朱元璋在群臣面前下不了台，脸色几变；他忍耐不住，冷笑道："你陷君主于害忠之名，这便是最大的不忠了。我不杀你，怎可治理天下，以儆群臣？"

　　他传命将王权推出斩首，心里还愤恨不已。

群臣为王权求情，其中一人说："皇上万不可杀一王权，而冷落了群臣之心。王权人以为忠，人皆敬畏，皇上也常以之命群臣效仿，如今他既得死，岂不让人对忠臣暗生畏恐，而自学奸吗？这个风气万万开不得呀。"

朱元璋气头之上，杀心才起。时间一长，他的怒气渐消，又有些悔意。今听那人一言，他便想给王权一个台阶下，遂又命人把王权押回，故作高声说："你若知错就改，我就不会杀你。"

王权倔劲上来，不肯认错，只说："我本无过错，何来改呢？皇上既然认为我有过失，就应杀我。否则，无罪而无端辱我，教我违心认错，这绝不是忠臣所能忍受的。我不想让皇上为难，只求速死。"

朱元璋不曾想王权如此不可理喻，他失去理智，狂怒地大吼："我就担上枉杀忠臣之名，也要杀你无赦！"

他再不听人谏言，王权终被无罪杀害。此事人人心寒，都把王权之死引以为戒，一时人人学乖弄巧，奸邪之风充斥朝野。

君主都说自己是喜欢忠臣而厌恶奸臣，但这往往只是一个方面，另一方面，君主也不喜欢直言违逆被拨面子。大义忠诚的人也要善于给上司这种面子，不仅自保，更能尽忠。

第三节　恪守中庸巧平衡

◆中庸，绝不是无谓的折中、调和，而是指为人处事应该慎重选择一种适中的角度，一种智慧。

◆朱熹解释说："中者，不偏不倚，无过不及之名。庸，平常也。"可见，中庸之道的本质是无过度无不及、适可而止。

◆中庸之道不是不偏不倚的和稀泥，而是本着解决问题为原则，在尽量避免斗争、矛盾与无谓消耗的前提条件之下，巧妙地找到一条解决问题的最佳方法、最佳途径。

1. 善于兼顾各方情绪

中庸，在孔子和整个儒家学派里，既是很高深的学问，又是很高深的修养。追求恰到好处、适可而止，这是做人处事的一种境界，一种哲学观念。比如说吃饭，餐餐最好吃到恰到好处，每顿饭不要因饭菜不好而饿肚子，也不要因饭菜特好而把肚皮撑得鼓鼓的，适可而止，就永远保持健康的胃口。

以中为度，不即不离，中和为福，偏激为灾。这句话的意思就是说，只有掌握了处理事情的分寸，才能方圆自在，游刃有余。

把握分寸就是阴阳调和，刚柔相济，讲求平衡。平衡是宇宙间的一条普遍规律，我国古人很早就提倡平衡，就是把握不同的几个方面的平衡。失去平衡，过分偏重一方面，忽视另一方面，矛盾就会激化，就会出毛病。

每一种力量都像弹簧一样，压的力量越大，反弹就越高，反作用力就越大。造成这种现象的原因，不就是破坏了事物内在的平衡吗？

北宋时，掌握护卫京城重任的马军副都指挥使张昊，遵照圣旨训练士兵。但他对士兵太过严厉残酷，结果激起士兵哗变。

哗变平息以后，皇上召集大臣们商议处理此事。

有人主张马上撤换张昊以平息众怒，也有人主张把所有参与哗变的士兵全部抓起来。

但宰相王旦对以上两种意见都不赞同，他说："如果处罚张昊，那么整个京城都会震惊。现在如果提拔任用，使他解除了兵

权，反叛他的人们自当安心了啊。"

皇上一边点头一边对左右赞叹说："王旦善于处理大事，不愧是当宰相的奇才呀！"

任何问题都有其细微深奥的地方，如果不能把握分寸，企图用简单粗暴的方式处理问题，一竿子插到底，往往会使别人产生逆反心理，进而采取不合作的态度，反而无助于问题的解决。

明朝周之屏在南粤做官时，张居正实行"一条鞭法"，下令全国清查土地，对耕地进行重新丈量。当时的官员认为瑶族、侗族人民居住地区的耕地朝廷一向不过问，无法进行丈量。

前来朝见天子的北方少数民族地区的各级官员们，也在朝廷上提出同样的意见。宰相张居正厉声说："你们只管丈量。"

周之屏领会了他的意图，行了礼便出去了。其他人还在窃窃私语，不肯离开。

张居正只好笑着对他们说："刚才离开的人是理解了我的意图的人。"

大家出来后问周之屏，张居正的话究竟是什么意思，他说："宰相正想通过丈量土地，统一法度，来治国齐天下，他考虑的是全国这个全局，难道肯明确地提出什么'某某田不能丈量'这类的意见吗？我们下属官员应当根据实际情况灵活掌握嘛！"

大家这才真正领会了张居正的意思。

值得说明的是，孔子讲的中庸，绝不是无谓的折中、调和，而是指为人处事应该慎重选择一种角度，一种智慧。

2. 在两难中适度选择

那些成大事者无一不是智谋超群的人物，他们能够顺从事物内在的道理，不仅工于谋划，获取成就，且能知止当止，小心保有成就。他们总能战胜人性的弱点，而不是放任自己。而那些不善于节制的人，却不能做到这一点，祸患便由此而生。

唐高宗时，李勣和长孙无忌、褚遂良同是顾命大臣，极受唐高宗的信任。正因如此，当唐高宗欲立武则天为皇后时，长孙无忌、褚遂良才口无遮拦，极力劝阻此事。

高宗为此改变了对二人的看法，表面上却一如往日。二人不知就里，仍是自恃高宗的宠信，对此事绝不让步。

李勣以其绝顶的聪明，从高宗态度上，看到了反对是不会有结果的，而且必遭祸患。两难之下，他采取了避让之法，既不反对高宗改立皇后，又不反对长孙无忌等人据理力争。

一次，长孙无忌、褚遂良等元老重臣约他进宫进谏，他先是一口应承，后又借病不去。等那些人碰了一鼻子灰回来，他又安慰他们说："皇上的意志一时很难改变，只要大家不泄不馁，坚持下去终会有成效的。"

众人敬他智谋过人，便请他出谋划策，不想他一口回绝，还说："君子对人，尚且以诚相待，今对皇上，如施巧计，反令皇上对我等猜疑，弄巧成拙了。以诚亦可，何用其他？"

众人走后，其子见李勣独坐桌旁，愁容不展，便上前说："父亲一向足智多谋，此事就真的没有解决的好办法吗？"

李勣长叹一声，方道："长孙无忌等人，有恃无恐，祸在眼前了。我自保尚难，还怎敢显露什么才智呢？"

后来，唐高宗和李勣单独在一起的时候，以此事相询，李勣

便说此乃陛下的家事，不必和外人商议。

只此一句，既顺从了皇帝的意思，又让别人挑不出毛病，李勣的智慧于此可见。

长孙无忌和褚遂良等人，在武则天当上皇后后，纷纷遭到迫害，惟独李勣无灾无难，且是无人非议。

3. 心平气沉，处事中正，是一种智慧

处事适度，不过激，能沉住气，也是中庸智慧的表现。

蒋琬，字公琰，零陵郡湘乡县人。二十岁左右就和他的表弟泉陵人刘敏同时成为有名的人物。蒋琬当年以一个州的书佐的身份跟随刘备入蜀，后来授官广都县令。

有一次，刘备外出视察，突然到了广都，看到蒋琬什么事都不管，当时又喝得烂醉如泥，就大发雷霆，要惩办他。军师诸葛亮替他向刘备求情说："蒋琬这个人，是个治国的大器，可不是治理一块小地方的人才啊！他做官办事是以安定民生为根本，而不是把做表面文章放在首位，希望主公重新考察他。"

刘备向来尊重诸葛亮，才没有给蒋琬加上什么罪名，匆忙间只是把他免职罢了。刘备做汉中王以后，蒋琬当了尚书郎。建兴元年，丞相诸葛亮征召蒋琬到府署里作东曹掾。

建兴五年，诸葛亮驻军汉中，蒋琬和长史张仪一起留下来主持丞相府的工作。建兴八年，蒋琬代替张裔作了长史，又兼任抚军将军之职。诸葛亮几次外出征伐，蒋琬总是供给他充足的军粮和武器，所以诸葛亮常常说："公琰以他的忠心和正直来寄托自己报国的志向，他是辅佐我完成统一事业的人啊！"

诸葛亮秘密地写奏章给蜀后主刘禅说："假如我不幸去世，

未完成的事业可交给蒋琬继续下去。"

诸葛亮死后，刘禅就任命蒋琬为尚书令。不久，又让他兼任都护，把符节交给他，作为行使职权的凭证。后来又让他做益州刺史，升为大将军，加上录尚书事的头衔，成为独揽大权的重臣，并加封安阳亭侯的爵位。当时，由于刚失去了国家的元帅，大小官员都忧心忡忡。

蒋琬出类拔萃，处于比同僚们更为重要的地位，他既无忧容，也无喜色，神情自若，一举一动仍像平时那样。从此以后，在大家的心中树立了威望，对他心悦诚服了。

东曹椽杨仪向来性格简慢粗疏，蒋琬和他讲话，商量事情，他常常不理不应。

有人想要在蒋琬前陷害杨仪，对蒋琬说："您和杨仪讲话，可是杨仪一点反应也没有，杨仪对您不是太傲慢了吗？"

蒋琬回答说："人心的不同正好像各人的面孔不同一样：表面上服从，背后又说反对的话，这是古人所引以为戒的啊！要杨仪说同意我，说我是对的，那不是他的本心；他若要说反对我的话，那么就会显示了我的错误，因此他只好默然，这就是杨仪的耿直的地方啊！"

有个督农杨敏曾经诽谤蒋琬说："做事糊涂，实在不如前人。"

有人就把这话报告了蒋琬，主管的人请示蒋琬，要追究这件事，治杨敏的罪。蒋琬说："我确实不如前人，没有什么可以追究的。"

主管的人难以根据蒋琬的话不去追究治理杨敏，就请求蒋琬下令去问杨敏他所谓糊涂的表现。

蒋琬说："如果说不及前人那就是办事情不合理，办事不合理，就是糊涂，又何必追问呢？"

后来，杨敏因犯罪关在牢狱里，大家还是怕他要被处死。可是蒋琬没有一点个人的亲疏厚薄之情，过去的事并不放在心上，所以杨敏才能免于重罪。

一个大权在握的人，内心能够平静如古井，遇事不过激反应，处事稳重有度，是大致不会出错的。

4. 不争宠的反得宠

人们争夺名利，往往会不择手段，无所不用其极，殊不知这种不加节制的偏激，反会毁灭自己；以中庸平衡的处世之道，令各方都互相容纳，到头来往往是这种人反得了善终。

东汉和帝的皇后邓绥，在历史上是一代有名的贤后。她深受和帝宠幸，为大臣们敬重。还以皇太后的身份，先后辅助婴儿幼帝主持朝政二十余年，天下人无不称颂其贤德。

邓绥初入宫时，只是汉和帝的贵人。因她是东汉开国功臣邓禹的孙女，人又长得俊美，善解人意，和帝便特别喜欢她。

一次她有病在身，和帝便破例让她的母亲、兄弟入宫探视，并说不受时间限制。如此殊荣，邓绥却辞谢了，她对汉和帝说："皇上宠幸于我，贱妾更该洁身自爱。后宫乃朝廷禁地，外人是不能逗留长久的。"

邓绥的兄弟对此不满，他怨气冲天地对姐姐说："皇上既有明示，姐姐何必多此一举呢？我们乃功臣之后，姐姐又深得皇上的宠爱，姐姐还怕什么呢？"

邓绥叹息一声，说："你所说的，正是姐姐担心之处啊。先辈求取富贵不易，我们保有这份荣誉，能不处处小心吗？宫中向来多事，皇上又素喜猜忌，如果我们做事张狂，恃宠而骄，只能授人以柄，让别人作为攻击我们的口实了。我们的富贵还能有吗？再说，纵然皇上始终厚待于我，有朝一日，别人也会这样待我们吗？如果我们自己不早作安排，以求人望，终究是无法久长的。"

有此心智，邓绥行事便与众人不同。她小心侍奉当时的皇后阴氏；对待宫中的奴婢，她也从不苛责，加之以恩。平日她总是朴素无华，不着艳装；更难得的是，即使阴皇后嫉恨于她，她也不以为怪。

邓绥侍女说她过于软弱，她一笑置之。别的妃嫔只当她软弱可欺，她便处处躲让。和帝为此大为感叹，对她说："你的贤德无人可及了，怎会这样呢？"

邓绥连称不敢，小心回道："贱臣深受皇上宠幸，难道是无缘无故的吗？皇上圣明，臣子才会贤达。若能不让皇上分心他顾，贱妾就知足了。"

和帝听此，对她的宠幸更深了。

与邓绥相反，阴皇后却处处争锋，即使对和帝，她也不知退让。和帝对她忍无可忍，终把她废掉，并要立邓绥为后。面对这别人梦寐以求的好事，邓绥却保持清醒的头脑，她思之再三，不惜称病以辞。

邓绥的母亲入宫劝邓绥改变主意，邓绥这才说出心意："一旦为后，可谓宠之极了，我是怕因我之故，连累了咱家的声名。事实上，要想宠而不衰的，又有几个呢？"

她的母亲说："你既知此中利害，又有什么担心的呢？我是怕你违逆了皇上，让众大臣失望啊。"

邓绥接受了母亲的劝告。她并没有放松对自己的要求，又严禁兄弟侄子干政，她的声誉越来越高了。

面对世人的称颂，面对荣华富贵，如果你拥有了这些，就自足自骄起来，那就失去了适中之美德，甚至还会走向反面。

第四节　化敌为友

◆如果能适时放下架子，对地位比他们低的人表示些亲近，有些交结，这不仅会改变他们的形象，也会为将来留条后路。

◆不要责怪别人的过去的选择，只要他现在愿意为人所用，能够为我所用，这就够了，这就好了。

◆敌友会不断地处于变动之中。只要当下对己有利，就不能不对之进行争取，暂时的朋友也是朋友，也要利用。

◆不计私怨，容纳异己，以天下为重，是干大事业的前提。

◆有些人在你得势时以心腹密友的面目出现在你身边，一旦你失势，他便反戈一击，直至将你打倒。鉴于此，有智慧的人便不轻易与人结怨，免得将来别人落井下石。

1. 放下架子，会赢得很多

人的身份和地位的不同，决定了他们在为人处事中所采取的态度和方式应该有所变化，各有侧重。富贵之人高高在上，这最易招人怨恨，多有责难，如果他们能适时放下架子，对地位比他们低的人表示些亲近，有些交结，这不仅会改变他们的形象，也会为将来留条后路。贫贱之人无权无势，如果放荡不羁，对人不敬，徒增人厌不说，更使自己授人以柄，雪上加霜，翻身的希望也荡然无存。聪明人往往善于笼络人心，可见他们对人心的认知匪浅。

春秋战国时的孟尝君是个很有谋略的人。

在孟尝君的食客中，有一人和他的侍妾私通。有人建议孟尝君将此人杀死，但孟尝君深知此人是个重义气的人，必有大用，便不以为然地说："喜欢貌美的女人是人之常情，请勿再提此事。"

一年后，孟尝君把和侍妾私通的人叫来说："你我结交已久，我没机会给你大官当，你又看不上小职位。卫国的国君和我是深交，请您去臣事卫君吧。"

这位食客到卫国后受卫国的重用。

后来，齐卫两国关系恶化，卫国国君联合诸侯欲攻打齐国。先前那位食客深感孟尝君有恩于己，就对卫君说："孟尝君不知我无能，将我荐与君王。我曾说过：齐卫两国曾有盟约，后世不相攻伐，现在君王联合诸侯共伐齐国，这是违背先王盟约的不义行为，希望您取消伐齐的行动；否则，臣要用鲜血来弄脏您的衣袍，报答孟尝君的知遇之恩。"

卫君被迫取消了攻齐的行动。

夺妻之事一向被人们称为不共戴天之仇，而孟尝君却能将此视为正常，不以小私而损害国家的大我，终于以以恩报仇的方式，化敌为友，借此使国家转危为安，其胸怀之宽广实令人佩服！

2. 最大限度利用所有可利用的资源

政治斗争是复杂的难测的，常常是得失急骤成败瞬间，忽而为敌忽而为友。各派有各派的势力，各人有各人效忠的对象，各为其主正是必然现象，天下未定之时人们的选择也就没有确定。因此不要责怪别人的过去的选择，只要他现在愿意为人所用，能够为我所用，这就够了。

封建时代，成霸业、留贤名的君王，大都为宽宏大量，不计前嫌的人物。实质上，这也是一种善于在纷纭变幻的风云之中，正确处理各种矛盾，争取一切可以团结的人才，化敌为友，化险为夷，转祸为福，变不利为有利的高超的政治策略。遍考史籍，此类史实确能为后世所借鉴。

公元 626 年，唐太宗李世民发动玄武门之变，杀其兄太子李建成和四弟李元吉，胁迫其父李渊让位。然而事变后，两府武装及其党羽盘踞在长安周围地区，李建成的亲信李缓、罗艺拥重兵于山东，蠢蠢欲动，随时都有与长安周围的残余势力里应外合，共同叛乱的可能性。

如何处理两府残余势力问题，便关系着全国是否发生动荡的问题。当时，秦府将领中有不少人主张乘胜将李建成、李元吉的党羽斩尽杀绝，许多人在到处追杀以邀功。这更使两府人员惶惶不安。

尉迟敬德很有政治眼光，他对李世民说："建成、元吉二位元凶既已伏诛，若再罪及余党，必会杀人过多，不利社会安定，不如实行招抚政策，使其为我所用！"

李世民于是一面下令禁止部下滥捕滥杀，一面以太祖名义诏赦天下。

"凶逆之罪止在建成、元吉二人，其余党羽一概不予追究。"

结果，两府人员纷纷出来自首，而李世民则指出他们是为主人效命的忠义之士，不仅当场予以释放，而且颁赐赏银。李缓、罗艺部下听说后也纷纷倒戈。

李世民采取"使不安者自安"的谋略，成功地消除了两府残余的武装力量，平息了可能发生的叛乱，稳定了局势，安定了天下。

不计私怨，容纳异己，以天下为重，是干大事业的前提。

南朝时的陈武帝，出身寒微，而能终成大业，实在是不计前嫌、任用仇敌的结果。

陈武帝的将帅之中，除侯安都、黄法、胡颖、徐度、杜棱、吴明彻等人外，其余的功臣，都是来自于敌对一方的降兵叛将。杜僧明、周育文是在起兵围广州时，被陈武帝活捉的；欧阳颜原为梁朝的臣僚，被周育文生擒后送给陈武帝的；侯镶、周铁虎、程灵洗，原都是敌千王僧辩的旧部下，鲁悉达、孙玚、周灵、樊毅、樊猛是敌手王琳的旧部，这些人有的是在战场上被俘获，有的是在大兵压境，走投无路时，不得已而投降的。

对于这些人，陈武帝都一一委以重任。后来，正是因为有了这些人的奋力拼搏，陈武帝才完成了偏安江南的事业。陈武帝度量博大，知人善任，大大超过常人。

当初，侯真据守豫章，以为自己是侍奉王僧辩的，是陈武帝的仇敌，不肯投降。到他的部下纷纷反叛，如鸟兽散的时候，有人劝他投降北齐时，他这才因为陈武帝的心怀宽阔，能够容人而归附于陈武帝的。

鲁悉达据守晋熙时，王琳授予他镇北将军，陈武帝也授予他镇西将军，鲁悉达对两方的任命都接受了，但又都不归附。陈武帝于是派大将沈泰率兵袭击鲁悉达，但没能取胜。后来，鲁悉达被北齐军打败，这才归降陈武帝。

陈武帝问他说："你为什么这么迟才来呢？"

鲁悉达回答说："陛下授我镇西将军，这是恩深似海的了；您派沈泰率军袭击我，这是威重如山的了。在陛下授恩、施威之时，我并未来朝。如今，我之所以自愿归附，是因为陛下您的豁达大度，如同汉高祖一样啊。"

可见，陈武帝的大度在当时早已达到取信于天下的程度了。

俗话说：没有永久的朋友，只有永久的利益。人们所争所夺

的一切，归根到底都同他们的利益有关。

有位哲人提示我们，不要企求一劳永逸地解决任何问题。

既然如此，敌友就都会不断地处于变动之中。只要当下对己有利，就不能不对之进行争取，暂时的朋友也是朋友，也要利用。有时明知往后要分道扬镳，甚至成为敌人，也要与之联合。

3. 避免失势的悲凉

管子说："凡人君之所以为君者，势也，故人君失势，则臣制之矣。势在下，则臣制君矣；势在上，则臣制于君矣。"

如果说陷韩信、彭越于死地的，毕竟还是一位皇后吕雉，她的势是不可小视的；那么，有一些微不足道的小人物，凭借着手中芥菜粒般的小权势，居然也可以在一代名臣名将面前作威作福，就令人觉得可怕了。

西汉的周勃。他虽然没有韩信那样杰出的军事才能，但他在西汉的历史地位，比韩信还要重要。

他是刘邦的老乡，刘邦一起事，他便投身其中，屡立战功，是西汉的开国功臣，被封为绛侯，官至太尉。刘邦对他十分信赖，以为他为人质朴敦厚，临死之前，托以后事。

他不负刘邦之所望，当吕氏威胁到刘氏政权时，正是他登高一呼，诛灭了吕氏集团，使岌岌可危的刘氏江山重新得以稳固，并亲自选定了刘恒为新一代的皇帝，即汉文帝。说他对刘氏政权有再造之功，那是一点也不过分的。

可汉文帝上台以后，虽封他为丞相，对他却十分猜忌，不久，便免去了他的丞相之职，将他打发到其封地绛县。从此，他便失去了地位和权力。每当县上有什么官吏到来，他总以为大祸临头，披甲执兵相迎，结果被告以谋反，逮捕入狱。一再遭到小小狱吏的凌辱，他不得不以重金向狱吏行贿。最后，还是狱吏向他提示了自救的方法。

当他出狱以后，不胜感慨地说："我曾经统帅过百万大军，没想到一个小小的牢头居然会有如此重要的地位！"

势并非是与生俱来的，也不是什么君权神授，而是来自于他人，是众人拥戴的结果，这叫做"借人以成势"。势既然形成，就一定要牢牢把握住，千万不可再"以势借人"，将权势假手于他人，"以势借人"，就叫做"失势"，这如同放虎归山，那"虎"是会回过头来咬伤、咬死自己的。

不仅大臣名将如韩信、周勃、韩安国等，一旦失势后处境狼狈，其实最高掌权者又何尝不是如此。燕王哙让国于相国子之，秦二世放权于赵高，汉献帝受制于曹操，其结果都是身死国灭。如果说这几个"人君"，或由于昏聩，或由于荒淫，或由于软弱；那么，开创了一代盛世的唐玄宗的悲剧，就令人不胜惋惜了。

唐玄宗晚年耽于享乐，安史之乱后，他匆匆逃往蜀地。在马嵬坡时，父老们拦住他的马头，希望他能留下来，他不敢答应，拍马而去，叫太子李亨留在后面安慰父老；众人又将李亨团团围住，说："至尊既不肯留，某等愿率子弟从殿下东破贼，取长安。若殿下与至尊皆入蜀，使中原百姓谁为之主？"

这可真是千载难逢的时机。李亨与父皇有很深的矛盾，唐玄宗并不赞赏李亨的才能，并不是认为他是理想的皇位继承者，也并没有传位给他的打算，倘若他随从父皇到了蜀郡，未来的前途会是如何，实在是难以预料。

现在，以关中父老阻拦作借口，打起率众破贼的旗号，不正是与父皇分道扬镳的好时机吗？他的儿子、他的妃子、服侍他的宦官李辅国都竭力劝他留下，李辅国干脆将他的马头掉转方向。

唐玄宗久等太子不来，不免心生疑惑，派人打探，得知太子已经留下。他明白，太子要脱离自己了，不禁长叹一声："天也！"也只好承认既成事实，被迫将帝位让给儿子李亨（即唐肃宗），自己做了太上皇。

李亨处处刁难他的老父亲，先是迟迟不同意他返回长安；继而又不准他礼葬他的爱妃杨玉环；居留在兴庆宫时，限制他同外界的来往；后来干脆将他迁离开这座他生活了大半辈子的宫殿，打发到偏僻荒凉的太极宫。

这件事是由李亨宠信的宦官李辅国出面干的，他先是以请太上皇到太极宫"游幸"为名，骗出了唐玄宗。行至半道，他突然率领五百名兵士将年老的君王独自一人软禁在这座废旧的宫殿之内，接着又将所有服侍他的老臣旧人如高力士、陈玄礼全都发配至遥远的边陲。这与放逐有什么区别？唐玄宗晚年曾有一首题为《傀儡吟》的诗借物自伤：

> 刻木牵丝作老翁，
> 鸡皮鹤发与真同。
> 须臾弄罢寂无事，
> 还似人生一梦中。

一代名君最后就在这里郁郁寡欢而死。

一位强有力的最高掌权者，是不会"脱于深渊"的，而有的却不免"脱于深渊"，实在是由于失去了势，变得无可奈何。

西汉时，富平张放是汉成帝姑表兄弟，又与成帝是连襟，因而很受成帝的宠信。两人经常是同起同卧，形影不离，有时微服外出市里郊野，斗鸡走马于长安城中，如果遇到巡街的逻卒盘查，汉成帝便成了张放的家人，而张放成了皇帝的主人，炙手可热之势可见一斑！自然，那些势利的大臣纷纷巴结献媚。

　　不久，由于皇太后王政君家族不满于张放势力超过自己，便由太后王政君出面将张放贬出朝廷，担任一个遥远边城的小小都尉。那些惯于看风使舵的大臣们，一看张放失了势，便群起攻之，揭示张放骄纵奢淫、抗拒朝廷、纵奴行凶、滥杀无辜，不一而足，直到张放永无翻身的条件。

　　即使你现在位极人臣，也终有失势的一天，想到这一点，有智慧的人就不会轻易与人结下仇怨，免得将来别人落井下石。

4．喜怒不露，灾祸不生

　　分辨敌友是取得胜利的前提，最糟糕的是丧失这种分辨能力。明智的人不仅能正确的作出抉择，更重要的是，在敌强我弱的条件下，示敌以弱，不把与他们的分歧甚至对立公开表现出来，隐忍一时，以图大事。有时候，从敌人那里学到的东西未必从朋友那里能学到。

　　刘秀和他的大哥刘缤举兵造反之时，自感力量单薄，便和新市、平林的农民义军王凤、陈牧等人联合，共同打击王莽的新王朝。

　　起初，农民义军王凤、陈牧等人对刘秀兄弟十分亲近，相处得如亲兄弟一般。刘缤对他们更是无话不谈，倾心结交。

　　只有刘秀，他不仅和他们保持一定的距离，还为此多次劝刘缤说："王凤、陈牧等人，人既粗鲁，又多狡黠，我看他们对我们友好并不是发自内心，何况我们势力壮大之后，必有权位利害之争，到时哪会有所相让呢？大哥切不可在此失察，毫不防范啊。"

　　刘缤性情耿直，为人宽厚，他对弟弟反而责怪道："我们联合抗敌，若无诚意，只讲机谋，那就人心涣散，自行瓦解了，何来将来的胜望？你这个人心计太多，猜忌太甚，我是不会这样对人的。"

后来推举皇帝，本来刘縯最有资格当选，可是王凤、陈牧怕他不好驾驭，自己大权旁落，竟另立了能力平庸的更始陆军刘玄为帝。

刘縯心中感伤，常常对刘秀发牢骚说："这些人真是小人啊，我今天才算看透了。人说官场无隘，不在此中厮混，又哪能知道这里的无情呢？"

刘秀每次都告诫哥哥说："事已至此，哥哥就不该有所怨言了。若让他们知晓，岂不引来杀身之祸？"刘縯性格倔强，虽有刘秀劝告，可他还是忍不住对人诉良苦。王凤、陈牧等人心怀怨恨，便唆使刘玄把刘縯无端杀害。

刘秀当时正在指挥那场著名的以少胜多的昆阳大战，回到宛城，这才得此凶信。

面对如此剧变，刘秀心痛之际，却没有失去理智。他自知身陷人手，若是冲动报复，那就只有死路一条。出乎所有人的意料，刘秀见了刘玄，却自责说："哥哥罪有应得，只恨我平日没有劝导哥哥，让皇上忧心了。臣实在有罪，还请皇上为正法纪，莫予宽贷。"

王凤、陈牧等人只想刘秀定会为刘縯讨个说法，那样他们就会借此把他也杀了，以除后患。眼见刘秀如此服帖，且又态度诚恳，似无虚假，他们反是无以加罪了，不得不暂时放过了他。

刘秀草草葬过刘縯，装作无事一样。白天他和人谈笑风生，饮酒作乐，深夜却是暗中哭泣，咬碎钢牙，发誓报仇。

如此夜不能寝，他消瘦了许多。他的手下冯异看破了他的心事，私下劝他说："将军忍辱负重，虽暂时避祸，却不是根本之策啊。如若脱离牢笼，另寻发展，不是更好吗？"

刘秀考察一番，确信冯异是一片真心之后，才口吐真言："我这般行事，正为此故啊。眼下无此机会，自不可草率行事。"

他苦苦忍耐，直到刘玄想派人到河北发展势力，刘秀才经人举荐，借此离开宛城。他以河北为根据地，招兵买马，搜罗贤士，广揽人心，势力一天天壮大，为他建立东汉打下了坚实的基础。

有智慧的人不拒绝和贤人交往，聪明的人不疏远恶人，好人和坏人都有可用之处。善恶之别、君子和小人之分，使人们在交往中多有疑虑和顾忌。和君子的爱憎分明、不与恶交相比，小人的交结之术却是宽泛和多变的，他们不会计较别人的好坏，只会考虑自己的得失；他们不会抱住一个观念不放，只会因时而变、随时调整自己的交结对象。在与小人的斗争中，小人的这种生存技能，君子也不妨学之。

5. 算计越深越有利

对于那些位高权重的奸人，如果跟他们死打硬拼，无疑等于以卵击石，自取灭亡。道理很简单：自身都难保，拿什么去和人抗衡？因此，高明的人总是以曲为直，展示引人，甚至违心地以朋友的面目出现以求日后之伸。

明朝奸相严嵩当政二十多年，很多忠臣都被他害死，朝中官员升迁贬谪，全凭贿赂多少而定，正义之士深恨严嵩，一时却无计可施。

徐阶身为重臣之一，忧心如焚，他见形势对严嵩有利，便采取韬光养晦之计，故意不问政事，却和严嵩交往颇密。

徐阶和严嵩闲谈，说到朝中大臣反对严嵩的人时，严嵩恨恨地对徐阶说："我为朝廷尽力，为皇上分忧，不想那帮小人不识大体，背地里还说三道四，太可恶了，我想重重地惩罚他们。"

徐阶深知严嵩狠毒，若是朝臣有骨气都被他贬逐，那么以后更无扳倒他的希望了。他念及此节，便故作惊讶地说："大人受此冤枉，我除阶第一个不能和他们善罢甘休。大人可知他们为谁吗？"

严嵩一一说出名姓，徐阶倒吸口凉气，表面上却犹豫起来，故作哀声。严嵩动问之下，徐阶便说："他们实在该死，可若将他们一一治罪，也不是上上之策啊。一来皇上恐有疑虑，二来把这些人一下揪出，也显得大人为政无方，御人有失，这对大人的清誉十分有害。"

严嵩听之在理，便问他有何良策，徐阶这才故作低声说："我可替大人出面，对他们动之以情，晓之以理，如若他们不改弦更张，归附大人，到时再治他们之罪不迟。若是他们投靠了大人，大人不仅去了强敌，更增添了大人的势力，如此一举两得，岂不最好？"

严嵩称善，徐阶于是分别拜访和严嵩作对的大臣们，对他们说："严嵩现在如日中天，皇上又沉迷道事，与其打虎不成，反受其害，何若暂时忍耐，以待他日？你们为国为己，都该保此名位，留下性命，否则来日和严嵩对决，朝廷又依靠谁呢？"

那些大臣听从了徐阶的劝告，佯装依附严嵩，且上门请罪。严嵩大悦，对徐阶信任有加，以为知己。

徐阶丝毫没有放松戒备，他为了进一步和严嵩拉上关系，彻底打消他的猜忌，竟不惜把他的长子之女，嫁于严嵩之子严世蕃的儿子为妻。

嘉靖四十年冬月，嘉靖皇帝居住的西苑永寿宫被火烧毁，在议论皇上该暂住何处时，严嵩向嘉靖皇帝提议应暂住南宫。

徐阶这会见有机可乘，便私下对嘉靖皇帝说："南宫乃先皇英宗被景帝囚禁之地，这是太不吉利的所在。严嵩明知此节，却偏偏出此主意，可见他居心巨测，实不敢想象了。从前多位大臣都曾上谏弹劾他，我还不敢相信，如今看来，他不仅下压百官，更是大不敬陷害皇上，此贼不除，还有天理吗？"

嘉靖皇帝被触到痛处，也下了决心。为了彻底根除严嵩，徐阶又利用嘉靖皇帝迷信道教的特点，伪造乩语，表明罢黜严嵩是神仙玉帝的旨意。众大臣便纷纷弹劾严嵩。

这样一来，嘉靖皇帝对严嵩再无半点顾惜，马上传令将严嵩罢官，其子严世蕃也被斩杀了。

在鱼龙混杂，凶险四伏的环境下，不妨做些必要的伪装和假象。在敌强我弱的情况下，这样做不仅能保护自己不受伤害，同时也能麻痹敌人，从而赢得主动。

第四章
熟谙通权达变术

刻舟求剑的故事告诉我们，人不能以不变应万变，而是要与时俱变，老子说："上善若水，水善利万物而不争。处众人之所恶，故几于道。"

"术"就要像水一样无处不存，无孔不入，随处涌流，不择手段；"术"又要像水一样绕石而过，应物变化，随波逐流，顺风而倒；"术"又要像水一样深不见底，握之不得，"击之无伤，斩之不断"。

天地之间的万事万物，万形万象，而敌对的情势，也没有固定不变的方位。如果不能明白它的变化，就不能应付它；如果不能顺从它的变化，就不能扭转它；如果不能乘着它的变化，就不能制服它。所以圣人就是能明于变化而以应敌，随着变化以扭转敌方，乘变化的机会而制服敌方。

《淮南子》中说："所谓的圣人，就是能阴能阳，能弱能强。随时而动静，因资而立功。物动就能知道它的反面，事情一萌发便能觉察到它的变化，化则为之象，运则为之用，所以终身行使它而没有什么困难。"

第一节　兵无常势，水无常形

◆水是没有固定的形状的，在什么情况下，它都能因地势的变化而变化。只有效法水的特性，才能把势用到最高明的程度。

◆人们做事也是如此，虽然需要有事先的谋划，但是这种谋划必须适应情况，随时根据情况的变化而修正。

◆老子极崇尚水的"无我"。他说：有高度修养的人，其风格就像水一样，兼利天下而不与人争，总是处于众人所嫌恶的低位，所以接近于道。

1. 无可无不可

谈到用势，就不能不谈到一个古老的比方：水。

孙子说："夫兵形象水。水之行，避高而趋下；兵之形，避实而击虚。水因地而制流，兵因敌而制胜。故水无常势，兵无常形，能因敌变化而取胜者，谓之神。"就是说，水是没有固定的形状的，在什么情况下，它都能因地势的变化而变化。人们做事也是如此，虽然需要有事先的谋划，但是这种谋划必须适应情况，随时根据情况的变化而修正。

老子极崇尚水的"无我"。他说：有高度修养的人，其风格就像水一样，兼利天下而不与人争，总是处于众人所嫌恶的低位，所以接近于道。这样的人善于像流水一样给自己定位，像深渊一样虚怀若谷，像水利万物那样富于仁爱之心，像潮汛如期那样言而有信，像水的流动不失时机那样善于治理天下，成就事业。

水的特性之所以受到这样的推崇和效法，原因在于它不自为主，顺应万物。这种特性的确是我们应当效法的；也只有效法水的特性，才能把势用到最高明的程度。

孟子回答公孙丑询问伯夷、伊尹、孔子时，说："他们的处世之道不一样。不是他们认可的君主不服侍，不是他们认可的百

姓不使唤，天下太平就做官，天下混乱就隐退，伯夷就是这样的
人。什么样的君主都服侍，什么样的百姓也使唤，天下太平也做
官，天下混乱同样做官，伊尹就是这样的人。可以做官就做官，
可以辞退就辞退，能够长期做就长期做，说是马上辞去就马上辞
去，孔子就是这样的人。"

孔子不是伯夷、伊尹能赶得上的，孔子对人们来说是赶不上
的人，就是他的无可无不可。

能做到这点，就要看他的胸怀，尤其还要看他的器识，绝不
是唯唯诺诺、模棱两可的无可无不可。有很多的领导人物，总是
好刚愎自用，一意孤行，以为按照自己的计划走着自己的套路，
凭着自己独特天赋，就能牵着历史的命运跟着自己的套路走，可
是到头来，大多数归于失败了。他们虽然也抱着那种"有可有不
可"的态度，而没有"无可无不可"的胸怀。

在我国的历史上，楚霸王项羽可以说是代表前一类的人物，
汉高祖刘邦可以说是代表后一类的人物。试想项羽如果能听进范
增的劝言，不是那样固执、好大自恃、刚愎自用，成败之数，即
使在鸿沟之会杀去汉王，天下也不可逆转。

刘邦对待一切事情，虽决定在自己，却能广博地听取大众的
意见，尤其是萧何、张良的意见，几乎是百依百从。当萧何想拜
韩信为大将时，刘邦本意认为不可，经萧何力言劝说又无不可。
当淮阴侯韩信想封王时，刘邦怒形于色，本意认为不可，得到张
良的示意后，又无不可。这种对人豁达的胸怀与对事毫不拘泥的
态度，就是他大有成就的方面。

当时，高阳有一位老儒生郦食其，家境贫困，当看门吏为
生。沛公刘邦到了高阳，部下有一个骑士跟郦食其是同乡，郦食
其与他见了面，攀谈起来。

郦食其说："听说沛公性情傲慢，瞧不起人，但他胸怀大志，正是我所愿意跟随做事的人，只是苦于没有人替我引见。"

骑士摇头说："沛公最不喜欢儒生啦！遇到儒生求见，沛公便命摘下冠帽，朝帽里撒尿。平时谈话，也经常满口粗话，大骂儒生迂腐。你何必去触霉头呢？"

郦食其说："你试着替我传话，就说高阳酒徒郦食其想见他议论大事，我想沛公不会拒绝见我。"

沛公听了骑士传话，勉强召见。郦食其进去时，沛公正踞坐在床上，两个侍女给他洗脚。郦食其瞧着，慢慢地走近，拱了拱手，并不下拜。沛公仍然不动，好像面前没有这个人似的。

郦食其提高嗓门，问道："足下领兵到此地，是想帮助秦进攻诸侯各国呢？还是带领诸侯各国来进攻秦呢？"

沛公破口骂道："竖儒！你不晓得天下遭秦的罪很久了吗？所以诸侯接二连三起来讨伐秦，你却说我帮助秦进攻诸侯！"

郦食其马上接过话头说："老子不是竖儒，是高阳酒徒！你真想聚合天下义兵诛伐无道的秦朝，就不该这样傲慢无礼地对待长者。试想行军不可无谋划，如果慢贤傲士，还有哪个肯来献计策呢？"

沛公听了，马上穿上鞋子、衣服，恭敬地请郦食其上座。两人问答，郦食其口若悬河地谈到六国的兴衰成败，沛公很是佩服，请他共同进餐，问到伐秦计策。

郦食其侃侃而谈："足下兵不满一万，想直入强秦，这简直是羊入虎口。据我之见，不如先占领陈留，陈留当天下要冲，四通八达，而且城里藏粮很多，足以供应军队需要。我同陈留县令相识多年，愿去招安。如果他不肯从，请足下带兵晚上偷袭，我做内应，城可攻下。得了陈留，然后招兵买马，再向关中进军，这才是上策。"

沛公随即占领陈留，得到藏粮甚多的谷仓，便封郦食其为广野君。

在这个例子里，刘邦本来极端厌恶儒士，所以郦食其来见之初极不礼貌。但是当郦食其批评他慢贤傲士，势必导致无人献计时，刘邦的态度马上发生了变化，恭恭敬敬地向对方请教。这就是像水一样因高就下，随物赋形的性格。正是这种性格使他接受了郦食其的谋划，把事业向前推进了一大步。当然，郦食其也不是个顽固而不知变通的人，初以儒士身体求见，见行不通，马上自命高阳酒徒，可谓善变之至。两个人一拍即合，不是偶然的。

刘邦之所以能够夺取天下，就因为他有水一般的性格，能屈能伸，变化无穷。

尧、舜、禹、汤、文、武，虽然是历代的圣君，可对待一切事物，都是以这种态度来处理，所以能集合许多贤人哲士、英雄豪杰的智力睿力勇力作为一力，集合许多圣明高深的见解为一见解，这样的人自然比一人孤用自恃的强过极多，自然在天下难以寻出对手来。

楚庄王的爱马患了澎胀病而死，庄王想用大夫的礼仪来安葬它，使群臣感到丧气。又因劝谏的人很多，就下命令说，有再敢以马劝谏的人定死罪，庄王的心意坚决是可想而知的。后来终于以淳于宪的劝谏而放弃了原来的主张，这就是他无可无不可的胸怀，听取了善言，所以能称霸。

因此，只要我们想要用势，就要有像水一样的性格，做到"居善地，心善渊，与善仁，言善信，政善治，事善能，动善时。"

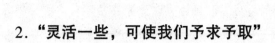

2."灵活一些，可使我们予求予取"

有位哲人说，这个世界没有什么是永恒不变的，除了一切都会变这个真理。

正是基于对变的认识，古埃及阿克图国王说："灵活一些，它可使我们予求予取。"穷则思变，变革才能通达，通达就能保持长久。在不同的时代，要采用不同的做事方法，才能无往不利。这就是因时而变。

赵武灵王想改穿胡人服饰，他叔父公子成对此很不高兴。赵王说："良服穿戴，是为了生活方便，有利于国家；礼仪法规，是为了办事方便。圣人入乡随俗，随遇而安，因地制宜，从实际情况出发制定礼仪法规，所以才会给人民带来利益，使国家富裕强大。剪发文身，衣襟向左开，这是越国一带人民的风俗；染黑牙齿，额头上涂梁花纹，用河豚的皮粗劣地缝制帽子，这是吴国一带人民风俗。所以说礼仅服饰虽然不同，为方便的目的却是一样的。地方不一样，使用的东西自然也两样。事情在变化，礼尚自然也要变化。

因此圣人只追求能使国家便利的总体策略，而绝不会在贯彻使用时固定不变；只追求怎样使其礼仅法规执行起来更方便，绝不会食古不化。

老师可以是同一个人，但学生可以来自生活风俗习惯各不相同的地方。中原地区的国家尚且可以礼仪制度相同，而文化习俗不同，更何况是生活在崇山峻岭中的人民呢？所以舍弃还是保留，即使是智者也不能强求；远近服饰的差异，圣贤也不能统一。穷乡僻壤的民情风俗大多千奇百怪，邪辟玄妙的学说大多不同凡响、雄辩奇异。现在叔父所谈的是一般的习俗，我所说的，是想造成一种新的习俗。叔父讨厌改变服装的样式，可是却忘了有利于办事效果这一事实。这不是我所希望的啊！"

赵武灵王的一席话说服了公子成，于是他也穿起了胡服。

聪明的人做事，既不一味法古，也不会贪图一时的便宜，而是因时变法，追求实效，跟上时代。

秦孝公既用商鞅，想要变法，又怕天下议论自己，于是召集大臣商议，结果发生了一场精彩的辩论赛。商鞅开宗明义地说："疑惑不决的行为没有名声，疑惑不决的事没有功绩。且有高于常人的行为，本容易为俗世所反对；有独特见解的计谋，必为人民所诋毁。愚笨的人，仍不明已完成的事情；聪明的人，却能预见未来的事情。行事的开始，不可与人民共谋，而只可与他们共享事业成功的快乐。能谈论至德要道的人，不与世俗合流；建立伟大功业的人，不与众人共谋。因此圣人只要可以使国家强盛，不必效法旧制度；只要可以便利人民，就不必遵循古礼教。"

孝公说："很好！"

甘龙说："不对！圣人是不改变民俗来教化的，聪明的人是不改变旧法来治国的。能依照民俗来教化的，不费力就能成功；能依照旧法来统治，官吏习惯而人民安适。"

商鞅说："甘龙所说的，是世俗之言。常人苟安于旧世俗，学者拘泥于旧见闻。以这两种人来做官和守法都还可以，但却不可以用来议论旧法以外的新事物了。三代不同礼教，而各治天下；五霸不同法而各成霸业。聪明的人能制作新法，愚笨的人却受制于旧法；聪明的人能变更礼教，愚笨的人就要被礼教约束。"

杜挚说："新法利益不及旧法百倍就不变法，新器功用不及旧器百倍就不换器。"

商鞅说："治世不是只用一种方法，利国不必效法古制度，所以汤、周武不遵循古制度而能统治天下，夏桀、商纣不革新礼教而亡。反对古制度不一定应该受非议，遵循古礼教也不值得多夸奖。"

孝公说："你说得很好！"

于是决定变法。

商鞅所说的这些道理，不仅是对富国强兵的阐述，也是对个人建功立业很好的建议。如果死抱住以往的经验和教条不放，固守自己的小仁小义，长期独立于社会大潮之外，这样只能落伍，直至被淘汰，哪里还能与世沉浮，顺应时代变化，追求到属于自己的成功呢？

不必要墨守成规，而必须顺应时代，与时俱进。很多聪明正直的人希望世界上有一种绝对的正义力量，之后便像信徒一样崇拜它。他们缺乏一种生活智能，以致没有认清这个世界；或者说尽管认清了，却缺乏胆量，试图用一种虔诚的信仰，掩饰他们心中的恐慌，来逃避现实。

3．一愚而制服大智

有人曾经说："破除天下的大巧就得用大拙，破除天下的大伪就得用大诚，破除天下的大奇就得用大正。制服天下的大变以至于不变，限制天下的大谋以至于不谋，抑制天下的大争以至于不争。所以，这就宜当守住拙，守住诚，守住一，守住愚、守住让。随其自然，返璞归真，如同婴孩的初生状况，如同万物的生长，如同水到渠成，无可阻挡，也无可强求。"

从这里，便明白古代有用一愚而制服大智，用一拙而败名将的情况。如果以谋为谋，便不以谋为谋；如果以用为用，便不以用为用。不谋之谋，不用之用，又有哪个人能知道他的谋、他的用呢!

换句话说，要想守住自己，不如用个真诚，要想对付敌人，不得不用诡计；要想守住自己，不如抱守信一，要想对付敌人，不得不用万变；要想守住自己，不如用愚笨，要想对付敌人，不得不用智慧。天地间能抱守拙、诚、愚、一，而又能适合于变化的，仅仅是圣人吗？所以《易经》教导人们，最好是能"唯变所适"。

有句老话：秀才遇见兵，有理说不清。为什么说不清呢？因为兵不跟秀才耍嘴皮子，两人用的不是一个路子。这句话的本来意图是在贬低"兵"的。但是，如果我们善于用"兵"，说不定会达到意想不到的效果。一句话，就是：以不聪明的人对付聪明的人，以愚人困惑智人。这种做法可谓为人处事的绝妙手段。

孔子周游列国时，马跑脱后吃了庄稼，庄稼的主人很生气，拘留了马。孔子弟子子贡能言善辩，自愿前去说情，可是他费尽了口舌，马也未能放回来，因为他的话不对庄稼汉的路子啊。

听了子贡的汇报，孔子说："你净说些大道理，人家哪听得懂？我看还是让我的马夫去试试吧。"

于是马夫前往，对庄稼人说："我说伙计，你不在东海种地，我不往西海旅行，我的马哪能一点也不碰你的庄稼呢？我们还要赶路，把牲口还给我们，成不？"

庄稼人见马夫这么说话，便接上了茬，两人谈开了，并高高兴兴地把马还给了他。

人有若干种层次、类型，因此应对的言行举止、方式方法都不尽相同，应因地、因时、因人而异。子贡不贤，"对牛弹琴"，结果大跌眼镜。孔子圣明，通晓人情，能够人尽其用，使马夫也可以做到别人难以做到的事。

"以愚应愚"不失为好策略。但"以愚困智"有时运用得当，也会产生很好的效果。历史上就曾发生过宋太祖巧选陪伴使的有趣故事。

南唐三徐在江东颇有名气，皆以知识渊博见知于宋朝，其中尤以散骑常侍徐铉知名度更高，时值南唐派徐铉到宋朝来谈判朝贡之事，宋朝派差官做陪同。当朝大臣都担心差官辞令不及徐铉，很是为难，宰相也找不到合适人选。

太祖见群臣不知计将安出，便说，这有何难？

不一会儿，传出太祖旨意："命将殿侍当中不识字者录名十人，进呈。"

下面照办，持名簿于太祖，太祖大笔一挥道："此人便可。"

文武大臣都愕然，但见太祖意思已定，不敢再谏。

殿侍接旨，只好硬着头皮前往南唐迎来使者。

刚开始，徐铉意气风发，口若悬河，语锋逼人，大宋众官员自愧不如，这位陪伴官却所答非所问或只是频频点头称是。

弄得徐铉兴致全无，一连多天后，徐铉一句话也说不出来了。

可见"示愚"也是聪明的一种，徐铉应该自己挨整，但宋强唐弱，他又能奈何？

太宗"以愚困智"的手法高妙之极，更重要的是南唐新降，须安抚以求稳定，若与之舌战，易导致不安定因素出现，不如不争。这才显出大国之雅量。

"不战而屈人之兵"，是《孙子兵法》中的上上战略。太祖深谙兵法，并用之于政治，可谓大智大勇矣。

以愚应愚，容易沟通；以愚应智，智者无计可施；相反，以智粤愚，愚人不知理会；以智困智，两败俱伤。

4. 将错就错跳出危局

谁都很有可能在无意中做错一些事，说错一些话，而且，这种错误也不可挽回，不是诸如道歉、改正能够解决的。如遇这样的情况，一个很有效的办法就是将错就错。

南宋的秦桧把持朝政的时候，各地进贡朝廷的贡品，都要先送入相府，然后再呈送官中。有一天，秦桧的妻子王夫人进内宫拜谒，显仁太后正在抱怨："最近怎么很少看到大尾的子鱼了？"

王夫人想也不想，应答道："臣妾家里有，改天给您进献一百条吧。"

王夫人回到相府后，把这件事告诉秦桧，秦桧听了，勃然大怒："你这个蠢货，怎么可以胡乱说话呢！官里没有的东西，我们家却有这么多，皇上会怎么想？你想为我们家招来灭门之祸啊？"

王夫人听了，吓得不知道该怎么办好。秦桧见骂王夫人也解决不了问题，只好自己想办法了。忽然，只见他眼珠子一转，计上心来。

第二天，秦桧叫人准备了一百条腌青鱼送到了官中。显仁太后拍手笑道："我就知道这婆子没有见过世面，果真如此！"

作为中国历史上名声最大的奸臣之一，秦桧的谋略应该说已经登峰造极。秦桧曾经被金国俘虏，后来回南宋做内应，居然能够重新赢得宋高宗的信任，本事自然了得。在这一则故事里，秦桧的妻子确实比较愚蠢，无意中在皇太后面前泄露了自家贪赃枉法的秘密，又答应进献一百尾子鱼，势成骑虎，弄得去也不好，不去也不行，难以处理。秦桧善于揣摩心理，明白皇太后的思维也比较简单，没有自作聪明去遮掩了事，而是顺着这条路子，将错就错，正好迎合了皇太后的想法，也替自己洗脱了嫌疑。

这是自己无意中犯的错，很多时候是别人设计陷害你，你却无意中中了别人的圈套，这时候，将错就错也许可以加以挽救。

明神宗时期，神宗皇帝虽然已经指定了太子，但是郑贵妃为人多心计，深受皇帝的宠爱，所以东官太子并不受重视，地位有些岌岌可危。

太子的日子过得很困窘，不仅侍卫力量很单薄，就连日常开支也紧张。在这段时间，全靠司礼监王安筹措。

有一次，福王离开京城回到他自己的藩国，郑贵妃倾全力准备丰盛的礼物送给他。有人为讨好太子，将郑贵妃所送的最后十箱礼品拦截下来，堆放在太子官门口。

王安知道后，对太子说："这可不是当太子的应该做的事！"

有人说："已经抬到这儿了，怎么办呢？"

王安说："马上送还贵妃。"

王安另外又找了十个相同的箱子，装满了钱币和器物，叫他们一并抬回去。

然后王安派人对贵妃说："刚才拦住贵妃的箱子，只是想知道贵妃箱子的式样，好依样制造，盛装礼品。"

贵妃听了大喜，皇上也非常高兴。

很多人在飞来的横财面前都会动心，太子也是这样，幸亏机智忠诚的王安看出门道，现在正是郑贵妃当宠，贵妃肯定希望自己的儿子将来能成为太子，所以无论怎么样，现在的太子在贵妃眼中都是一块绊脚石。

在这个时候，太子不暗自收敛，韬光养晦，反而将贵妃送人的财物扣下，这不正好给人以口实，酿成杀身之祸吗？而且抬送财物来巴结太子的人，很有可能就是贵妃一党，设此圈套，明摆着让太子往里钻。王安既忠于太子，又深深地了解目前的情况，所以把自己的十箱财物送给贵妃，同时又在贵妃面前很好地掩饰了过去，避免了潜在的祸患。

第二节　谋不厌诈

◆孙子曰："兵以诈立。""兵者，诡道也。"

◆诡诈即是战争的代名词，诡诈是一种权变，是以真真假假、虚虚实实各种手段迷惑敌人的一种骗术。

◆从战略角度上，形势往往有人的主观能动性不可能达到的一面；从战术角度来讲，虚实变化往往是可以用人的主观能动性造就的。这就需要谎言来大显身手了，用谎言来让对手看不清自己的虚实。

◆用兵之道是不排除诈术的，而消灭自己的敌人就更不能讲感情。

1. 始终保持心理上的优势

孙子说："故上兵伐谋，其次伐交，其次伐兵，其下攻城。攻城之法为不得已。"用今天的话来说，善于用兵者不以兵戎相见为乐事，不必一定要直接对抗，只要摆开交战的阵势，根本不用向对方发起攻击就能获胜，从而立于不败之地。

对手向你发动攻击，而且还有着冠冕堂皇的理由，你要想还对方以颜色，直来直去当然是不行的，不能不采用种种美化、掩饰自己动机的伎俩了。

田婴在齐国做相，权力集于一身。

有人向齐王进言说："年终财政结算时，您何不抽出几天时间亲自听取下边的汇报呢？要不是这样的话，您就无法知道官吏是否在营私舞弊，也不知道政事得失。"

齐王说："好吧。"立即下令让田婴汇报。

田婴立即请求齐王听他报账，同时田婴命令官员准备好全年财政收入上大大小小的所有账目和凭据。齐王亲自来过问财政结算，但这些账目听不胜听，他吃完饭后又得坐下来听，累得吃不下晚饭。

田婴请求说："这些是臣子们一年到头白天黑夜都不敢马虎对待的职事，大王您如果不用一个晚上亲自听取他们的报告，大臣们又怎么会从中得到鼓励？"

齐王无可奈何地说："行吧。"

过了不久，齐王已经伏在案上睡着了，官吏们趁机抽出刀，把竹简上的结算账目涂改了。经过这次事情，齐王终于决定不再亲自听取财政结算了，于是把这类事仍然交给田婴主管。

有人为了要瓦解田婴的专权，却找到一个堂皇的理由，让田婴找不到反对的借口，若是直接加以阻挠，就正好中了对方的圈套。田婴反客为主，把反派角色演成了正派角色，攻妙地化解了一场危机，真是高明。

不战而屈人之兵有一个前提是：以心理上和实力上的优势做后盾。在心理上，坚信自己，并能够从容不迫地剖析并利用对方的弱点，使之最终屈从于自己的优势。

2. 决胜于庙堂之上，而不动兵戈

世事有时是很奇妙的，看起来最柔弱的东西，却能制服最强硬的东西。

谋略也是一样，有时，成千上万的将士的浴血奋战，抵不上那些高明策士的一句话，智者的一思之谋，胜过别人的三载之功，十年之劳，半世之苦。

魏国丞相田需死了。楚相昭鱼对苏代说："田需死了，我害怕张仪、薛公、公孙衍三人中有一人会做魏国丞相，与秦国和好。"

苏代问："那么让谁做丞相对您更有利呢？"

昭鱼说："我希望魏太子自己做丞相。"

苏代说："那我请求为您到北方去面见魏王，一定让太子做丞相。"

昭鱼问："您怎能达到目的呢？"

苏代说："假如您是魏王，我来说服您。"

于是，苏代把昭鱼当成魏王，对他说："苏代从楚国来，昭鱼很忧虑。我问他：'君有何忧？'他说：'田需死了，我怕张仪、薛公、公孙衍三人中有一人会做魏国的丞相。'我说：'您不要忧虑，魏王是个贤明的君主，必然不会让张仪做丞相。张仪做了魏国的丞相，必然会将秦国的利益放在前，而把魏国放在后。同样，薛公做了魏相，必然会将齐国放在前，把魏国放在后。而公孙衍做了魏相，又会把韩国放在前，把魏国放在后。魏王是个贤明的国君，必然不会用他们做丞相的。'

魏王问：'那么寡人用谁做丞相好呢？'

我说：'不如用太子做丞相。太子做了丞相，这三个人必然都会认为这只是暂时的，都会为了他们自己国家的利益而尽力侍奉魏国，以便有朝一日掌握丞相的宝印。魏国这样强大的国家，再抓住三个万乘之国来辅佐自己，魏国一定会平安无事了。所以，不如让太子做丞相啊。"

昭鱼听了，认为言之成理。于是苏代去见魏王，将这些话告诉了他，魏太子果然做了丞相。

这就是《淮南子·兵略训》所说的庙战，决胜于庙堂之上，而不动兵戈。

以一种无形之力去战胜另一种有形之力，不过是两种不同的力之间的转化罢了。

3. 耐心等待，总能找到下手的机会

以逸待劳，出自《孙子兵法》的《军争篇》："以近待远，以逸待劳，以饱待饥，此治力者也。"意思是以养精蓄锐之师对待疲劳的敌人，乘机出击取胜。

以逸待劳实际上是如何掌握主动权，调动敌人而不被敌人所调动的艺术，体现的是以柔克刚，以静制动，以不变应万变。运用之妙在于在纷繁复杂、瞬息万变的情势下牢牢抓住控制权，支配局势的发展变化。既能静观其变，又能不失时机地主动出击。

有个御史被派到某县办公事，惹怒了那个县的县令，县令暗地里派宠爱的妾去侍奉御史，御史同那妾很亲昵，于是那妾就乘机私下里偷走了御史小箱子里的印章。

不久御史找印，发现小箱子空了，心里怀疑是县令干的，但不敢说出来，于是推说有病，不处理政事。但是这样拖下去也不是办法，焦急之中，他听说县学一位教官智谋出众，于是乘着那教官前来探望病情之际，他把县学教官叫到床头，向教官述说了上述情况。

教官听完以后，教御史如此这般。

当天半夜，御史在厨房里放了一把火，火光照亮了天，郡县

官员前去救火，御史拿着放印的小箱子交给县令，其他官员也都各人有自己照看的东西。

等到火灭了，县令呈上放印的箱子，印就在里边了。

当遇到事情的时候，应当像这样镇静自如。能想出这些计策的人，胸中必须有源源不断的圆熟融通的智慧。

北宋神宗元丰年间，刘舜卿任雄州知州，雄州当时是宋辽边境地带，经常有人进行破坏活动。一天，有人把州城门关的锁偷走，送到辽国去领赏。门官不敢声张，悄悄地把此事报告给刘舜卿。

刘舜卿并不细细查问此事，只是让门官去换一个大些的新门键装上。

几天以后，辽国把偷锁的人送回雄州，并且把门锁也带回来了，想羞辱一下刘舜卿。

刘舜卿见了对方来人说："我们没有丢失门锁。"

命人拿到城关门上去试试，门键比锁大了几分，锁不上。

刘舜卿把偷锁的人和门锁又交还给对方让他们带回。

辽国人大为丧气，反过来把偷锁的人痛殴了一顿，然后赶了出去。

以逸待劳之谋当然不仅仅用于军事斗争，举凡政治风云、经济跌宕、生意算计、股市观望、期货投资、棋局厮杀，乃至日常生活谋划，只要以简驭繁，沉着应变，就能做到以逸待劳，百战不殆。

4. 假作真时假亦真

兵不厌诈，其实说的是在前提既定的情况下，手段的选择和运用尽可以千奇百怪，没有一定之规。一切竞争的目标都是要取得胜利，为了取得胜利，可以运用一切手段，包括伪装和欺骗的手段。

时机就是变化。只有把握时机的人才善于做出变化。变就安全，不变就危险。

曹操加封魏王后，一直为选太子之事在两个儿子中间犹豫，他实在拿不准让谁当太子才好。

曹丕和曹植在所有儿子中，是他最为喜爱的，他们又各有长处。曹植才华横溢，聪明过人。当铜雀台建成时，曹操命儿子们登台作赋。曹植不假思索，援笔立成，令曹操十分惊异。每次曹操提出问题，曹植总是最先应对。

而曹丕却为人心机深沉，又孝顺恭谨。他对军事、政治很有兴趣，不像曹植，整天就知道词章诗赋。

一次曹操病了，曹植去探望，说了不少安慰的话，让曹操很受用。而曹丕见了曹操，只是流泪，这比任何话都能打动一位父亲的心。

最让曹操不安的是，现在两个儿子身边的人们，都参与到这场立储的角斗中来了。

曹植身边的杨修，家学渊远，人又极为聪慧，在当时颇有声名。他担任丞相主簿，也很得曹操的信任。他与曹植兴味相投，一心想立曹植为太子。

杨修等人的想法使曹丕深感不安，他要叫智囊吴质进宫商讨对策。

为了掩人耳目，曹丕就命人在车子上装着废竹篓，吴质就藏在竹篓里面。他以为这样会神不知，鬼不觉。

但杨修是何等聪明，早就在曹王府前布下了眼线："主簿大人，吴质藏在竹篓里进宫！"

中国人的老经验

杨修很高兴。他深知曹操为人疑心很重，一旦查知曹丕在立储的事情上做手脚，曹丕的地位就很难保住了。

于是，他深夜去见曹操，报告了这件事情。

这件事令曹操很气恼。为了争储，自己兄弟勾心斗角，大动干戈，是他决不愿看见的。他要查明此事，再做处理。

曹丕也早就买通了宫中人，很快就知道了这个消息。他大惊失色，对吴质说："要是父王查知了真相，你我都脱离不了干系。你说，现在该怎么办？"

吴质笑着说："大王既然说要查清，就是说他还不完全相信。不怕查，就怕不查。明天晚上，还是那辆车，还是那些竹篓，装着上绢，我们演出戏给他看！"

第二天，那辆车子又向曹丕的府邸慢慢驶去，杨修闻知，赶紧向曹操报告。

曹操派人拦住车辆，仔细检查，结果车子上面的竹篓里全是些上绢。曹操闻知，重重地哼了一声，从此他不再怀疑曹丕，却开始疑心杨修在和曹植搞鬼。

杨修探知吴质藏在马车的竹篓里偷偷进宫，就报告了曹操。曹丕听了惊慌，吴质却将计就计，再让马车进宫，但这次是虚晃一枪，杨修本以为可以抓个现行，但没想到弄巧成拙。这件事，对后来选立太子产生了深远的影响，杨修丢了面子不说，还从此失去了曹操的信任。

吴质用的是借刀杀人之计。他是借杨修的刀，砍杨修的头。

这里面有两点需要注意。一是吴质何必要藏在马车里进宫商量事情？难道就不能堂而皇之地走进去？偷偷摸摸，一旦被人发现，必定生疑。因此这也可能是吴质的计谋，故意引杨修上套。等你揭发我，我再来个嫁祸于你，让上面认为是你在陷害我。

二是这种借刀杀人计谋，运用起来一定注意要了解对方动向。如果事先不知道杨修向曹操告状，就计无可施了。准确的情报是计谋运用的基础和前提。

在面临和处理各种难题时，必须做清醒的现实主义者，而不要做愚蠢的理想家或伪善的道德家。

第三节　急难善变

◆《孙子兵法》有云："将在外，君命有所不受。"意思是说出征在外的将军可以根据自己所处的具体情况作出判断和行动，不一定完全听从君主的命令，因为远在后方的君主未必能够了解千变万化的战争情况。

◆大行不顾细谨，有时是一种真正的胆略。

◆有些人出于国家民族的大义，往往假借权势者的名义，甚至不惜采取欺骗、胁迫的手段，他们的行为方式，却有其内在的合理性，值得称道。

1. 直截了当地拒绝错误的命令

《孙子兵法》有云："将在外，君命有所不受。"

为了做成一番大事业，有时就必须把细节放到一边，有时哪怕是违背常情的细节，也要灵活地进行处理。

那些高明的将帅面临困厄时，便不拘于所谓的"君命"，灵活处置，争取主动，从而做到"致人而不至于人"了。

后唐的柴克宏，奉命去救被吴越国围困的常州，枢密李征古妒忌他，派给他的几千名士兵都很羸弱，铠甲兵器也都是朽烂、虫蛀了的。他快到常州时，李征古又派朱匡业来代替他带兵，派使者召柴克宏回去。

柴克宏说："几天之内，我即可打败敌人，你来召我回去，你一定是敌人派到我朝的奸细。"

立即命令部下斩使者之首。使者说："这是李枢密的命令。"

柴克宏大怒说："李枢密绝不会如此不识大体，况且即使是李枢密来，我也要把他斩首。"

斩了使者之后，柴克宏让部下用布幕把兵船蒙盖起来，让全副武装的战士藏躲在船中，偷袭敌营，打败了吴越军队。

朝内有奸臣当道，柴克宏如果接受了别人的取代而回去了，怎么知道奸臣不会以"出师无功"作为罪名而查办他呢？

他快刀斩乱麻，直截了当地拒绝了错误的命令，最终打败了敌人，保全了城池。这样，即便是妒忌者有嘴也无法施展进谗言的本领了。这才是真正的胆略。

2. 把对手的意图化为乌有

历史上，有些人出于国家民族的大义，往往假借权势者的名义，甚至不惜采取欺骗、胁迫的手段，他们的行为方式，却有其内在的合理性，值得称道。

公元前 630 年，晋文公会合秦国等诸侯国去讨伐郑国，以报当年他在郑流浪时的受辱之仇。当秦、晋等国围困郑国时，郑人烛之武前去说服秦国，认为秦国帮助晋国灭亡了郑国，郑国的国土也只能归晋国，对秦有害无利，不如让郑国归附秦国，将来也好在东道上照应秦国，做秦国的东道主。

秦穆公觉得十分有理，就留下杞子等人率领一支军队帮郑国守城，自己率军撤退。但晋人攻城不辍，郑国只好又归附了晋国。秦穆公觉得受了戏弄，十分气愤，于公元前 628 年派孟明视、西乞术、白乙丙带三百辆兵车前去攻打郑国。这时，晋文公去世，晋国因举丧而不能发兵支援郑国，郑国又有祀子率领的一支军队做内应，这样，偷袭兼夹攻，郑国是无法抵抗的。

公元前627年的二月，秦军到达了郑国西部的滑国，正在行军间，前面忽有人喊道："郑国使臣求见。"

孟明视大吃一惊，唯恐是郑人知道了偷袭的消息。孟明视亲自接见来人。"你叫什么名字？"

来人说："我是郑国的使臣弦高。"

孟明是问："先生前来有何贵干呢？"

弦高回答道："我们的国君听说贵国的军队前来，派我送上十二头肥牛，虽是一点小意思，却是我们国君的一片心意，不能算是搞劳，只是给将士们饱餐一顿罢了。我们的国君还说，蒙贵国派兵帮我们守卫北门，我们不胜感激。我们自己也会多加小心，不敢懈怠，就不劳将军费心了。"

到了此刻，孟明视已知郑国完全知道了秦国的偷袭计划，偷袭已无法成功，只得见风使舵，结结巴巴地对弦高说："我们不是到贵国去的，你们何必这么费心呢？我们是来滑国的。"

弦高交了牛，就离去了。

其实弦高不是郑国的使者，而是一个贩牛的商人。他在贩牛的途中遇到一个秦国人，偶尔谈论起来，知道了秦国进军郑国的事。他便以犒师的举动化解了一场战争。

3. 大行不顾细谨

战国时，秦王为试探齐国，派人给齐国王后（齐襄王田法章之后太史氏）献上一个玉连环，并说："齐国的人多智慧，能解开这个连环套吗？"

王后二话没说，令人取来一把锤子，将玉连环砸碎，然后告诉使者说："已经解开了！"

秦国再也不敢小看齐国。

齐王后当年在未嫁时，能在众多的奴仆中，看中正在流亡的齐王的儿子田法章，并要求嫁给他，可以说是独具慧眼。而此时她用锤敲碎玉连环，更是颇具行大事不顾细谨的大将风度，是因为她知道问题的关键不是如何解开这个玉连环，而是如何不受秦国人的戏侮。

所以，任用一个人，必须给他足够的权力独立行事，对自己范畴内的事务有充分的主动权，甚至达到"君命有所不受"的程度，而不能要求其拘泥于繁文缛节，这也是大行不顾细谨的一种表现。

在急难从权的事例中，最著名的要算"信陵君窃符救赵"了。

秦国攻打赵国，赵王急忙向魏国求救。魏王派晋鄙前去救援，后又害怕秦王，大军便停滞不前。

魏公子信陵君有心救赵，屡次恳求魏王都没用，他的一位门客侯生对他说："听说咱们的大王在宫里最宠爱的是如姬，对不对？"

信陵君连连点头。

侯生接着说："当初如姬的父亲被人害死，她请大王给她报仇，大王派人去找那个仇人，找了三年也没找着。后来还是公子让门客去给如姬报的仇，把仇人的脑袋给她送了去。有这么回事没有？"

信陵君说："有，有！"

侯生说："如姬为了这件事非常感激公子，她就是替公子死，也是甘心情愿的。因此，只要公子请她把兵符盗出来，咱们拿了兵符去夺取晋鄙的军队，就能跟秦国打了。"

信陵君听了，当时拜谢了侯生，去跟如姬商量。

如姬说："公子的命令我决不推辞。就是赴汤蹈火我也干。"

当天晚上，如姬伺候魏王睡下，到了半夜，乘着他正睡得香的时候，把兵符偷出来，立刻送到信陵君那儿。信陵君拿着兵符再上东门去跟侯生辞别。

侯生说："万一晋鄙验过兵符，不把兵权交出来，怎么办？"

侯生接着说："我的朋友朱亥，是天下数一数二的大勇士，公子可以请他出点力。要是晋鄙能够痛痛快快地把兵权交出来，最好。要是他不答应，就让朱亥杀了他。"

侯生和信陵君到了朱亥家里，侯生向他说明了来意。朱亥一口答应下来。侯生说："照理，我也应当一起去，可是我老了，跟着你们反倒让你们多一份麻烦。祝你们马到成功！"

信陵君带着朱亥和一千多个门客到了邺下，见了晋鄙，对他说："大王为了将军辛苦了好几个月，特地派无忌（信陵君，名无忌）来接替。"

说着，就让朱亥奉上兵符，让他验过。晋鄙把兵符接过来，再跟自己带着的那一半兵符一合，果然，合成了一个老虎形的信物。虎符完全符合，是真的。

可是他想了一想，说："请公子暂缓几天，我把将士们的名册整理出来，把军队里的事务结束一下，然后才能够清清楚楚地交出来。"

信陵君说："邯郸十分紧急，我想连夜进兵去救，怎能耽误日子呢？"

晋鄙说："不瞒公子说，这是军机大事，我还得奏明大王，方能照办。再说……"

他的话还没说完，朱亥大喝一声，说："晋鄙！你不听王命，

竟敢反叛！"

晋鄙问他："你是谁？干什么？"

朱亥说："我是惩办反叛的！"

从袖子里拿出一个四十斤重的大铁锤，冲着晋鄙的脑袋一砸，当时就打得粉碎。

信陵君拿着兵符对将士们说："大王有令，让我接替晋鄙去救邯郸。晋鄙不听命令，已经治死了。你们不用害怕。服从命令，一心一意去杀敌人的，将来都有重赏！"

信陵君重新编排队伍，总共有八万精兵。信陵君亲自出马跑到最前面，指挥将士们向秦国的兵营冲杀过去。秦国的将军王此没想到魏国的军队突然会来攻打，手忙脚乱地抵抗了一阵。平原君开了城门，带着赵国的军队杀出来。两边夹攻，打得秦国的军队就像山崩似的倒了下来。多少年来，秦国没打过这么一个大败仗。

赵孝成王亲自到魏国兵营来给魏公子信陵君道谢，说："这回赵国败亡，全仗公子大力！"

平原君更是感激他，在他前面领路，把他迎接到城里来。信陵君进了邯郸城，赵王特别恭敬地招待他，又封他五座城。

信陵君向他说明盗符救赵的经过，很虚心地推让着说："我对贵国没有多大的功劳，对本国还背着大罪呢。大王肯收留我这个罪人，我就够知足了，哪儿还敢受封？"

赵王再三请他接受，又让平原君劝他，他只好接受赵王的赏赐。他自己不敢回国，把兵符和军队交给魏国的将军带回去，自己留在赵国。

信陵君急人之难，在这个过程中表现出的机智，勇敢，狭义，历来为人们称道。

第五章
牢牢把握住
「势」

　　一般来说，一个从政成功的人，德、才、势，是三个必备的条件，缺一不可。德、才，是取得势的前提，势是有德有才者从政的必然结果。然而，实际的政治生活有时不是如此。我们看到的是，有德有才之人未必有势，有势之人又未必有德有才。

　　不然的话，德才都远远高出于刘邦的盖世英才，怎么会受制于刘邦呢？

　　刘邦曾向韩信问起这个问题，韩信的回答是："陛下的地位是受命于天，这不是人力所能得到的。"

　　韩信的这个回答实在是有点出于无奈，此时，他被刘邦所软禁。其实他心里明白，他的失败，首先在于失势，而他的失势，则是由他自己亲手造成的。

　　设想，如果他接受了蒯通的建议，与刘邦分庭抗礼，十个刘邦又能奈他何？

　　可见，决定一个人政治生涯成败的，有时是势，有势不肖者管天下，无势再好也白搭。

　　而对于一个有志于从政的人来说，如果没有势，你的德、才也就难以发挥应有的作用了。

第一节　善于用势

◆《孙子兵法》说："善于作战的人，把功夫下在利用和创造势上，而不依靠人的主观力量。善于利用势的人，与敌人作战就像转动木头和石头一样。木头和石头的特性，是方而安稳就静止，圆而倾危就运动。善战者在作战时之所以如同将圆形的木石从高山之上推下去一样具有无穷的威力，是用势的缘故。"

◆所以，想要造时势当英雄的人，一定要善于用势。

◆聪明人做事，注意用势；而愚蠢的人做事，则只知道用力。善于用势者必胜，只知用力者必败。

◆"时势造英雄"。因为英雄是以利用时势为前提的。时势不能凭空而造，假如始终不具备可以利用的时势，英雄也无法有所作为。

◆如果一味地依随过去成功的影子，而不是因应时势地位的变化，采取新的策略，就必将被时势所淘汰。

1. 顺势而动，无势造势

事物在萌芽状态而未露端倪的时候叫机，而机在不非常明显时，是不容易被觉察到的。把握时机而有所作为的叫势，势如不发展到顶头是不会自动断绝的。

古人十分重视对时机的把握与利用，认为凡事不可违背时势的发展。春秋时齐国的名相管仲说："圣人能辅时不能违时。智者善谋，不如合时。"意思是说，圣人只能顺应时势捕捉时机，不能违背时机。

晋文公即位后，马上致力于操练民众。第二年，文公想使用他们。大夫子犯说："晋国战乱多年，人民还不知道什么是义，还没有安居乐业。"

于是晋文公加强外交活动，护送周襄王回国复位；回国后又积极为人民谋利益，人民开始逐渐关心生产，安于生计。

不久，文公又想用兵，子犯又说："民众还不知道什么是信，而且还没有向他们宣传信的作用。"

于是晋文公又征伐了原（小国名），约定三天内攻不下来就撤兵。三日后晋文公真的信守诺言，退兵三十里，向国内外证明他的诚实和信用。

在这一系列行动的影响下，晋国的商人做生意不求暴利，明码标价，童叟无欺，全国形成了普遍讲信誉的好风气。

于是晋文公说："现在总可以了吧？"

子犯说："人民还不知贵贱尊卑之礼，没有恭敬之心。"

于是文公用大规模的阅兵来表示礼仪之威严，设置执法官来管理官员。这样一来，人民开始习惯于服从命令，晋文公不再有疑虑。这时才使用他们，结果迫使楚国撤兵谷邑，解了宋国之围，一战而称霸诸侯。

相机因时，就是对事物的各种态势进行准确的判断，使自己的行动切合实际，因时势的不同而作出相应的变化，最终的目的是保证自己处于优势地位，保证行动的成功。

2. 用势与用力的不同效果

《孙子兵法》说："激水之疾，至于漂石者，势也。鸷鸟之疾，至于毁折者，节也。是故善战者其势险，其节短。"就是说，势之所以对于战争胜负具有决定性的作用，是由于它能够产生极高的速度和巨大的冲力，并且可以在极短的时间和距离内发挥作用。利用势可以以四两拨动千斤，而不利用它，却如同以千斤之力相抗，难而又难。

西楚霸王项羽，没有任何地位与影响，乘势起于田亩之中，仅三年时间，就联合诸侯灭掉了秦国，并分疆裂土，封王封侯，主持天下政事，号为"霸王"。他的地位虽然没有保住，但他的成就却是近古以来所未曾有过的。

但是，这样一位英雄人物，却是一个只知用力而不懂得用势的人。这一点突出地表现在他被围垓下之后。

项羽被刘邦围在垓下之后，兵少粮尽，四面楚歌，感到大势已去，于是在军帐中与所宠爱的虞姬告别。

项羽出帐上马，带领手下八百余骑趁夜突围向南。但是他迷了路，陷在大泽之中，于是被刘邦的人马追了上来。这时他手下只剩下二十八人了，而刘邦的追兵有数千人。

项羽估计自己已经无法脱险，于是对身边的人说："我从起兵到现在，已经八年了。八年中，身经七十余次战斗，攻无不克，战无不胜，从未失败过，所以霸有天下。但是今天竟然困在这里，这是天灭我，而不是由于作战无能。今天只能拼死作战了，我愿意为各位作战斗表演。我要三战三胜，为各位打开突围的缺口，并斩将伐旗，让各位知道今天的处境是由于天要灭我，而不是作战无能所致。"

说完，把手下分为四队，各占一个方面。

面对刘邦军队的重重包围，项羽大声说："我为你们斩敌军一将！"

于是令手下从四面驰下，自己大呼着骑马冲向敌军，敌军望风披靡，于是斩杀敌军一员将领。

项羽与自己的手下聚会为三处。敌军不知项羽在哪一处，只好分兵包围。项羽趁机又催马斩杀敌军一名都尉，杀敌近百人。

项羽再次收拢部下，清点人数，只不过少了两人。项羽问手下："怎么样？是不是天灭我？"

手下都附和着道："的确如大王所说。"

这时项羽已经来到乌江边，乌江亭长驾船等候着项羽。亭长说："江东虽小，也有千里方圆、数十万人，也足以为王了，请大王快上船渡江。"

项羽笑道："天要灭我，我还何必渡江呢？况且当与我一起渡江打天下的八千子弟无一生还，纵使江东父老怜爱我，拥戴我为王，我又有什么脸而见他们？纵使他们不说，我又岂能无愧于心？"

于是自刎而死。

项羽作战的确十分英勇，但是果真如他所言，是天要灭他，而不是作战无能吗？又不能这样说。谁都知道，楚汉之争不仅是军事斗争，也是政治斗争。在军事方面，以项羽的地位，重要的也不在于个人杀敌多少，而在于指挥作战如何。而在这两方面，项羽都犯有严重的错误。

在鸿门，刘邦军队只有十万，而项羽有军队四十万，占绝对优势。项羽手下的谋士范增指出刘邦有帝王之心，劝项羽在鸿门宴上杀掉刘邦，但项羽不但心怀妇人之仁，在范增的数次示意下不忍动手，反而轻率地说出了在刘邦身边卧底的人。结果，不但失去了除掉对手的绝好机会，而且失去了一个内线，气得范增以剑击碎了刘邦送给项羽的珍宝，叹道："唉！竖子不足与谋。夺项王天下者，必沛公也！"

结果刘邦后来果然背叛了项羽，并成为与之争夺天下的劲敌。

后来，项羽断了刘邦的粮道，刘邦害怕了，请求讲和。项羽已准备同意讲和，这时范增又一次劝谏道："现在不打垮刘邦，以后必定后悔。"

但在此关键时刻，项羽却中了刘邦的离间计，以为范增与刘邦暗中有来往，不再信任他，削减了范增的权力。范增一气之下，离项羽而去，半路上背上发疽而死。从此项羽失去了一位杰出的谋臣，只能依靠自己天真的政治头脑与狡猾老辣的刘邦争斗了。天下大势，即此已可明确判断。

一个好逞匹夫之勇，试图"以力经营天下"的人，遭受失败，自刎而死，不是很自然的事情吗？但项羽却直到自杀前仍极力表现自己的匹夫之勇，推卸失败的责任，对自己的作为毫无悔意。

与项羽相反，刘邦是个善于观察和利用时势的人。

在他起义之初，便创造了斩白蛇、天命归的神话，借以俘获人心。攻入汉中后，为将汉中作为夺取天下的基地，利用人民盼望太平的心理，与当地人民立下了"杀人者死，伤人及偷盗者抵罪"之约法三章；同时本来极为贪财好色却竟然表现得十分廉明，从而赢得了人民的拥戴。

在形势不利情况下，刘邦从来不以力敌。在鸿门宴上，刘邦鉴于自己的力量还相对弱小，对项羽礼敬有加，又表忠心，又献礼品，利用项羽的妇人之仁保全了性命。即使与项羽从展开了争夺天下的斗争之后，仍然不时以讲和作为缓兵之计，直到把项羽围在垓下，才一举将其歼灭。

在对人才的任用上，项羽有一个范增而不能用，而刘邦却广揽天下从才，为己所用，以便形成强大的势力。

在楚汉战争中，刘邦曾说过，自己的原则是斗智不斗力。所谓斗智不斗力，在很大程度上不过是善于利用和造成有利的形势而已。

用势则胜，用力则败，可以从刘邦与项羽身上得到充分的证明。而用势之所以胜，用力之所以败，原因在于一个极为省力，事半功倍，一个极为费力，事倍功半。

3. 借势与造势

用势有两种方法：一种是借用现成的时势，另一种是不具备可以借用的形势，由自己来造成可用的时势。

很明显，与其造势，不如借势。因为借用现成的形势几乎不费什么力，而只须举手之劳。

春秋时期有个大商人白圭，《史记》夸他能洞察市场，善观行情变化，能取人所弃，与人所取，由此而获巨利。

白圭经商的水平高在哪里呢？高就高在善于借势而已。即准确预测市场行情，借"粮价涨落"之势，为己所用天下粮食丰收，粮价必然下跌，而在那个靠天吃饭的时代，不可能年年丰收，一到灾年，粮会涨价也是必然的。所以，他只须利用这种形势，何必费力去开荒种地呢？

白圭自己常说："我们经商，如同治军，要像伊尹、姜子牙那样；如同打仗，要有孙武、吴起的本领；如同变法，要像商鞅那样。所以，如果智慧不识权变，勇敢达不到当机立断，仁爱做不到给予，强大不能坚守，这样的话是学不到我的法术的。"

与借势相比，造势要多费许多周折。然而这种周折是不得不费的，因为在无势可借的情况下，如果不去造势，就没有成功的机会了。那么怎样造势呢？

西汉末，刘秀弟兄起兵南阳，昆阳大捷后，刘秀奉更始帝派

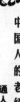

遣去黄河以北发展势力。他粉碎了诈称汉成帝儿子的王郎政权，又逐个吞灭铜马诸部农民军，关中一带把他称作铜马帝。

刘秀在河北声势日盛，更始帝派人立刘秀为萧王，令他解除兵权，和诸将一同回长安。他面临政治前途上的关键时刻，何去何从，难以抉择。

正在这时，部将耿弇对他单刀直入地说："百姓脱离王莽，思念刘氏，见汉兵兴起，好像离开虎口，回到慈母怀抱。天下至为重要，王可以自取，不要让外姓人得了！"

将领姚期也来劝说："明公据有山河险固地势，拥有十万精锐之师，顺乎百姓思汉之心，天下谁敢不服从你！"

听了他们的话，刘秀十分喜悦。于是，他借口河北还未平定，拒绝听从更始帝的征召。这标志着刘秀自认为羽翼已经丰满，天下百姓归心于他，正式向更始政权独树一帜了。

接着，刘秀派耿弇、吴汉等，铲除了更始政权安在他身边的几块绊脚石，幽州牧苗曾以及尚书仆射谢躬等，清扫卧榻之侧，除掉了内顾之忧。从此，他和更始帝处于对峙地位了。

这时，刘秀称帝的条件逐渐成熟。河北、河内更加稳固，洛阳朱鲔势单力孤，指日可下；更始政权已如枯木朽株，必败于赤眉农民军。在众多政治集团中，刘秀应是首屈一指。

但是，众将多次奏请他称帝，他仍不同意，他说："贼寇未平，四面是敌，怎么能够匆忙地正号位（称帝）呢？"

部将马武说："你不称帝，把谁当作贼来讨伐呢？"

耿弇说得更是恳切："如果明公不正号位，我担心将士们会失望而散伙。大家散伙了，再聚合起来就难了。时间不等人，民众的意愿不可违背！"

其实当皇帝，复兴汉室，是刘秀多年来梦寐以求的目标。他只是想进一步创造条件，使称帝更加顺应民意罢了。现在民心已经归附，条件日趋成熟，于是刘秀答应下来。

刘秀本人十分相信图谶、神示之术。他到了河北柏乡，把冯异召来，有意暗示他说："我昨晚上梦见骑着赤龙上天，醒过来，心里直扑腾。"

冯异心领神会，马上祝贺他："这是上天的意志在大王心里起作用呀！"

冯异和诸将商议请刘秀上皇帝尊号之事。

这时，刘秀年轻时的同学、儒生强华从关中来，奉献代表天意的《赤伏符》，符文说："刘秀发兵捕不道，四夷云集龙斗野，四七之际火为主。"

强华解释，四七表示从汉高祖刘邦到刘秀正好是二百八十年，火为汉德，现在转到了刘秀，他复兴汉室正是奉天承运合理合法的。

公元 25 年六月已未，刘秀即皇帝位，为汉光武帝，不久定都河南洛阳，建立了东汉王朝。

当皇帝虽是刘秀多年来梦寐以求的奋斗目标，但是在条件不成熟的情况下，这一目标是不可能骤然实现的，所以他开始一步步去造成有利的形势。他的办法是：第一，寻找借口，拒绝更始帝的征召，以保持自己的独立性和兵权；第二，铲除更始帝安插的绊脚石，同时不断扩大自己的势力和统治范围，孤立更始帝；第三，以不肯称帝又答应考虑称帝的手段，造成众望所归，人民拥戴之势；第四，"求助人神"，伪造天命，借以俘获民心。这四种办法的采取，使刘秀背叛更始、自行称帝的行为变成了顺天应人的义举。

《周易·象传》在讲变革的《革》卦时说道："天地革而四时成，汤武革命，顺乎天而应乎人，革之时大矣哉！"这些话在极赞变革的伟大作用的同时，特别列举商汤和周武王革命为例，强调了"顺乎天而应乎人"的重要。所谓"顺乎天而应乎人"，就是所作所为不要违背天理和民意。

同一段话还说："革而当，其悔乃亡。"意思是变革的过程和方法要十分恰当，才会消除因变革而产生的忧虑和犹疑。这段话讲的虽然不是造势，但道理上是相通的。就是说，在进行一项工作，完成一项事业之前的造势过程中，一定要做到顺天应人，措施得当。

所谓顺天应人，真义只是应人。因为天心不可知，要知天心，须看民心。只有得人心者才能得天下，也只有得人心者才能成功。所以造势的根本，在于人心所向、大势所趋。

第二节　藏才隐智

◆君子当然不能因环境险恶，坏人当道而改变自己的人生理想，但也不能无视现实、固执己行。

◆没有计谋的筹划是不行的。不能明刀明枪直来直去、简单行事，在此谨慎和小心，实属必要。

◆如果能做到表面笨拙内心精明，外表含混内心清楚，遇事以退为进，那他就掌握了处世的关键，保身的法宝。

◆易曰："君子藏器于身，待时而动。"欲成大事必须善于藏心，在藏心的过程中等待机遇。

◆显示自己的聪明，别人必恐你的聪明来害人，并希望你变成傻子。所以，聪明的人会采取抱朴守拙、匿锐示弱的生存策略。

◆除了"藏锋"之外，还应该"藏智"，绝不可"聪明反被聪明误"。

1. 与其让外力所折，不如自己先弯

绝大多数人都会困惑于成事之道。其实，这个问题并无统一答案，只能因人、因时而异。有德行还能恭敬谦虚的人一定能发达，而有功劳又不骄傲，还能严格要求自己的人才能保证平安。

《菜根谭》云："藏巧于拙，用晦而明，寓清于浊，以屈为伸，真涉世之一壶，藏身之三窟也。"意思是说，如果能做到表面笨拙内心精明，外表含混内心清楚，遇事以退为进，那他就掌握了处世的关键，保身的法宝。

中国古代的大圣大贤们晓古今，触类旁通，以智者的慧眼审视世界，故而明、晦、曲、直随心所欲，别人虽弄不明白，但自己绝不会糊涂。

凡夫俗子们，由于境界所限，只能化智圣的铭理为御人保身的法宝。既然要保身，就得藏头藏尾，为了使他人弄不明白，便先使自己"晦"；与其让外力所折，不如自己先弯。如此，致使该明不明，该直不直，在云山雾绕之中，大家相安无事。

徐达出生于濠州（今安徽凤阳）一个农家，儿时曾与后来做了大明皇帝的朱元璋一起放牛。在其戎马一生中，他有勇有谋，用兵持重，为明朝的创建和中国的统一立下赫赫战功，是中国历史上著名的谋将帅才，深得朱元璋宠爱。

徐达虽战功赫赫，却从不居功自傲。徐达每年春天挂帅出征，暮冬之际还朝。回来后立即将帅印交还，回到家里过着极为俭朴的生活。

朱元璋在私下对他说："徐达兄建立了盖世奇功，从未好好休息过，我就把过去的旧宅邸赐给你，让你好好享几年清福吧。"

朱元璋的这些旧邸，是其登基前当吴王时居住的府邸，可徐

达就是不肯接受。万般无奈的朱元璋请徐达到旧府邸饮酒，将其灌醉，然后蒙上被子，亲自将其抬到床上睡下。

徐达半夜酒醒问周围的人，自己住的是什么地方，内侍说："这是旧邸。"

徐达大吃一惊，连忙跳下床，伏在地上自呼死罪。朱元璋见其如此谦恭，心里十分高兴，即命有关部门在此旧邸前修建一所宅第，门前立一牌坊，并亲书"大功"二字。

朱元璋曾赐予徐达一块沙洲，由于正处于农民水路必经之地，徐达的家臣以此擅谋其利。徐达知道后，立即将此地上缴官府。

徐达病逝后，朱元璋为之辍朝，悲恸不已，追封徐达为中山王，并将其肖像陈列于功臣庙第一位，称之为"开国功臣第一"。

徐达之所以能不居功自傲，除其个人良好的修养，还有更深层次的原因。

事实上，朱元璋登基后的十年间，因清洗丞相胡惟庸牵连被杀的功臣、官僚共达三万人；1393年，有赫赫战功的将领蓝玉以及与其有关的人士均被杀，先后牵连被杀的竟有一万五千多人；杀了包括功臣在内的十多万人，实质上是强化其统治的手段，也是统治阶级内部残酷斗争的结果。而且也与朱元璋个人品质有关。

从小与朱元璋在一起的徐达，当然十分清楚"伴君如伴虎"的道理。因此，如果居功自傲，无异于引火烧身。与这样的皇帝在一起，只能共苦，不能同甘。所以，徐达"夹着尾巴做人"，既是个人良好品行的体现，更是保全自己的良策。

在封建社会里，不少人因为位极人臣，功高震主，而招灭门之祸。如韩信以勇略震主被擒，霍光以权势逼君被灭族。鳌拜因骄横欺君被诛。从某种意义上说，手握重权，如走钢丝，稍稍失去平衡，就会从钢丝上摔下来。实际上，做人，不仅仅是在权力场上要把握分寸，对富贵的追求也应该适可而止。有道是盛极而衰，历史上多少名门望族，转眼间就会衰败下来，如刘禹锡诗云："朱雀桥边野草花，乌衣巷口夕阳斜。旧时王谢堂前燕，飞入寻常百姓家。"

徐达是真正的智者，他明白像他这样的大功臣该如何做人行事。惟一保护自己平安的策略就是恭谨做人，小心处事。可见人生处世，要通权达变，因时进退，而不能固执迂腐，盲目进取。静水深流，藏锋敛锷，含而不露，乃全身避祸之妙诀。

2. 聪明过于外露的人，福气反倒少

《菜根谭》云："澹泊之士，必为浓艳者所疑；检饰之人，多为放肆者所忌。君子处此，固不可少变其操履，亦不可露其锋芒！"意思是说，应根据实际情况，将自己的锐气加以收敛，等待机会适当时再予以表现。

"人不知而不愠，不亦君子乎！"可见人不我知，心里老大不高兴，这是人之常情。于是有些人便言语露锋芒，行动也露锋芒，以此引起大家的注意。

但更有一些深藏不露的人，好像他们都是庸才，都胸无大志，实际上只是他们不肯在言语上和行动上露锋芒而已。

因为他们有所顾忌，言语露锋芒，便要得罪旁人，得罪旁人，旁人便成为阻力，成为破坏者；行动露锋芒，便要惹旁人的妒忌，旁人妒忌，也会成为阻力，成为破坏者。表现本领的机会，不怕没有，只怕把握不牢，只怕做的成绩，不能使人特别满意。

聪明过于外露的人品行浅薄，才能显露过分，这样的人福气反倒少。

　　三国时著名才子杨修是曹营的主簿，他的思维敏捷是出了名的。刘备亲自打汉中，惊动了许昌，曹操也率领四十万大军迎战。曹刘两军在汉水一带对峙。

　　曹操屯兵日久，进退两难，适逢厨师端来鸡汤。曹操见碗底有鸡肋，有感于怀，正沉吟间，夏侯惇入帐禀请夜间号令。

　　曹操随口说："鸡肋！鸡肋！"

　　人们便把这作号令传了出去。行军主簿杨修即叫随行军士收拾行装，准备归程。夏侯惇大惊，请杨修至帐中细问。

　　杨修解释说："鸡肋者，食之无肉，弃之有味。今进不能胜，退恐人笑，在此无益，来日魏王必班师矣。"

　　夏侯惇也很信服，营中诸将纷纷打点行李。曹操知道后，一怒之下，斩杀了杨修。

　　后人有诗叹杨修，其中有两句是："身死因才误，非其欲退兵。"

　　这是很切中杨修之要害的。

　　原来杨修为人恃才傲物，数犯曹操之忌。曹操兵出潼关，到蓝田访蔡邕之女蔡琰。蔡琰字文姬，原是卫仲道之妻，后被匈奴掳去，于北地生二子，作《胡笳十八拍》，流传入中原。曹操深重之，派人去赎蔡琰。匈奴王惧曹操势力，送蔡琰还汉朝。曹操把蔡琰许配董杞为妻。

　　曹操当日去访蔡琰，看见屋里悬一碑文图轴，内有"黄绢幼妇，外孙齑臼"，八个字，便问众谋士谁能解此八字，众人都不能答。只有杨修说已解其意。曹操叫杨修先未说破，让他再思解。告辞后，曹操上马行三里，方才省悟。原来此含隐"绝妙好辞"四字。

　　曹操也是绝顶聪明的人，却要行三里才思考出来，可见急智捷才远不及杨修。

　　曹操曾造花园一所。造成后曹操去观看时，不置褒贬，只取笔在门上写一"活"字。

杨修说:"'门'内添活字,乃阔字也。丞相嫌园门阔耳。"

于是翻修。曹操再看后很高兴,但当知是杨修析其义后,内心已忌杨修了。

又有一日,塞北送来酥饼一盒,曹操写"一盒酥"三字于盒上,放在台上。杨修入内看见,竟取来与众人分食。曹操问为何这样?杨修答说:"你明明写'一人一口酥'嘛,我们岂敢违背你的命令?"

曹操虽然笑了,内心却十分厌恶。

曹操怕人暗杀他,常吩咐手下的人说,他好做杀人的梦,他睡着时不要靠近他。

一日他睡午觉,把被蹬落地上,有一近侍慌忙拾起给他盖上。曹操跃起来拔剑杀了近侍。大家告诉他实情,他痛哭一场,命厚葬之。因此众人都以为曹操梦中杀人,只有杨修心知其意,于是便一语道破天机。

凡此种种,皆是杨修的聪明犯着了曹操:杨修之死,植根于他的聪明才智。

杨修之死,给后人留下了重要的启示。第一,越是有才华的人越要沉稳,不可恃才自重,更不可把才华露尽。如果你的领导是庸才,你就更要多加小心,切不可处处表现你比领导高明,领导需要你给出主意的时候,你最好在私下里把你的主意透露给领导一些,在你的启发下,他豁然开朗,这时候你就退到后面。这时,你必须守口如瓶,领导才能喜欢你。第二,不管在什么场合,你一个人看明白了的事情,最好不要点破。有很多事情都是在朦胧的状态下才好看,你一点破了,就失去了神秘的色彩。比如说鸡肋,杨修如果不说破,哪里会有杀身之祸?当然,冰冻三尺,非一日之寒。是杨修的才华和他的性格,决定了他的悲剧结局。

历史给我们以警示，让后来的"聪明人"不要再重蹈覆辙，留下新的遗憾和悔恨。可是，在现实生活中这样的人实在数不胜数。君不见那些有着八分或十分的才能与聪慧的人，往往会十二分地表露出来，他们精力充沛，热情高涨，锐气逼人，自视颇高，常常不留余地地待人处世，锋芒毕露间却处处碰壁而归，在人生之途屡屡受挫。

聪明人何以反被聪明所误，实在值得才华出众者深思。

3. 成熟的谷穗总是下垂的

在现实生活中，一个人过于夸耀自己的才华，一般都不会有好的结果。锋太露，不仅容易伤人，而且容易引起他人的嫉妒，所以，在同事之间，还是含蓄一些为好。成熟的谷穗总是要下垂的。山因为高大而被雨水冲刷变形，山谷因为低下而获平安。一个人只有谦虚谨慎，才能使人心悦诚服，而目中无人者必然要遭受挫折。

苏东坡在湖州做了三年官，任满回京。想当年因得罪王安石，而被贬结局，这次回来便往宰相府来登门拜见王安石。

此时，王安石正在午睡，书童便将苏轼迎入书房等候。

苏轼闲坐无事，见砚下有一方素笺，原来是王安石两句未完诗稿，题是咏菊。苏东坡不由笑道："想当年我在京为官时，此老笔数千言，不假思索。三年后，正是江郎才尽，起了两句头便续不下去了。"

把这两句念了一遍，不由叫道："呀，原来连这两句诗都是不通的。"

这两句是这样写的："西风昨夜过园林，吹落黄花满地金。"

在苏东坡看来，西风盛行于秋，而菊花在深秋盛开，最能耐久，随你焦干枯烂，却不会落瓣。

一念及此，苏东坡按捺不住，依韵添了两句："秋花不比春花落，说与诗人仔细吟。"

待写下后，又想如此抢白宰相，只怕又会惹来麻烦，若把诗稿撕了，不成体统，左思右想，都觉不妥，便将诗稿放回原处，告辞回去了。

第二天，皇上降诏，贬苏轼为黄州团练副使。

苏东坡在黄州任职将近一年，转眼便已深秋，这几日忽然起了大风。风息之后，后园菊花棚下，满地铺金，枝上全无一朵。苏东坡一时目瞪口呆，半晌无语。此时方知黄州菊花果然落瓣！不禁对友人道："小弟被贬，只以为宰相是公报私仇。谁知是我错了。切记啊，不可轻易讥笑人，正所谓经一事长一智呀。"

苏东坡心中含愧，便想找个机会向王安石赔罪。想起临出京时，王安石曾托自己取三峡中峡之水用来冲阳羡茶，由于心中一直不服气，早把取水一事抛在脑后。现在便想趁冬至节送贺表到京的机会，带着中峡水给宰相赔罪。

此时已近冬至，苏轼告了假，独自顺江而下，不想因连日鞍马劳顿，竟睡着了，及至醒来，已是下峡，再回船取中峡水又怕误了上京时辰，听当地老人道："三峡相连，并无阻隔。一般样水，难分好歹。"便装了一瓷坛下峡水，带着上京去了。

先到相府拜见宰相。王安石命门官带苏轼到东书房。苏轼想到去年在此改诗，心下惭愧。又见柱上所贴诗稿，便倒头谢罪。

王安石原谅苏轼以前没见过菊花落瓣。待苏轼献上瓷坛，童儿取水煮了阳羡茶。王安石问水从何来，苏东坡道："巫峡。"

王安石笑道："又来欺瞒我了，此明明是下峡之水，怎么冒充中峡。"

苏东坡大惊，急忙辩解道误听当地人言，三峡相连，一般江水，但不知宰相何以能辨别。

王安石语重心长地说道："读书人不可轻举妄动，定要细心察理，我若不是到过黄州，亲见菊花落瓣，怎敢在诗中乱道？三峡水性之说，出于《水经补注》，上峡水太急，下峡水太缓，惟中峡缓急相伴，如果用来冲阳羡茶，则上峡味浓，下峡味淡，中峡浓淡之间，今见茶色半晌方见，故知是下峡。"

苏东坡大为敬服。王安石又把书橱尽数打开，对苏东坡言道："你只管从这二十四厨中取书一册，念上文一句，我答不上下句，就算我是无学之辈。"

苏东坡专拣那些积灰较多，显然久不观看的书来考王安石，谁知王安石竟对答如流。

苏东坡不禁折服："老太师学问渊深，非我晚辈浅学可及！"

苏东坡乃一代文豪，诗词歌赋，都有佳作传世，只因恃才傲物，口出妄言，竟三次被王安石所屈，从此再也不敢轻易讥诮他人。

大智若愚是才智技艺达到精湛圆熟的最高境界。一个人才智越高，越有学问，见闻越广博，往往是更加谦虚谨慎，处处收敛锋芒，从不炫耀和显示自己。越是才智浅薄的人，一知半解，怕别人瞧不起自己，往往就喜欢卖弄，但喜欢卖弄的人一般都是不受欢迎的人。苏东坡三次被屈之后才弄明白了一个道理：学无止境，君子当以谦逊为本。这也是他日后成为一代文豪的制胜法宝。

4. 把最宝贵的货物隐藏起来

蝼蚁之穴，能毁千里之堤；三寸之舌，可害身家性命。

善于做买卖的商人，把宝贵的货物隐藏起来，不叫人看见；

修养深厚的人不会在人面前显露自已的德行。

易曰："君子藏器于身，待时而动。"如果能做到表面笨拙内心精明，外表含混内心清楚，遇事以退为进，那他就掌握了处世的关键，保身的法宝。

三国时的刘备最熟谙此道。

东汉建安四年暮春的一天，曹操突然心血来潮，派许褚和张辽去把还是左将军的刘备找来。

刘备在群雄并起时聚众起兵，争霸一方，只是时乖运塞，屡屡受挫。建安元年，他被任命为豫州牧，暂驻徐州小沛，但喘息未定，又遭袁术、吕布夹击，他丢妻弃子，仅率关羽、张飞等数十人狼狈而逃。半路遇到东征吕布的曹操。曹操擒杀了吕布，他才随曹操到达许都，暂时寄人篱下。

曹操见他是个英雄，也十分敬重他，奏请汉献帝让他当了左将军。但刘备却不买曹操的账，视曹操为他刘氏天下的大敌，常在背地里与国舅董承密谋除去曹操这个隐患。平时，他为了避开曹操的注意，常在自己住处的后园种菜，很少交游。

这一天，刘备忽听仆人来报，说曹操相邀。

曹操与刘备来到后花园小亭坐下，亭中石几上已放了两盘青梅，一坛酒。曹操对刘备说："今日看到青梅，不可不尝。正好新造的酒正熟，所以请您来共谋一醉。"

刘备遂与曹操开怀畅饮，纵谈古今。酒至半酣，天气忽然起了变化，阴云滚滚，暴雨将至。侍者指着远处的龙卷风，请两人观赏。古人称龙卷风为天龙吸水。

曹操说："玄德知道龙的变化吗？"

刘备答道："所知不多。"

曹操说："龙变化多端，能大能小，能升能隐。大则吞云吐雾，小则隐身蔽形；升则飞腾于宇宙之间，隐则潜伏于波涛之中。"

曹操话锋一转，说："世上的英雄，就是人中之龙。玄德征战四方，见闻广博，一定知道哪些人堪称当世英雄，请数给我听一下。"

刘备哪敢信口开河，连忙推脱说："我凡胎肉眼，怎能识别英雄。"

曹操听了，不觉有些不悦，说："玄德不要过分谦虚了。"

刘备怕再推脱下去弄巧成拙，引起曹操的猜疑，就装模作样地扳着手指头数说起来，说了半天都不中曹操的意。

曹操突然指指刘备又指指自己说："当今英雄只有玄德与我啊！"

刘备闻言大吃了一惊，手中的筷子竟惊落于地。恰巧，这时响起了一阵春雷，刘备立刻掩饰说："雷霆一震，使人胆战心惊。"

曹操用嘲弄的目光盯着刘备，说："大丈夫还害怕区区雷声？"

刘备说："孔子遇到疾雷暴风，都会因为敬畏上天而变了脸色，我怎么会不怕？"

一阵雷声使曹操忽略了刘备听说自己是英雄而失态的细节。一会儿，关羽、张飞等来了，刘备便起身告辞。

刘备连说："惊煞我也。"

关羽、张飞忙问何事，刘备说："我在后园种菜，主要就是想让曹操认为我胸无大志，谁知曹操目光如炬，竟指我为英雄。"

张飞叫道："曹操说得不错呀，兄长本来就是英雄嘛！"

刘备说："曹操说我与他为当今仅有两个英雄。双雄不能并立，他既在心目中把我当作最大的敌人，那我们住在许都，不是随时都有性命之忧吗？所以，我吃惊得掉下了筷子，幸好一阵雷声响起，让我掩饰过去。"

不久，袁术兵败势穷，放弃了淮南，北逃青州。刘备趁机向曹操自荐去追击袁术，曹操一时大意，竟同意了。

刘备得令后，立即束装出城，如出笼之鸟，兼程东进，终于脱离了曹操的掌握。

刘备能脱离曹操的掌握，得以避祸，若无一个"藏"字，何以得离虎口？

韬晦是做人处事的一种策略，也是做人处事的一门学问。韬晦的计谋就是告诉你在你设计的远大理想没有实现之前，切不可张扬外露。世上有很多大事小情，都是因为事前泄密而半途而废。刘备是一位野心很大的人，他的目的很明确，那就是匡扶汉室，做大汉皇帝，但在他势单力薄，寄人篱下之时，从来不对人说起他的个人抱负。在众人面前，他总是装傻充愣，所以，他骗过了许多人的眼睛。惟有曹操早就看透了他的志向，但由于曹操没有对刘备采取特殊防范措施，致使刘备后来羽翼逐渐丰满，在西蜀立足，成就了大业。

此时的刘备虽有雄心壮志却无多大势力，加之屈于曹操之下，若表现出雄才大略定将遭害，毕竟一山不容二虎。后人有诗赞颂刘备："勉从虎穴暂栖身，说破英雄惊杀人，巧借闻雷来掩饰，随机应变信如神。"与其说刘备临机应变是一智，不如说刘备自始至终都在与曹操周旋，他终日种地，不与各种诸侯畅谈国事，也不随宗亲，为脱离曹操做好了准备。刘备素有统一天下的宏愿，而他的一生中很少有激昂的场面，他将智慧与雄心掩饰起来，使他逃离了许多灾难，而其他诸侯如董卓、袁术的灭亡则与他们过度张扬有关。

5. 决不让谋划外露

在敌人没有行动的时候制伏他，这就需要抢先占有有利的时机。

对敌行动，最忌优柔寡断，顾虑重重；从而失去先机，由主动变被动。当然，要占得先机，是要以自己的准确判断为前提的。如果对形势盲目乐观，把握不当，贸然动手，便只能暴露自己的短处，毫无胜算。同样，周密的计划和一定的实力也是不可缺少的。这就要求人们在做好充分准备的过程中，不能打草惊蛇，令敌有所防范，必须暗中积蓄力量，表面上却无迹可寻。惟其如此，这个计策才能发挥它的真正功效，否则，只能算草率行事，其结果是除敌不成，反受敌害。

唐高祖李渊建立唐王朝后，太子李建成和齐王李元吉勾结，多次陷害立有大功的秦王李世民，兄弟间一场生死拼杀势所难免。

李世民身边的文臣武将屡次进言，劝李世民早作打算，抢先动手。李世民每到这个时候，便会面现苦容，叹息不止，说："我们乃是一母同胞的兄弟，纵是他们的不对，我又怎么忍心呢？还是委屈一下吧，时日一长，他们也许会知错有改，一切就烟消云散了。"

别人都十分着急，深怪他心有仁念，坐失良机。李世民对此如是未闻，暗中却把他心腹的将领尉迟敬德等人找来，对他们说："你们的好心，我岂能不知？不过现在我们安排未妥，事无头绪，又怎能草率行事呢？事若不密，为人察觉，只怕我们先得人头落地了。还望各位详作筹划，切勿泄露。"

由于李世民等人表面从容，处处示弱，李建成、李元吉果真被欺骗，暗中得意。他们按部就班，一步步地实施整倒李世民的计划。

不久，有报说突厥兵犯境，李建成便保举李元吉为帅，带兵迎敌。李元吉请求李渊把秦王李世民的兵马归他指挥，李渊答应了他的要求。李世民和他的文臣武将一眼便看穿了建成、元吉的阴谋，李世民见群情激愤，故作委曲求全的模样安抚众人说："皇上既已同意，看来我只能束手待毙了。这是天意，我又能怎么样呢？"

众人见此，信以为真，不禁泣泪苦劝；有的还要告辞而去。只有几个知情者以目示意，不露声色。

这时正好有人进来禀告，说太子与李元吉早已定下计谋，只等李世民给他们送行时设下伏兵，一举歼灭。大家一听，顿时群情激愤。李世民见时机已到，这才对众人说："如此现在看来，也别无他法了，只有先发制人，我们才能保全。"

李世民派兵遣将，伏于玄武门，待第二天李建成、李元吉上朝从此经过，尉迟敬德等人率兵一齐杀出，当场斩杀李建成、李元吉。

没过多久，李渊让位，李世民即了帝位，实现了自己的宏愿。

李世民不是不想当皇帝，但他却把这种心思隐藏起来，于是乎，他的隐忍不发就成了他良好品行的表现，而最后的反戈一击，则成了无可奈何的抗争之举。总之，一旦有了良好的动机为出发点，即使是卑劣的行为，也就得堂皇了。

6. 猪吃老虎的学问

自古以来，中国就有"扮猪吃虎"的计谋，以此计施于强劲的敌手，在其面前尽量把自己的锋芒敛蔽，"若愚"到像猪一样表面上百依百顺，装出一副为奴为婢的卑恭，使对方不起疑心，一旦时机成熟，即一举闪电般地把对手结果了。

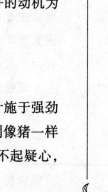

东晋人温峤，聪明有见识，为人处事有器量，晋明帝时，拜任侍中，朝廷的机密大计他都参加谋划。

温峤很得晋明帝的宠信，因而受到权臣王敦的忌恨。

王敦聘他为左司马，温峤深知王敦是不会真的信任他，而是要将他置于手下加以控制。王敦经常找借口不上朝奏事，常对皇上表现出不尊重的言行。温峤深知王敦具有谋反之心，跟着他一定会不得善终，于是，暗下决心脱离王敦。他表面上假装顺从王敦，以取得信任，并与王敦的心腹钱凤结交；常在别人面前故意夸赞钱凤，钱凤听后由衷地高兴。

机会终于来到了，丹阳尹空缺，温峤对王敦说："京都是要害之地，应该选用文武兼备的人来担任丹阳尹。将军应亲自物色和决定人选。"

王敦问他谁最合适，温峤就推荐钱凤，而钱凤也极力推举温峤。

温峤知道，王敦对钱凤言听计从，只要钱凤极力推荐，自己就有可能担任丹阳尹，跳出王府。

果然，王敦听从钱凤的建议，委任温峤为丹阳尹。

王敦设宴为温峤饯行，温峤担心钱凤反悔，在王敦面前说自己的坏话，就在宴席上假装醉酒，以手板将钱凤的巾帻击落在地，接着故意耍酒疯大喊大叫："钱凤是什么东西，我温峤敬酒他竟敢不喝！"

王敦以为温峤真喝醉了，也不责怪他。

温峤担心王敦中途变卦，就在向王敦辞行时，涕泪横流，恋恋不舍，走出王敦府后又转身回来，如此三出三进，然后才急驰而去。

温峤走后，钱凤果然醒悟过来，对王敦说："温峤与朝廷关系很密切，这个人任丹阳尹，不一定能与将军一心一意。"

王敦不以为然地说："温峤昨天酒醉失礼，得罪了你，是不是因此而来说他的坏话？"

温峤到任后，立即向朝廷告发了王敦的谋反之心，请求朝廷早做准备，以备不测。晋明帝下令征讨王敦，王敦终因阴谋败露，忧心成疾，死于军中。

王敦有不臣之心，将温峤调到手下，看起来是委以重任，实际上是控制起来。这种状况对温峤来讲是非常危险的，稍不谨慎，随时都有牢狱之灾和生命危险。如果死心塌地跟着王敦干，一旦王敦谋反，温峤也会跟着承担乱臣贼子的罪名。面对如此险恶境地，温峤应该怎么办？劝说王敦不要谋反，等于对牛弹琴；公开对抗，等于自取倒霉；逃离戒备森严的大将军府，插翅也难飞。只能是韬光养晦，待时而动。平时，他对王敦是佯装服从，不动声色；又暗自交结王敦的心腹钱凤。目的都是为了给王敦造成一种自己非常"听话"的假象。温峤这一系列的假戏真做，为自己脱离险恶的大将军府扫清了道路。

第三节　牢牢把握住势

◆智者不仅能够把握势，利用势，还能够造势。

◆做大事的人，眼光和胆略同等重要。

◆人所好者，利禄也；见利而争先，或利尽而交疏，实为人之本性。

◆智谋没有见识就不能制定，没有胆量就不能实行。胆量和智慧都具备了，就可以造势了。

◆不要丧气，耐心等待势的变化，而用自己优势来对敌人的劣势。

◆成就大事情的人，一定从长远考虑，从近处入手。预见到事物的发展，并且善于筹划。

1. 大气度决定大格局

如何摆平功臣，巩固皇权，是历代开国皇帝最为头痛的问题，也是他们殚精竭虑要解决的问题，历史上可资借鉴的办法无非是这样几种。一是诬陷杀头，甚至夷灭九族，如刘邦、如朱元璋。一是拉拢交接，把它们变成皇亲国戚，如刘秀。一是大量任用无能肖小，以求一时平安，如南明小朝廷。赵匡胤似乎没有采取以上的办法，但又似乎吸取了几种办法的精华，杯酒谈笑之中，就解决了这个棘手的问题，为后人所津津乐道。

宋太祖赵匡胤黄袍加身，坐上龙椅后，皇位带给他满足的同时，也给了他无形的恐惧。他开始考虑起如何巩固自己权力的问题。

赵匡胤问丞相赵普："从唐末到如今，皇帝换了十次，却连年征战不休，到底原因何在？"

赵普闭目沉思了片刻，答道："这是因为镇守一方的将领权力太大，使帝王的权力受到了威胁。只有削去将军们的兵权，天下才能安定。"

赵匡胤点头道："你的想法和朕完全相同。"

第二天，太祖把大将石守信等人找进宫来喝酒。他们毕竟共同出生入死，所以就放开了海量。

大家喝得正高兴，太祖却叹了口气，诸将不明其意，问其故，赵匡胤这才说："如果没有各位的扶持，我是不会坐到皇帝的位置上的。你们的恩德我深深感激。但是，当皇帝很难，根本不像你们这些镇守一方的将军那样快乐。你们哪里知道，我现在一天到晚，连觉也睡不好。"

大家吃了一惊，就问："为什么？请陛下明言。"

太祖说："这还用说吗？我这个位置，谁不惦记着啊！"

众将吓得跪了下来："陛下，我们决不敢有这样的念头。"

太祖说："我相信你们。你们都不想这么做。可是假如你们的部下想得到富贵，你们该怎么办？当年我又何曾想当皇上，还不是你们逼我这样做的？一旦他们把黄袍加到你们身上，你们不想这样做，恐怕也难了。"

石守信等人一边叩头，一边哭着说："我们这些人实在愚钝，请陛下指示我们怎么办才是！"

太祖感叹说："人的一生，如白驹过隙，转眼就是百年。人们想得到富贵，也无非是想得到些钱财，够自己挥霍，让子孙后代不缺钱花。你们为什么不放下兵权，多置办些房子田产，为子孙准备下永久的产业，再买些歌妓舞女，每天陪你们饮酒作乐，好好享受一下人生。这样，我和你们之间，大家没有一点猜忌，岂不更好？"

大家听了，都叩头说："陛下替我们考虑得周到，真像我们的再生父母！"

第二天，大家都借口有病，交出了兵权。

开国皇帝杀戮功臣的事情早已是习以为常了。并非他们猜忌心强，或嗜杀成性，而是事情不得不然耳。楚人何罪，怀璧其罪。天下只有一个，得天下者也只有一个。你无法保证你没有想得天下的想法，正如皇帝也无法保证没有认为你有想得天下的想法。为了安全起见，皇帝不得不开杀戒，但同时却也背上了杀戮功臣的恶名。

赵匡胤是历史上少有的没有诛杀功臣的皇帝。他运用政治手腕，既消除了隐患，又不使自己的双手沾上自己臣子的鲜血。先把大家逼到绝路上去，又指出一条阳关大道。明明是要大家就范，而诸将居然还感谢得涕泪横流。

善于谋势，不费一刀一枪取得了天下，又不用一兵一卒巧妙地剥夺了诸将的兵权、牢牢地巩固了自己的地位。

赵匡胤恢弘的气度决定了他做事的格局：能通过和平方式解决的问题，讲明道理，陈说利害，以情动人。于是，一场很难对付的政治危机就这样在杯酒之间轻而易举地化解掉了，为后世的人君作出了辉煌的榜样。

2. 顺势而为，无往不利

在知人的前提下运用智谋，你的智谋才会有很高的成功率。所谋在势，势之变也，我强则敌弱，敌弱则我强。倾举国之兵所谋求的目标在于造势，势的变化，我强了，敌人就弱了，知人者智，而在知人的前提下运用智谋，你的智谋才会有很高的成功率。

考察人的本质，顺应人的性情，之后就可以根据这些采取方案，事情就一定会成功。

十面埋伏，四面楚歌，项羽在乌江自刎身亡，天下归刘邦。

刘邦刚登上帝位，百废待兴，自然忙得不可开交。他封赏了二十多位大臣，其余的还一时来不及封赏。

但那些没被封赏的大臣心急如火。他们辛辛苦苦地跟着汉王打天下，吃了苦，也流了血。现在汉朝建立，他们以为会很快身居高位，光宗耀祖，没想到高祖竟把这件事放在了脑后。

刘邦住在洛阳南宫，看见将领们常常坐在一起嘀咕什么。他感到奇怪，就问张良："你看见那些人了吗？他们整天在议论些什么？"

张良一向料事如神，他回答说："陛下白手起家，靠的是这些人才得到天下，如今您位居天子，所封的都是故人，所杀的都是仇敌，因此他们谈论的是谋反的事。"

刘邦忧心忡忡："总得想个办法才好。"

张良问："皇上平时最憎恶的，又被大臣们知道的人是谁？"

刘邦说："雍齿多次使我难堪，我好几次都想杀了他，但他有功，就没有动他。"

张良说："就请陛下立即对雍齿封赏，这样臣下们就没有怨言了。"

刘邦一向对张良言听计从，他马上颁下诏书，加封雍齿为什方侯。虽然这次只封了雍齿一人，其余的人都很高兴。他们觉得连雍齿这样的人都能被封侯，自己还有什么可担心的呢，于是怨言立刻止息。

张良巧妙地利用了人们的心理。人们总是会认为当官的任人惟亲。但当你任人不惟亲了，他们会认为你会给亲的留一个更好的差事。

刘邦手下的臣子们就是这样。开始他们怨声鼎沸，等到刘邦最讨厌的雍齿都封了侯，他们的心里就都有了底。有了底，剩下的就是时间问题了，也就会安心等待了。

人们所谋求的目标在于造势，势的变化，我强了，敌人就弱了，敌人弱了，我就强了。调动全国的军队去征伐，不如让对方自己削弱自己。

天下的人都知道从别人那里取得某种东西为取，而不知道先给予别人某种东西，也可以称作取。

要求不如愿，更会进退失据，甚至成为笑柄。可是又不能不在乎！于是这种心情就会变成暗火的状态，若不能获得解决，就有可能造成意想不到的问题。

刘邦在这方面的警觉性及决断可说是很明智的，也充分展现他大开大合的性格。

3. 深察人心世道，做事才有依据

人们的情感许多是做作出来的，世间的习俗许多是虚假的，怎么可以随便相信呢？

对人的本质认识是十分重要的，如果在此认识不清或流于肤浅，便只能归结到天真、幼稚之列，其后果必然是处处碰壁，一事无成了。

汉武帝时代的东方朔，无所不知，无所不晓，为一代名家。他最初为了谋取功名，竟用了三千枚竹简上书朝廷，以求重用。

汉武帝赏识他的才华，遂招他入朝。

东方朔为官之后，判若两人。他再不言国事，却是故意表现自己的贪鄙。皇帝赐宴之后，剩下的肉他总是揣在怀中带走，赏赐给他的绸缎，他却用来娶漂亮女子，且是一年便休，还要索回先前给人家的东西，遂后再娶。

这种做法，惹来一片非议。有人指责他说："先生博古通今，自命不凡，怎会干这种为人不耻的事呢？先生如此行事，就不怕有损声名，丢掉官位吗？"

东方朔说："时代不同了，人情世故却是一样的。春秋战国时代，群雄逐鹿，人才便显得十分重要。如今天下太平，政通人和，贤君和庸主都能安于其位，人才就不显得那么重要了。礼贤下士，那是君主有所需要才作出来的姿态，我怎敢当真呢？更何况嫉贤妒能的人比比皆是，我又怎敢表现我的才能呢？"

终其一生，东方朔虽官位不高，却是风平浪静，无灾无难，其智慧故事也广为人知。东方朔能与世俯仰，曲尽其势，他的智

慧就来源于对人心世道的深切考察，令人深思。

4.用人谋势，分善与恶

用人谋势，可以为公，可以为私。奸邪之徒的用人哲学是任人唯私的。在他们看来，不是自己的人都不可靠不说，还有夺其权柄的危险。这种置国家利益于不顾的自私手法，无不是为了保住他们个人的私利，甚至他们寄望以此达于长远，永葆富贵。事实上，奸邪之徒的上下勾结，抱成一团，确有互相利用、遥相呼应的功效，一荣俱荣，一损俱损的利害关系将他们紧紧捆在一起，其邪恶势力不可小觑。

宋徽宗时大奸臣蔡京几度罢相，令人奇异的是，每次罢相他都起死回生，官复原职，而且每次复官后，官位升得更高。

蔡京曾对其子蔡攸流露说："如果不任用自己的人，他们便不会感激于你，将来更不会报效于你。万一自己有了祸事，还是自己的人肯为你说话办事啊。只要在朝廷有自己的人在，终不会有走到绝路的那一天。"

蔡京老谋深算，从他掌权的那天起，就把安插亲信、广布党羽当作自己的头等大事。至其暮年，他的亲信党徒在朝中遍布，皆居显要。

蔡京第一次罢相后，赵挺之、刘逵共同辅政，赵挺之对刘逵说："蔡京已去，我们可以匡正了，依你之见，当从何处着手？"

刘逵说："蔡京党羽甚多，盘根错节，我担心他们有令不从啊。他们利害相系，定不会就此罢休，我们还是慎重为上。"

赵挺之、刘逵试着把蔡京所行稍有改动，结果遭致群臣反对，无人服从。蔡京的党羽根本不把赵挺之放在眼里，他们处处和他作对，只盼蔡京复相。他们还联名上谏说："京为相时，所改法度，皆禀上旨，非私为之。奸恶小人嫉其功高，令其蒙羞，此国之不幸也。"

他们一而再，再而三地不停上书，徽宗昏聩无知，竟相信了蔡京党羽的说法。不到一年，蔡京就重新为相，且拜为太尉，进位太师。

第二次罢相后，其亲信何执中代为相，蔡京虽无相位，其实仍是左右朝政。何执中一如前时，凡事都请命于他，蔡京党羽在旁听命，随时都听蔡京调遣。

蔡京此时总是得意地对他的儿子们说："任用私人的好处，现在可以说是都见到了，若不如此，我一个罢官之人，还会生活得如此威风自在吗？有他们呼应，不出多时，我还会复官的，这个我从不怀疑。"

政和元年（1111年），蔡京又是重归相位，还封爵为楚国公，赐第京师。蔡京的党羽为其设宴庆贺，蔡京对他们说："我不怕丢掉官职，惟恐失去你们这些朋友，有你们在，什么事也不能把我怎样。这是你们的功劳，也算我慧眼识人吧？"

蔡京如此用人，难怪他丢了官还毫不在意，因为他知道，"势"还是牢牢把握在自己手中，有了它，复官只是迟早的问题。像这种败类在官场结党营私，只能是害国害民，正直之士绝不可取！

第四节　谋动在先

◆不要主动与人为敌，不要放弃修好的机会。

◆知道对方的诡诈，故作没有觉察，可得先机。

◆想要战胜对手，就一定先要放纵他们，使他们骄横。造势者为智，善用势者为谋。

◆心谋定而思动，后发制人则胜机已握。

◆善谋者从来不是依据道理，而是根据利害做出决定。

◆注意强弱的变化，用己之强，来攻敌之弱。

◆谗言就像利器，一句巧语，就会胜过千军万马。

1. 不要放弃修好的机会

世间之事，恩仇难断。有的恩仇还引起了战争，殃及无辜。但有的人则善于忍让，以其宽大的胸怀包纳仇怨，结果是势为己所用。

隋末，李渊作为隋朝官员镇守太原，一方面要抗击北方突厥，另一方面要追剿强贼。

李渊善于用兵，其子及部众骁勇善战，许多盗寇纷纷归降或逃窜。北方突厥铁骑异常剽悍，因贪恋中原的物产和美女时常前来掳掠。

公元616年，数万突厥骑兵围攻太原。就在李渊分身无术之时，强贼刘武周又乘势抢占了李渊防守的隋炀帝离宫——汾阳宫，将其间的美女珠宝献给突厥可汗。突厥可汗大喜遂封刘武周为定杨可汗，并支持各路强贼兴兵作乱，致使李渊部众腹背受敌，节节失利，大有被隋炀帝降罪的可能。如此两难境地，部下皆劝李渊与突厥决一死战。

此时的李渊没有去为个人得失争一时之长短，而是想图中原，取代隋炀帝，要这样就必须西进入关，争取更大的地域以获兵源粮秣。但太原又是兵家必争之地，绝不能放弃，可惜无重兵据守，如何是好呢？

李渊便向突厥可汗俯首称臣，敬献美女珠宝，并约定夺下中

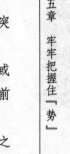

原，珠宝美女尽归突厥可汗，自己仅得土地。

得了珠宝美女的可汗答应了，并且没有攻击率领少数人马驻守太原的李元吉，使得李元吉能够治理好太原，有充足的后援粮秣输送到中原前线。

突厥可汗还将大量骑兵、粮草供给他的"属下"李渊，使得李渊很快夺下了许多地盘。

强盛之后的李渊并未报昔日战败之仇，而仍与突厥交好，只不过换了一下地位而已，正如此，才确保了北方的安宁。

如果李渊在战败时与突厥死战肯定败北，又哪来盛唐基业呢？如果李渊强盛之后急于复仇，那北方肯定是连年厮杀，国力自然衰败，也无兵力平定南方，大唐疆土可能少去许多，至少要晚许多年才一统天下。

能屈能伸大丈夫，李渊的忍让换来了大唐基业，而他能忍让是他有海纳百川之胸襟，有并吞八方之雄心，正如此，他才没有与突厥、刘武周争一时之得失。

大凡世间之争斗均因胸襟狭隘所致，与其陷入纷争不休，不如忍让修好，或退避三舍，求取成功。许多功成名就之人总是能摒弃前嫌，握手言和，共赴前程。这不仅省去许多徒劳还会给人带来成功和荣耀。

公元1580年，努尔哈赤亲率大军攻打齐吉达城，双方展开激战，骁勇善战的努尔哈赤于阵中左冲右杀，如入无人之境。"枪打出头鸟"，对方神箭手鄂尔果尼张弓搭箭，射中了努尔哈赤。尽管如此，努尔哈赤也没有加害于他，努尔哈赤的宽大胸怀为他赢得了无数良臣猛将。他忍下的是个人仇怨，让却的是个人私利，获得的却是大清的万里江山。

要成就事业非一人之力能为，如果与同辈争官阶利禄，与下属争功抢利，那么你将被众人抛弃，终难有所成。反之，则得到很多的帮助，人多势众，可将你推向成功。

2. 以攻代守，谨防谗言使你失势

有些人以诽谤别人为能事，他们的谗言往往能够奏效，令人防不胜防。如没有一定的智慧与对策，非吃亏不可。

战国时，甘茂任秦武王的左丞相。秦武王三年（前309年），武王对甘茂说："我想乘车前往三川窥探周室。"

甘茂说："请让向寿陪我到魏国去，相约一起攻打韩国。"

甘茂到了魏国以后，就对向寿说："您回去告诉武王：魏国已经听从我们的计策了，但是，希望大王不要进攻韩国。这件事情成功以后，功劳全归您。"

向寿回国后，把甘茂的话转告给秦武王。

甘茂回来后，秦武王问他："既然魏国同意了，你为什么又不想攻打韩国了呢？"

甘茂回答说："宜阳是一个大县，上党和南阳历史悠久，这两个地方，名义上叫县，其实是郡。现在，大王让我离开许多险要的地方，走千里路程去进攻它，困难啊！从前，曾参住在费邑的时候，鲁国有一个跟曾参同姓同名的人杀人了，有人误传给曾参的母亲说曾参杀人了，当时，曾参的母亲正织布，听到这话后，神情镇定自若。过了一会，另一个人又告诉她说曾参杀人了，曾参的母亲还是若无其事。过了一会儿，又有一个人告诉她说曾参杀人了，曾参的母亲扔下梭子，越墙逃跑了。凭曾参那样的贤能和他母亲对他的信任，有三个人误传谣言，他母亲就相信。如今，我的贤能不如曾参，大王对我的信任又不如曾参的母亲对曾参的信任，怀疑我的又不只三个普通的人，我担心大王会像曾参母亲扔梭子一样对待我。如今，我是一个寄身异国的臣子，如果樗里子、公孙奭依仗韩国的势力来和我争议，大王一定会听从他们的意见。这样，大王就欺骗了魏王，而我就要受到公仲侈的憎恨。"

秦武王说："我不会听他们的，请让我同您结盟吧。"

于是派丞相甘茂带兵攻打宜阳。一直攻打了五个月，还不能攻下来。樗里子和公孙奭果然在秦武王面前争论这件事。秦王召见甘茂，想撤兵。

甘茂说："息壤达成的盟约还放在那儿呢！"

于是，秦武王决定大规模地出动军队，由甘茂全权统帅，进击宜阳。秦军终于攻占了宜阳，韩襄王只得派公仲侈到秦国，跟秦国议和。

看来，甘茂要不是对谗言早有防范，不但他的攻韩战争的胜利无从谈起，他能否在秦国丞相的宝座上坐稳，乃至性命能否保住，都很难说。

可见，凡事预则立，不预则废。甘茂的明智在于，在出师攻韩以前，不仅认识到战争的残酷性，更认识到谗言的危险性。这谗言必然会动摇秦武王攻打韩国的决心。为此，甘茂以"曾母投杼"等历史故事，讽谏秦武王拒纳谗言，从而保证了攻韩战争的胜利。

面对谗言与其奉劝声色，待清浊自现，不如积极主动，以火灭火。

汉文帝大臣袁盎正直敢言，因此得罪不少人。宦官赵谈颇得文帝宠幸，经常说坏话诋毁袁盎，袁盎深以为忧。

袁盎的侄子袁种亦在朝中为官，看到这种情形，便对叔父说："您可以找个机会当着皇上的面，以正大光明的理由侮辱赵谈，这样做虽然会加深您和赵谈间的摩擦，但从此他对皇上所说的您的坏话，皇上恐怕就不会相信了。"

袁盎接受了侄子的建议，暗中寻找适当的机会。

有一次汉文帝出巡，让赵谈同车，袁盎知道后立刻跪到车前进谏说："臣听说能与天子共乘车驾者，皆天下贤才豪杰之士。如今汉朝纵使没有人才，陛下也不能与那刀锯之余、受过腐刑的卑贱阉宦共乘一车呀！"

汉文帝觉得袁盎的措辞虽然过分，但立论倒是没错，于是笑了一笑，命令赵谈下车。赵谈心里对袁盎恨之入骨。

此后，赵谈多次在汉文帝面前说袁盎的坏话，但汉文帝一听到这些诽谤的话，就想起那次赵谈受到羞辱的事，认为他这是泄私报复，便一笑置之。

袁盎的做法无疑是为自己建立了一道防火墙！救火员在抢救森林或草原大火时，常会在大火延烧的前方先放火把草木烧掉，当大火烧到这里时，因已无草木可烧，火势就会消灭。袁盎在文帝面前羞辱赵谈，就是在放火烧草木，为自己建立一道大火烧不过来的防火墙。赵谈的谗言不但使不上力，甚至也有可能让文帝感到厌烦，烧到自己呢！

3. 抢先一步，赢得先手之利

孙子曰："兵贵神速。"用兵，讲究以快打慢，商战，也讲究以快制慢。快，就是得胜的"机遇"。在两方的博弈中，快者的效益正是慢者付出的代价。

唐玄宗时代，姚崇、张说两人，一同做朝中丞相，但两人之

间怨恨很深。

姚崇在临终之前，还是十分担心在他死后，张说利用职权报复自己的儿孙，因为姚崇明白，张说曾被贬出京城，这完全是他向皇上启奏得准的结果。

快断气前，姚崇想出一计，把儿子们叫到自己跟前，对他们说："我当朝廷宰相多年，不少的功劳政绩，皆可以成文传世。死后，我的碑文，你们应该请文坛大家来写！而文坛之领袖，应该首推张说。不过，我与张说仇怨颇深，若是直接登门求他来写，他会断然拒绝。所以，我想了一个办法，在我死后的灵台前，你们陈设一些珍宝古玩，张说最喜爱的便是这些。他在前来吊唁之时，若是对这些珍宝古玩视而不见，你们就很难活命了。如果他对那些珍宝古玩逐一把玩、爱不释手，便说明他是一个见宝眼开、见宝忘恨之人，那就有机可乘。你们可以把这些珍宝送给他，再趁机恭维他为文坛领袖、天下第一笔，请他为我写篇神道碑。在珍宝古玩的慑心之下，在你们的吹捧鼓动之下，他一定会答应，并急急而就！你们碑铭一拿到手，立即刻到石碑之上，并将张说所写的手稿，让皇上过目，要记住，一切的一切，全在一个'快'上！否则，张说回过神来一旦追悔，必当前功尽弃，你们肯定全都必死无疑。"

姚崇死后，张说前来吊唁，见到姚崇之子们依计摆放的珍宝古玩，果真很是喜欢。

姚崇的长子不失时机地凑近他道："先父曾有遗言，说同僚中肯为他写一碑文者，这些珍宝古玩，悉数奉上。张说前辈是当今文坛泰斗，自然不会看重这些珍宝古玩，但若愿为父劳心成一篇碑文，我们将永生不忘，这些小小的酬谢自是无法表达我们的答谢之情！"

张说一听，天下竟有这等好事，想也没想，迅速答应道：

"尔先父，与我同朝为官多年，今先走一步，我为其写一铭文，纯属分中事，一定不负所托。"

张说回到住所之后，就马上动笔，刚刚写就，姚崇的儿子们就将那些珍宝古玩送到，叩谢一番，取了出自张说之手的碑文，一回到府上，拓印一份，立刻着工匠刻到墓碑之上，并将张说的手书原稿，火速送入官中，呈给皇上御览。

张说在姚崇的儿子们拿走自己所写的碑文之后，仔细一想，觉得其中似乎有什么不妥之处，当他想到自己与姚崇一直仇怨未解，且在姚崇归西后，自己还极力为他大唱赞歌时，惊出一身大汗，再看那些珍宝古玩，便知自己上了姚崇的当！于是，快马加鞭赶到姚府，索要原稿，谎称原稿之中有些定论过于轻率，应当加以修改。

然而，为时已晚，稿文已刻成碑文，且手稿已呈送给了皇上。

事已至此，张说有苦难言，非常悔恨。他拍胸脯说："死姚崇能算计活张说，我今天才知道自己的才智不如他。"

谋策定略，先机不可忽略。谁得先机谁取胜，谁失先机谁失败。而先机的获得，往往需要一个"快"。

秦朝时，赵高杀了二世之后，便立二世的哥哥的儿子子婴为秦王，把二世以平民的身份草草埋葬。同时，赵高要求子婴先行斋戒，以便入太庙祭祖，接掌传国玉玺。

当斋戒进入第五天时，子婴与他的两个儿子商议说：

"赵高杀了二世，怕臣子杀他，就假装道义来拥立我登基。我听说赵高竟然与楚国相约要灭秦朝皇室，然后在关中称王，现在要我斋戒，以便入太庙，就是希望借此在庙中杀我，我想届时装病不去，那么他一定会来找我，等他一来就杀了他。"

到了要入太庙的时候，赵高派人去请子婴等人，子婴不去。赵高果然自己来到斋宫中，说道："宗庙之事，非常重要，大王为何不去呢？

话音未落，子婴就一剑杀了赵高，并下令灭了赵高三族。

大多数情况下猫玩老鼠，但不时也会有老鼠玩猫的一幕上演。赵高先是伙同二世及丞相李斯，逼死该继位的王子扶苏，后又把李斯玩弄于股掌之上，将他逼死，再后干脆杀了二世。

而子婴轻而易举杀掉他，根本原因就在于子婴在预知自己的角色和未来命运后，充分利用赵高轻视他和自命为恩人的心理，出其不意，先下手为强，令赵高防不胜防。

先下手为强讲究快攻，是一种偷袭，一种以迅雷不及掩耳之势进行的闪电战。因此，谋势贵在出其不意，攻其不备。

4. 让举措形成连环套

以一箭双雕之计谋势，玩得十分出色的则是明朝的内阁大学士张居正。

明神宗朱诩钧即位时才十岁，朝廷大权由三个人分掌，宫内有太监冯保，宫外有内阁大学士高拱和张居正。在三个人中，张居正志向最大，也最有智谋。他为了实施自己的政纲，想出一条除去劲敌的计策。

他先与冯保套近乎，拉关系，称兄道弟。明代一开始便接受唐宋两代太监乱政的教训，前期对太监限制很严，太监不敢轻易插手朝政。冯保见张居正与自己亲近，自然大喜过望，视他为知己，遇事都与张居正商议。

第一步成了，张居正就开始了第二步。他派一死党扮作太监模样，混进宫去，在上朝的半路上装做要刺杀神宗，众护卫拿住刺客。但无论怎么审讯，那刺客都不讲谁是主使。冯保无奈，只好向张居正求教。

张居正装模作样地说："这刺客扮作太监模样，分明是要嫁祸于您。权要大臣中，您与谁有过节呢？"

冯保想了一下，权要大臣就是指张居正自己和高拱了。冯保想起高拱对自己轻蔑的眼光和与自己的几次争辩，分明是他想要整死自己，于是回去继续审问。

再次升堂，冯保对刺客说："我已知是高拱派你来的。只要你招出高拱是主谋，我便不杀你，还保你做官。"

刺客忙点头承认，画押招供。神宗见刺客招供，主谋竟是高拱，当然是怒火中烧，但念高拱是前朝老臣，于是让他告老隐退了。

张居正又让刺客翻供。神宗听说刺客翻供，亲自审问。

刺客说原先的供词是一太监审问时教给自己说的。

他指一下站在神宗身旁的冯保说："就是他！"

神宗嫌冯保拿刺杀皇上的案子当儿戏，竟用来做打击政敌的圈套，心中生厌，自此也疏远了冯保。

张居正用离间计让冯保打败了高拱，搞倒高拱后又通过翻供，让冯保自食其果，终于排除了前进道路上的障碍，实现了自己的大计。

第五节　攻敌弱点

◆善隐者胜，善显者败，善辨吉凶者无忧。

◆计谋没有好坏高低，能适用者为上策。

◆只有真正的智者才能大巧若拙；虎行似困，才能发出致命的一击。

◆故意违背他的愿望，使其浮躁，诱其露出漏洞，则大事可成。

◆把对方引到荒谬的境地，而后要用对方的矛，攻击对方的盾。

◆擅使"拖刀之计"者，往往是最后的赢家。

◆利用敌人奸细达到自己目的，是高一筹的智谋。

1. 藏的越深危险越少

古代官场是极其复杂的，没有智慧和谋略的人难以立足。那种对此认识简单、心有侥幸的人，最易成为权力的受害者。他们只看见了权力的好处，却没有看见权力的害处。所以说，对于有心获取权力的人，必须首先修习获取权力所需的本事，否则只能有害无益，自讨苦吃了。

明智的人，总是善于掩藏自己的真心，与人无争而自保，最后胜利的往往是不事事争强的人。

康熙皇帝儿子众多，他二废太子，到了其晚年，争夺太子之位在众皇子之间更加白热化了。

四皇子胤禛足智多谋，他深知康熙皇帝对兄弟相争十分厌恶，便故作姿态，表面上不参与此事，反而屡屡为众兄弟仗义执言。

太子胤礽被废之后，无人搭理，胤禛却不同常人，对其极表关怀。有人据此上奏康熙，胤禛便回答说："兄弟之情，不可废也。"

康熙见他仁爱至上，欣喜异常，对之赞不绝口。

废太子有弑逆的罪名，胤祺请其他皇子代奏自辩，无人能应，胤禛得知此事，思忖良久，决心为其陈情。他反复劝说康熙皇帝，终使这个罪名取消，胤祺也被拿掉脖子上的锁链。

胤禛此举，众皇子皆以为他不避嫌疑，自是无心争夺储位了，对他都不以为意。反是康熙皇帝由此对他另眼相看，屡屡表彰。

胤禛抬高了自己的地位，又对康熙皇帝的身体十分在意起来，表现得最为关心和体贴。

康熙因为胤祺的不争气和诸皇子争夺储位，气极生病，竟是不肯就医。胤禛闻讯赶来，惶恐变色，长跪不起，求旨医治。他又亲择太医，坚持日夜护理，为此憔悴了许多。康熙大为感动，连称他为至孝之人，父子俩的感情一下就拉近了。

胤禛如此用心，暗地里却加紧发展他的势力。他拉拢年羹尧，收买隆科多，双管齐下，多方筹划，最后终于夺取了帝位。

至此，众皇子才看清了他的本来面目，只是一切都无法挽回来了。他们败下阵来，后来又被惩被贬，皇帝梦没有做成，却落得个可悲的下场。

2. 踏雪无痕的轻功

随意地用嘴来诋毁来赞誉，可以使石头浮在水面，而木头沉入水底。奸人们的谗言，把直的会说成曲的。据此，有智慧的人也不时施以此法，以对付奸人。高明的中伤应该不露痕迹，想要贬，就要先扬，看上去是赞美，其实是贬损。

唐玄宗时，魏知古功劳、地位、身望与做宰相的姚崇不相上下。他原是姚崇所引荐，后来与姚崇并列相位，姚崇渐渐有些瞧不起他，就把他排挤到东都洛阳去专管那里的吏部事务。

魏知古心里很不满。而姚崇有两个儿子在东都做官，知道魏知古是自己父亲提拔过的，就走魏知古的后门，牟取私利。魏知古到长安时，把姚崇儿子们的所作所为，都报告给了玄宗。

一天，玄宗与姚崇闲谈，顺便问："你的儿子才能与品德怎样？现在做什么官？"

姚崇十分机敏，一下子就猜透玄宗的话中有话，就主动答道："我有三个儿子，两个在东都，为人贪欲而又不谨慎，必定会走魏知古的门路，不过我还没有来得及问他们。"

玄宗原以为姚崇要隐瞒儿子的劣行，听了姚崇道出真情，很高兴。他又问姚崇他是怎么知道的。

姚崇说："在魏知古没有发达时，我提拔过他；我的儿子蠢得很，以为魏知古必定因为感激我而容忍他们为非作歹，才去走他的门路。"

玄宗听了，认为姚崇为人正直，而轻视魏知古，觉得魏知古有负于姚崇，要罢他的官。姚崇又请求玄宗说："我的儿子胡闹，犯了法，陛下赦免他们的罪已是万幸，若因为这件事而罢魏知古的官，天下必定以为陛下出于对我的私人感情而这样做，这就会连累到陛下的声誉。"

玄宗认为他说得对，但还是把魏知古降为工部尚书。

就这样，当魏知古出于对姚崇不满，举报他儿子的不法行为时，他巧妙地扭转了局势，把天平转到了自己一边来。

首先，姚崇很敏锐，当皇帝有意无意地问起自己的儿子时，他就意识到皇帝知道了这件事。如果隐瞒，有百害而无一利，还不如全盘托出。但高明之处还不在这里，而是他说是魏知古为了感恩，才纵容他的儿子们。这就等于告诉皇上：

首先，他过去对魏知古有恩，提拔过他；其次，他的儿子们为非作歹，不是自己管教不严，而是魏知古纵容的结果。姚崇在这里没有提到魏知古挟嫌报复，愈发让皇上感到是魏知古不对，是恩将仇报。但当皇上要罢魏知古的官时，姚崇又故做好人，为魏知古说话，更加显得魏知古的卑劣。姚崇能一直在仕途顺利，真是不是仅凭运气。

3．从他人最恐惧的地方下手

对敌人的判断和认识，是十分紧要的。如果分不清敌我，搞不清人际关系中这最基本也是最重要的一节，凡事也就没有了理智和正确的处事之法，势必会导致全面的失败。

其实，对敌人的认知，并不是件十分困难的事，关键要保持清醒的头脑，不为其表面的现象所迷惑。要做到这一点，克服和战胜自己的人性弱点是必要的。人们总是有一时的贪念、好大喜功、喜欢被人奉承、患得患失等毛病，使自己丧失了应有的判断，进而让敌人有机可乘。

赵高是秦始皇小儿子胡亥的老师，他臭名昭著，恶行累累，是秦朝的一大奸人，秦朝的覆亡与他有直接关系。

赵高作为历史上奸人的代表人物，其手段和机心自有其独到之处。他深通人性，善于抓住不同人的弱点，从而投其所好，晓以利害，令人不辨真伪，误把他作为自己的朋友，结果为其利用，掉进他设置的陷阱。

秦始皇死于巡游的途中之后，赵高为了专权，便对陪伴秦始皇出行的胡亥说："皇帝之位，尊崇无比，这是不该有所谦让的。假如你大哥扶苏当了皇帝，你将一无所有，只能任人宰割了。公子只有先下手为强，才能承继大统，根绝后患。"

胡亥闻言心动，思之再三，自觉有理，便很爽快地答应下

来。

胡亥应允，说服丞相李斯便是问题的关键。赵高深知李斯最重功名利禄，见利忘义是他的致命弱点，于是他便以此为突破口，故作诚恳地对他说："丞相祸不远了，我真为丞相担忧啊。"

李斯一愣，不明其意。赵高遂后分析说："丞相承蒙先皇的宠信，方能有如此高位，倘若所立者为扶苏，丞相还会得宠吗？蒙恬乃扶苏的亲信，到时接任丞相之位的必是此人无疑。"

李斯被击中了要害，一时语塞，脸上呈现惶惧之色。赵高见得真切，心中暗笑，这时才说出了自己的真意："胡亥是我的学生，他又对丞相十分器重，我们若是立他为帝，丞相还有什么可忧虑的呢？"

李斯心被说动，遂和他狼狈为奸，共同伪造了假诏书，把扶苏害死，令胡亥登上了帝位。赵高阴谋得逞，对李斯的陷害便加剧了。直到李斯被害受刑之时，李斯才认清了赵高的本来面目，可为时已晚，李斯的悔憾，相信只有他自己，才会说出那种痛彻心脾的滋味了。

4. 关键的时刻发出致命的一击

用小人的招法来对付小人，从来就不失为一种有效的手段。君子致祸，常因心地良善、不忍对敌用非常方法所累，这固是君子仁爱的品德，同时也不可避免地陷入被动，为小人所利用。因此，适当用些手段不仅有利无害，而且立竿见影，其震慑力非其他可比。

宋仁宗继位之初，因其年幼，刘太后把持朝政。当时丁谓专权，他打击异己，很多忠正之士被他诬害，连大臣李迪、寇准都被他贬出京城，一时人人都是敢怒而不敢言了。

王曾身为耿介之臣，对丁谓的行径十分怨恨。他自知丁谓受宠极深，扳倒他绝非易事，便也和其他人一样，隐忍不发，外表上装得服服帖帖，从不顶撞丁谓。

其时，真宗陵寝尚未完成，刘太后让丁谓兼山陵使，雷允恭为都监。雷允恭和判司天监刑中知勘察陵址，刑中知对雷允恭谈了自己的判断，他说："前面山陵再过百步，应是上佳之穴。那里风光甚佳，若以此为陵，主子子孙众多，后代也福之不尽。"

雷允恭极善迎奉，此刻一听其言，马上喜之不尽，他说："倘若是此，陵寝当移筑那里，你我都是奇功一件啊。这件事得抓紧办。"

刑中知却是一叹，他顾虑说："这事关系非小。又要重新勘察，何况离下葬的时期只有七天了，哪里来得及呢？最让我担心的是，那里的地表下面恐有岩石和水，万一出了问题，你我都担待不起啊。"

雷允恭为求大功，坚持改建陵寝，他最后以命令的口吻说："你督工改造即可，我这就禀明太后，让太后圣裁。"

太后听了雷允恭的陈述，也拿不定注意，她最后说："改动陵寝，你还是和山陵使商议吧。"

雷允恭遂去请示丁谓，他故意夸张地说："若能让皇宫多子多孙，大人便是第一功臣。那里风水奇佳，龙蟠虎踞，一看就是宝地，相信太后也会满意的。"

丁谓素喜贪功，一听他言，也不禁暗喜不止，他对雷允恭说："我们为皇上效忠，只要对皇上有利的事，你就大胆干吧。"

雷允恭回复太后，太后也同意了。遂派人改穿穴道，果如刑中知所言，挖着挖着就挖出了岩石，后又有清水涌出，工地一片狼藉。

人们议论不休，皆以为怪，监工一时恐慌，忙派人去禀报太后。

太后一知此讯，立时发怒，她责问雷允恭失察，丁谓却为他辩护说："雷大人一心尽忠，本该重责的事，也只怪他大意所致，饶恕他吧。何况此事并未最后查明，太后当命人再去探察，以定其罪。"

王曾这会越众而出，自请前往。丁谓见他自荐，自认为他胆小怕事，顺从自己，也没有提出异议。

王曾的朋友暗中叫苦，私下对他埋怨说："丁谓专横，太后又不能欺瞒，这种得罪人的差使别人都避之不及，你为何还要抢着去呢？你真是糊涂了。"

王曾面不作色，只含糊说："此等小事，没有那么多说法，你想的太多了。"

三天之后，王曾回转京城，便径直赶奔皇宫去见太后。见得太后，王曾请求太后让身边人都退下。他这才故作紧张说："臣已查验过陵寝，那本是风水宝地，不该有任何改动。丁谓其心险恶，他指使雷允恭擅改皇陵，其意竟是置皇陵于绝地啊。此等滔天大罪，如臣不亲往，也是实难置信。"

太后大骂丁谓不止，立时下令将雷允恭处死。不久，丁谓也被贬往西京洛阳。

王曾的家人暗问王曾此中缘故，王曾只说："丁谓鸣冤叫屈，看似可怜之至，可他陷害别人之时，也该想到会遭这样的报应。对付这样的小人，还得用小人的办法，否则，得意的又该是他了。"

这告诉我们，计策不是周全的就不要实施，不具有智慧的人就不要谋划，愚笨的人应当记住这个教训。善使计谋，工于策划，是小人的一个明显"特长"，也是小人赖以弄奸的重要手段。针对小人的这个特点，人们与之斗争的策略和方法也不该简单化，实施谋划的时候更要慎重周全，那种单纯幼稚的冲动和不着边际的蛮干，只会白白牺牲自己，无助于铲除奸佞。

5. 势弱之时要善于掩藏，果敢突变

在强弱之势的转变中，智谋的作用便显得分外重要。它可使弱者之君驾驭臣子，又可教弱者之君铲除强臣，夺回已失的权柄。反之亦然，当权者不可一味恃势胡为，不思谋划，否则一旦强弱易势，祸事降临，便是大智慧者亦难能扭转的了。

东汉的汉桓帝刘志，是奸臣梁冀为了控制朝政才推他上台的。他为帝之时，只有十五岁，梁冀从没有把他放在眼里，他这皇帝没有实权，完全是个傀儡。

汉桓帝渐渐长大，对自己的处境日益忧心。他虽恨极了梁冀专权，无奈他的势力已成，爪牙遍及朝野，甚至他身边的宫卫随侍，也是梁冀派来的私党，对此他强自忍耐，不敢轻举妄动。

汉桓帝二十八岁时，自觉无法忍受，便苦思夺权之计。一日，他对自己的心腹宦官唐衡说："我身为皇帝，却是无兵无将，不得过问朝中大事，你以为如何呢？"

唐衡不明桓帝真意，遂小心说："皇上难得清闲自在，自可纵情享乐了，有什么不好呢？此话若是让梁冀知晓，他是要起疑心的，皇上以后不要乱说了。"

汉桓帝苦笑说："我视你为自家之人，连你都不肯和我说些真话，看来我这个皇帝真是孤家寡人呀！既是如此，你何不向梁冀通风报信，以求其赏呢？"

唐衡见桓帝有此大志，这才跪地说："小人岂敢背叛皇上呢？若是皇上有心除贼，小人却有一策。"

汉桓帝眼中一亮，遂马上扶起唐衡，动情道："我生不如死，自度与梁冀相较，凶险无比，可这也是没办法的事了。这是我的

最后一搏，你有话尽可道来。"

唐衡受宠若惊，颤声说："皇上势不如人，不可力敌，只能智取。时下人见梁冀势大，从献媚归附，所以外人不可轻信。皇上身边之人，单超、左悺、具瑷，和梁冀有仇，他们自会别无二心。若是皇上亲自告之此事，他们当尽死力。如此再细心谋划，小心准备，小人以为必可铲除梁冀了。"

汉桓帝听此，神情为之一振。他命唐衡速召单超等人问计，他们当时就应承此事，表示不惜一死。

汉桓帝暗中行事，梁冀一无所知。早有人对他有所劝谏，让他对桓帝不能掉以轻心，他却每每指责他们杞人忧天，高估了那个小皇帝。

他曾嬉笑着说："只有无权无势之辈，才会弄些权谋智计的伎俩，我哪里犯得着呢？"

结果正是由于他的粗心和大意，让汉桓帝得以从容行事。

梁冀后被汉桓帝派人发动突然袭击，包围在其府中，梁氏家族也被消灭。

权术不仅显得重要，而且只有深通此道者才不会受制于人，在权力场中游刃有余。

中国古代为政实行"人治",所谓"人存政举,人亡政息"。欲为官者当先谋人;善谋人者方能得其任;得其任者方能显其才、尽其能、成其功,此为官者晋升之要者。得此要领之后,因势随形,根据情况变化,择其宜者而用之,当能成晋升之功。

但为官不可贪高务大,贪多务得,当量其力而行,适可而止。所谓"陈力就列,不能者止",若智及所谋,才不堪其任,力不及所负,不仅不持久,反而将招致杀身之祸,不明白这点就及早避开。

晋升的途径与方法也大异其趣,若君主行其道、谋其政,则奸佞难以容其身、肆其恶,为臣者当行以其道,靠德、才、干、绩而升;若君主行非其道,不务正业,昏庸不肖,为臣者若以其道行之,则不唯无功,反会招致受到排挤乃至杀身之祸。懂得了这点,就不会以单纯的善恶观点来评价是非。聪明人历来就是顺而动,因其势用;无非是为成其功,遂其愿而已。

第一节　应势趋便

◆人的才智再高,如果不趁着时势运趋行动,将没有什么作为。有实力又能乘势的人,才是生活中的佼佼者。

◆做大事的人,眼光和胆略同等重要。

◆智者和水一样，常常能够随机应变，明察事物的发展，并且顺应它们，因此能破除愚昧和困危，取得成功。

◆相机因时，就是对事物的各种态势进行准确的判断，使自己的行动切合实际，因时势的不同而作出相应的变化，最终的目的是保证自己处于优势地位，保证行动的成功。

◆不但要对自己的处境、事态的发展变化有充分透彻的了解，对对手的情况了若指掌，而且也要细心听取多方面的意见，经过认真比较斟酌，作出自己的选择，并付诸行动。

1. 时机有三种：事机、势机、情机

时机的到来，时间极为短促。明智之人，总是无机则造机，有机则乘机，见机则借机，左右逢源，事半功倍。蠢人则不然，即使"机"在鼻子底下，他也看不见，抓不住，眼睁睁地让良机付之东流，却要硬着头皮往南墙上撞。时机有三种：一是事机，二是势机，三是情机。当事情正在发生变化，可能会有利于己而不利于敌时，就需要找到变化的关键点，这就是事机；当形势和力量对比发生变化，可能有利于己而不利于敌时，就应马上拿出克敌制胜的办法，这是势机；当人心向背正在发生变化，就要找到其中对自己有利的转变点，这是情机。

无论是事机、势机还是情机，多是在事态的自然演化中，随着参与者的互动而出现的。

有智慧能乘机的人，才是生活中的佼佼者。

春秋初年，齐国发生内乱，公孙无知谋弑国主襄公，自立为齐君。公孙无知不久也被杀害，齐国君位一时空悬无主。

早年齐襄公的两位弟弟——公子纠和公子小白，因为看到襄公昏昧失德，诛赏不当，担心有一天可能祸及他们，因此先后出

亡国外：公子纠逃到鲁国，而公子小白则到了营国。如今襄公被杀，齐国无主，兄弟二人皆有继承君位的资格，所以都急着赶回齐国。抢先到达齐国的人，便可即位为国君，而后至者遂变成窥觑君位的"逆臣"，必然遭到整肃的命运。因此这不只关系到君位的争夺，还是一场生与死的竞赛。

公子纠一方面日夜兼程赶回齐国，一方面派管仲带领部分人马，在齐、营之间的半路上拦截，企图袭杀公子小白。

公子小白这一边也马不停蹄地赶路；营国离齐国较近，只要不发生什么意外，应能抢先到达。

这边管仲轻车急驰，赶上公子小白一行。他躲在远处，慢慢地举起长弓，往小白狠狠射去一箭。

公子小白中箭倒地。兵士四处捉拿刺客，但管仲等早已去远了。

管仲看一箭射中公子小白，事后又见小白部属宣布主公的死讯，人人披麻戴孝，面带戚容。他认为任务已成功，便立刻派人飞书驰报公子纠这个好消息。公子纠对管仲十分信任，听说小白已死，顿感安心，便放慢车队的速度，稳稳地朝齐国前进。

但是人算不如天算，管仲那一箭虽然射中公子小白，却没料到射在他衣服的带钩上，让小白逃过了一死。

原来小白因害怕刺客会继续攻击，情急生智，就握住了箭，倒在地下诈死。瞒过了管仲后，小白又命属下发布死讯，让对手松懈下来；而他则藏身在车内，加快速度前往齐国。最后公子小白抢先进入齐国即位为君，是为齐桓公。

公子纠一行到达齐国，听说桓公已经即位，悔恨不已，只好调头回转鲁国。

公子小白善于顺势乘机应变，把不利局面一下转变为对己有利。他有这样的智谋，成为一国之君，也是当之无愧的。

2. 成为一个指示目标的猎人

晋升的资本，常常和一个人的能力智慧相关。一个人，越是具有统略之才，越是具有晋升高位的可能。

萧何是汉初三杰之一，是刘邦的一位肱股大臣，忠心耿耿，留名青史。沛丰起义，萧何跟着刘邦出谋划策；进入关中，萧何不失时机地做了许多刘邦没有做到、没有想到的事情。

刘邦消灭项羽，平定天下，论功行赏。群臣争功，岁余不决。刘邦深信萧何，认为萧何功劳最大，封侯赐邑，独居功臣之首。

许多曾经血战沙场，冲锋陷阵的大将议论纷纷，对刘邦说："我们这些人披坚执锐，多的参加百余战，少的也有几十战，为大王攻城略地，大小不等。但萧何未曾参加战斗，没有汗马功劳，只做了一点文字工作，干些动动嘴巴的事情，怎么还居头功？我等想问个明白。"

刘邦一笑说："各位知不知道打猎？"

众人忙说："知道！"

刘邦说："知道打猎的猎狗吗？"

"知道！"

刘邦正色说：打猎，追逐猎物的是猎狗，但是发现野兽踪迹，指挥猎狗的却是人。你们各位冲锋陷阵，攻城略地，好比猎狗，是有功之狗；至于说到丞相萧何，是发号施令，制定大政方针的人，是有功之人。况且，各位一个人独自跟着我，最多的也不过几个人，而萧何将家族子弟全部都送到战场上，这样的功劳还小吗？"

封赏结束，刘邦还要各位推选出十八位功臣，排出名次。群臣奏曰："平阳侯曹参身受七十余伤，攻城略地最多，功劳最大，应该排名第一。"

关内侯鄂千秋道："各位所说都不合情理。曹参虽然有攻城略地的野战之功，但是这不过是一时的功劳。皇上与楚王相持五年，经常败军亡卒，只身逃亡都是好多次。然而就是因为萧何时常从关中补充粮草和兵员，不用皇上下一声诏令，数万之众立至，救了皇上燃眉之急；皇上与项羽在荥阳对峙数载，军中乏粮，萧何从关中转漕运粮，供给不乏；皇上虽然丢失山东数次，萧何保全关中，皇上自有根基；这些都是万世之功。即使没有曹参这样数百人，于汉何缺？皇上没有他们也会取天下，怎么能够凭一日之功而看不见万世之勋呢？萧何第一，曹参第二。"

刘邦听了鄂千秋之言，连连称善，诏令萧何为功臣之首，可以带剑上殿，入朝不趋。带剑上殿，入朝不趋，是一种臣下特权。

萧何的晋升之道说明，一个人不能光凭自己有点本事，就想伸手要那些重要职位，还要有自知之明，看看自己的能力本事是否达到身居要职的资本，能不能做个指示目标，统领大局的猎人？自信来源于智慧，要想晋升要职，先要提升智慧。

3. 站在前排才有机会

成功不是等来的，而是靠自己创造的。人们常说，机遇偏爱有准备的头脑。在生活中，我们要时刻让自己站在前排，主动一点，机会来了要抓住，这样成功的几率会大得多。

如果毛遂不向平原君自荐，也许一生只能做一个默默无闻的门客，一身的才学都将毫无用武之地。正是他的大胆争取，为自己创造出了机会，才得以辅佐平原君出使其他国家，做出了名留青史的事业。

南宋时的虞允文本来是一个文官，是个从没带过兵打过仗的书生。但他临危受命，义不容辞，居然指挥宋军挫败强大的金军，取得采石大捷。

公元 1161 年，海陵王调集了四十万兵马，分为四路，大举南侵，妄图一举消灭南宋。十月，海陵王已率领大军进抵长江北岸的和州（今安徽和县）。这时，宋将王权已经被罢官，新将领还没有到任，叶义问也逃到了建康（今江苏南京）。没有统帅的将士们零零散散地坐在路旁，士气十分低沉。

中书舍人虞允文正好到采石犒军，看到将士们垂头丧气，马鞍、盔甲扔在一边，就着急地问："现在大敌当前，你们还坐在这儿等什么？"

将士们抬头一看，见他斯斯文文，是个文官，就爱理不理地说："将官们都溜之大吉，不知去向，我们还打什么仗？"

虞允文虽是个文官，但骨头还是很硬的，属朝中坚定的抗战派。他召集众人说："我是奉朝廷之命到这里来慰劳大家的。你们只要为国杀敌，我一定上报朝廷，论功行赏。我虽然是一介书生，也要拿着马鞭跟随在你们的身后，看诸位杀敌立功！"

将士们见他慷慨激昂，顿时振作起来，他们纷纷表态说："我们也吃够了金兵的苦，谁愿意当亡国奴呢？现在有您出来做主，我们一定拼命杀敌，为国立功！"

这时候，虞允文手下的幕僚却在一旁向他使眼色，悄悄地对他说："别人把局势弄得一团糟，你何苦做替罪羊，来指挥这场战争呢？"

虞允文听了，气愤地说："不要说了！国家已经危急到了这种地步，我怎能坐视不管呢？"

虞允文立即视察了江边的形势，对防务作了周密的部署。他下令步兵、骑兵都整好队伍，排开阵势；又把兵船分为五队，两队停泊在东西两侧岸边，另外两队隐蔽在港湾里作后备，最精锐的一支驻在长江中流，内设奇兵，准备冲撞敌舰。

这边刚部署完毕，北岸的金兵就擂响战鼓，呐喊着冲了过来。转眼间，七十多艘战船已经冲到了南岸。宋兵为了避开金兵凌厉的势头，稍稍后退了一些。虞允文见此情形，便亲切地拍着统制将领时俊的后背，和颜悦色地对他说："久闻将军胆识过人，远近闻名。今天怎么像小儿女一样站在船后，这样只怕你一世的威名都要扫地了。"

时俊受到主将的激励，热血沸腾，立即跳上船头，手拿双刀，与敌人拼命厮杀起来。士兵们一看主帅和将领都如此英勇，也争先恐后地上前与金兵搏斗。

最终，这场采石矶大战以宋军的全面胜利而告终。海陵王也在退兵途中被杀。

虞允文一介书生却立了赫赫战功，正是因为危难时刻，他勇担重任，才会激发自己如此大的潜能啊。所以说，做人不要消极等待机会，要让自己站在前排，时刻处于起跑的状态。

4. 择机进退

进退有度，还有选择机遇的问题。老子说过，时机合适了，就去做官；时机不合适，就去官为民。东汉的邓禹就是这样一位善于识人度势、因时进退的智者。

邓禹少年时代曾在京城游学，当时，后来的光武皇帝刘秀也在京城游学。经过交往，邓禹觉得刘秀是个不寻常的人物，便主动亲近他。几年以后，邓禹学习期满返乡。

新莽末年，更始政权刚建立，很多人都举荐邓禹，他不肯应召。当时，刘秀任更始政权的大司马，封武馆侯，管理河北地区。

邓禹徒步北渡，前往归附。刘秀见到邓禹十分高兴，对他说："先生这么远来投奔我，难道是想得个一官半职吗？"

邓禹回答："不是。"

刘秀问："你既然不想当官，那你有什么要求呢？"

邓禹说："我只希望阁下能威名扬于天下，恩德惠于四海。我能在您的帐下效犬马之劳，为您的大业立尺寸之功，垂显功名于青史，这就满足了。"

于是，刘秀就把邓禹留下来，向他请教打天下的谋略。邓禹也看出刘秀是真心对待自己，有明君之风，正是自己理想中要辅佐的君王，便知无不言，言无不尽。

他对刘秀说："现在，刘玄虽然建都于关西，但山东地区尚不安宁，赤眉、青犊等起事部队都聚有数万之众，三辅地区也有举旗为号聚众成军的。而刘玄是个平庸之才，他既没有能力平叛各路起义军，也不能独自做出决断。他手下的将领们也都是无能之辈。我考证了历代帝王的兴起史，只要天时、人事两个方面具备一个条件，就可以举旗称王。更始帝不是安民之主，难以控制局面。明公虽然立下建藩封侯之大功，但我还是担心，到头来，您将什么也得不到。为君之计，我认为，明公还是要广泛延揽结交天下英雄豪杰，笼络安抚民心，以建立高祖之基业，拯救四海万民之性命。如果明公能这样做，就不愁大业不成，帝业不兴了。"

邓禹一席话，说得刘秀十分高兴。从此，刘秀让邓禹当自己的谋士，经常留于帐中，谋划平定天下的大计。刘秀让左右的人称呼邓禹为"邓将军"。

邓禹为刘秀制定了一整套政治军事方略，帮助刘秀取得天下，建立了东汉政权。

邓禹既能择主而仕，又能够正确分析天下大势，可算是个很有见识的人物了。他看准了刘秀是个人物，他不为一时的利禄权位所引诱，毅然辞绝其他豪杰权贵的举荐招聘，北渡投奔刘秀。他帮助刘秀成就了帝业，立下了汗马功劳，也成就了自己的功名。名成功就之后，他清醒地觉察到刘秀要解除战将功臣实权的意图，没等刘秀提出，就审时度势自动交出兵权，主动地远权避祸。不仅如此，还志愿把财产捐献给国家，退休后专心研究儒学，教育子女自食其力，远离权势名位。

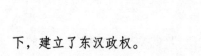

第二节　善解上意

◆了解上司也是一门很深的智慧；要善于了解上司的隐藏起来的想法。

◆如果凡事硬要分个是非曲直，那么各种非难也就会加诸彼身。

◆在大事上忠心，同时不忽略小事；干着上面所想的，想着上面未想的，这是自我提升的智慧。

◆小人揣摩心意的本领极高，他们许多看似随意的举动，却往往是精心策划的结果。

◆善于观察的人能了解别人的优劣，善于思考的人能知道别人的心意。

1. 要什么货有什么货

《商君书》说："凡人臣之事君也，多以主所好事君。君好法，则臣以法事君；君好富，则臣以富事君。君好法，则端直之

士在前；君好富，则毁誉之臣在侧。"就是说，要按照上司的所谋去忠实行事。

商鞅是以力主变法而闻名于史的，可是变法并不是他原来的主张。当他来到秦国时，秦孝公正雄心勃勃地想重振祖先的霸业，收复失去的国土，商鞅通过孝公的宠臣景监的引见，拜谒了孝公。一见面，他就向孝公大谈其传说中的尧、舜这些帝王如何与百姓同甘共苦，并身体力行，以自己的行动感化百姓，从而达到天下大治这一套所谓的"帝道"。

结果说得秦孝公直打瞌睡，一句也没听进去。

事后秦孝公责备景监说："你的那个客人，只会说一些大话来欺人，不值得一用。"

景监埋怨商鞅，商鞅说："我向国君进献了帝道，可他却不能领会。"

五天之后，商鞅又一次去见秦孝公，将原来所谈的那一套加以修正，可还是不符合秦孝公的心意。景监又一次受到了孝公的指责，他对商鞅的怨气更大了。

商鞅说："我向国君推荐了夏、商、周三代的治国之道，他还是接受不了，我希望国君能再一次接见我。"

商鞅又一次去见孝公，这一次谈得比较投机，但也没表示要任用他，只是对景监说："你的这个客人还可以，我能同他谈得来！"

商鞅说："我向国君谈了春秋五霸以武力强国的道理，国君有要用我的意思了，如果能再见我一次，我就知道该怎么去说服国君了！"

当商鞅再一次向国君进言时，秦孝公听得入了迷，不由得一次又一次将坐席向前移，一连说了好几天也没有听够。

景监很奇怪，问道："你说了些什么打动了国君，令他十分高兴！"

商鞅说："我向国君进献帝道、王道，国君说那些事太久远了，他等不及。我向国君进献强国之术，国君就特别高兴。"

就这样商鞅被秦孝公所重用，他便大行变法，使秦国很快富强起来。

商鞅的做法其实是从政治上投上所好。商鞅用来打动秦孝公的那一套强国之术，并不一定是他本人一定要坚持的方略。他的智慧就在于可以用不同的方略帮助君主治国，根据君主的特点机动实施不同的方略。仿佛像一个走街串巷的货郎，货担里什么货色都有，买主需要什么，他就卖什么，卖不出去的货物就收起来。因此他能很快身居要职。

2. 在上者须防小人取宠之道

居上位的人没有一个会说自己是喜欢小人的，但现实中真实的状况往往却不是这样。一方面固然是有些人不辨是非，分不清君子小人；另一方面，人们对那些巧言令色的小人又无法拒绝，甚至有意亲近；这就给那些没有真才实学，一味趋奉上司的小人大开方便之门。

哈麻是元朝末年的奸臣，他才疏学浅，又是在元时属于第二等的色目人。他之所以爬上高位，完全得力于他的揣摩人意本领。

哈麻的母亲是元宁宗的乳母，靠着这层关系，哈麻同皇族才有一些来往。元宁宗即位仅五十三天就死了，顺帝继位后便召他入宫充当宿卫。

哈麻为人机诈，城府很深，他知道这是一个向上爬的大好时

中国人的老经验

机，于是他对同是宿卫的弟弟雪雪说："我们兄弟能在皇上身边当差，并不是可以马上高升的。如果我们不事事用心，结果只能错失良机。"

雪雪粗直无心，他叹道："身为宫中宿卫，这已是别人想都不敢想的荣耀了，还图什么呢？我没有你那么多心眼，不过我要提醒你，我们不是蒙古人，皇上是不会重用你的。"

哈麻能言善辩，心思缜密，他利用当宿卫的机会，从此仔细观察元顺帝的一举一动，常常思考应对之道。元顺帝喜欢什么，他就说什么；元顺帝不喜欢的事，他从来不提；在元顺帝眼里，哈麻的乖巧给他留下了深刻印象。他不知不觉喜欢上了哈麻，于是不断提拔他，不久就让他当了殿中侍御史。

初步得手，哈麻并没有大意。他深知要想进一步赢得元顺帝的欢心，必须时刻抓住元顺帝的心意，让他感到不能离开自己。

元顺帝喜欢玩双陆游戏，一般人都不是他的对手。哈麻见状，于是苦心钻研此术，常常把自己关在房中。他的弟弟雪雪见他不务正业，责怪他说："你侥幸得官，便不知天高地厚了，你天天玩这个游戏，有何用处呢？"

哈麻小声对弟弟说："此中用处大了，似你粗心之人，哪里知晓呢？皇上沉迷于此，我若学会此技和皇上对弈，胜负随心，皇上能不赏识我吗？做皇上的玩伴那才是最亲密的，公事上的交往谁还不会？那自然无足轻重。"

哈麻技艺练成，便和顺帝过招。顺帝开始并不以他为意，哈麻于是连连赢他。几番较量，元顺帝又惊又喜，自以为找到了对手，接二连三地召他玩耍。

日子一久，二人成了"玩友"，高兴时，元顺帝也忘了自己皇帝身份，哈麻也无拘无束了。

一次哈麻和元顺帝玩过双陆游戏之后，哈麻的弟弟雪雪向他说："昨日你一场未赢，输得很惨，今日为何场场取胜，让皇上难堪呢?"

哈麻自负一笑说:"看似游戏,非游戏也。昨日皇上不喜,为了让皇上高兴,我只能输了。今日皇上心情愉悦,我赢他只能让他心底发痒,不仅不会怪我不知趣,反而认为我技高心诚,不故意作巧。如此一来,皇上怎会不宠爱我呢?"

当时脱脱为相,权大位尊,哈麻也不忘讨好他。他苦思冥想,不知如何应对脱脱,于是派人了解脱脱的喜好,最后才决定改变策略,不只当面恭维他。

一日,他怀揣托人写就的治国之策去拜见脱脱,极尽恭维脱脱的功绩之后,哈麻掏出治国之策双手呈上,口道:"丞相为国操劳,披肝沥胆,此举感召世人,下官自愧不已,今受丞相激励,草拟治国之策献上,恳请丞相教诲。"

脱脱改革旧制,极重人才,素以"贤相"自居,哈麻今上治国之策,就是他多日揣摩之果。

果然,哈麻的投其所好让脱脱对他另眼相看了,一下就喜欢上了他。

有了元顺帝和脱脱的"关爱",哈麻官运亨通,声势日隆。

俗话说,"上梁不正下梁歪"。领导者须端正自身态度,谨慎处事,以身示范。反之,如果不能慎对自己的言行和喜好,就会被小人钻了空子,亲君子、远小人也就成了一句空话。

3. "代代红"不倒翁的启示

历史上有几个"不倒翁",他们不仅没因时代的变迁而被淘汰,却每每更进一步,因祸得福。此中的秘密就是一个"变"字。他们没有固定的政治立场,一切以私利的得失为自己的行事标准。对于是非善恶,他们是不加理喻的,无论谁当了他的主子，他都百般奉迎，竭尽讨好。这样的人，最讨那些喜欢奉承、好大喜功的主子的欢心。

裴矩可以算得上是一个"代代红"式的人物，他一生侍奉过北齐、隋文帝、隋炀帝、宇文化、窦建德、唐高祖、唐太宗，共三个王朝，七个主子，他在每一个主子手下都很得意。

隋朝时，他看出隋炀帝是一个好大喜功的人，便想方设法挑动他的拓边扩土的野心。

他不辞辛苦，亲自深入西域各国，了解各国的风俗习惯、山川状况、民族分布、物产服装等情况，撰写了一本《西域图记》，果然大得隋炀帝的欢心，一次便赏赐他五百匹绸缎，每天将他召到御座之旁，详细询问西域状态，并将他提升为黄门侍郎，让他到西北地区处理与西域各国的事务。

他不负所望，说服十几个小国归顺了隋朝。

有一年，隋炀帝要到西北边地巡视，裴矩不惜花费重金，说服西域二十七个国家的酋长，佩珠戴玉，服锦衣绣，焚香奏乐，载歌载舞，拜叩于道旁；又命令当地男女百姓浓妆艳抹，纵情围观，队伍绵延数十里，可谓盛况空前。

隋炀帝大为高兴，又将他升为银青光禄大夫。裴矩一看他这一手屡屡奏效，便越发别出心裁，劝隋炀帝将天下四方各种奇技，诸如爬高竿、走钢丝、相扑、摔跤以及斗鸡走马等各种杂技玩耍，全都集中到东都洛阳，令西域各国酋长使节纵情观看，以夸示国威，前后历时一月之久。在这期间，又在洛阳街头大设篷帐，盛陈酒食，让外国人随意吃喝，醉饱而散，分文不取。

当时外国人中一些有识之士也看出这是浮夸，是打肿脸充胖子，隋炀帝却十分满意，对裴矩更是夸奖备至，说道："裴矩太了解我了，凡是他所奏请的，都是我早已想到的，可还没等我说出来，他就先提出来了。如果不是对国家的事处处留心，怎么能做到这一点？"

于是一次就给他赐钱四十万，还有各种珍贵的毛皮及西域的宝物。裴矩个人是发达了，却给国家和人民带来了巨大的灾难。

那场罪恶的讨伐辽东的战争便是在裴矩的唆使之下而发动的。战争旷日持久，屡打屡败，耗尽了隋朝的人力、物力、财力，以致闹得国弊民穷，怨声四起，导致了隋朝的灭亡。

而当义兵满布、怒火四起，隋炀帝困守扬州，一筹莫展之时，裴矩看出来，这个皇帝已是日暮途穷了，再一味地巴结他，对自己百害而无一利，他就转舵了，将讨好的目标转向那些躁动不安的军官士卒了。他见了这些人总是低头哈腰，哪怕是地位再低的官吏，他也总是笑脸相迎。

他并且向隋炀帝建议："陛下来扬州已经两年了，士兵们在这里形单影只，也没个贴心人，这不是长久之计，请陛下允许士兵在这里娶妻成家，将扬州内外的孤女寡妇、女尼道姑分配给士兵，原来有私情交往的，一律予以承认！"

隋炀帝对这一建议十分赞赏，立即批准执行，士兵们更是皆大欢喜，对裴矩赞不绝口，纷纷说："这是裴大人的恩典！"

到将士们发动政变，绞杀隋炀帝时，原来的一些宠臣都被乱兵杀死，惟独裴矩，士兵们异口同声地说他是好人，得以幸免于难。

后来他几经辗转，投降了唐朝，在唐太宗时担任吏部尚书。

唐太宗对官吏贪赃受贿之事十分担忧，决心加以禁绝，可又苦于抓不住证据。

有一次他派人故意给人送礼行贿，有一个掌管门禁的小官接受了一匹绢，太宗大怒，要将这个小官杀掉。

裴矩谏阻道："此人受贿，应当严惩。可是，陛下先以财物引诱，因此而行极刑，这叫做陷人以罪，恐怕不符合以礼义道德教导人的原则。"

唐太宗接受了他的意见，并召集臣僚说道："裴矩能够当众表示意见，而不是表面上顺从而心存不满。如果在每一件事情上都能这样，还用担心天下不会大治吗？"

司马光在论及裴矩的变化时说过一段话："古人有言：君明臣直。裴矩按于隋而忠于唐，非其性之有变也。君恶闻其过，则忠化为按；君乐为直言，则按化为忠。是知君者表也（表，标志），臣者景也（景，影子），表动则景随矣。"这段话说得有理。一个国君，便是一个国家的标志，标志正，则影子直；标志邪，则影子歪。忠臣良臣的出现，是由于国君的培植、倡导；奸臣佞臣的出现，是由于国君的放纵、默许。

历史上曾有许多大臣，原本并不是坏人，只是因为国君的品行道德方面有问题，他们也就跟着误入歧途了。好比裴矩，当隋炀帝好大喜功的时候，他就兴师动众，推波助澜；而当他遇上贤主李世民时，他就变成了一个敢于直谏的谏臣，可见君主的影响力之大。

居于领导地位者，如能以身示范，以自己的美德感化下属，下属们则会仰领导之德犹无声的命令。德化所之，无不望风披靡。同样道理，若居于上位者出现方向性错误，往往也会诱使部下们误入歧路。因此，领导者应该对自己的言行负责，必须以身作则，谨防上梁不正下梁歪。

4. 找到最短的通道

不能认清敌人就无法分辨朋友，不能制伏敌人就不能成就事业，这是最大的祸害，一定要根除它。一个人事业的成功，总是从朋友相助，战胜敌人开始的。没有朋友和分不清谁是真正的朋友，后者比前者危害更大。成就事业的过程，就是排除障碍，战胜敌人的过程。

王安石在未任宰相之前，虽然很有才能，但因资历名望尚浅，朝中大臣并不以他为重，皇上更无对他青睐之意。王安石一时郁闷不已，壮志难酬。

一日，王安石和其朋友喝酒，谈及眼下的困境，他的朋友对他说："你说这些都是细枝末节，你知道你为何致此吗？"

王安石虚心向朋友请教，且说："我对所有人都坦诚以待，谁知他们并不领情，这世道太混乱了，怎会如此呢？"

他的朋友打断了他的抱怨，指点他说："所谓当局者迷，你真是不得要领啊。你所交往的那些人，都是典型的小人之辈，你却把他们当成朋友，即使你花再大的功夫，又有什么用呢？他们惟恐你的地位高过他们，又怎会为你说好话呢？你敌友不分，这才是你身处困境的原因。"

王安石经过指点，如梦方醒，连连称是。他的朋友于是给他出了个主意，他说："韩、吕两家，乃朝中大姓，天下之士不出于韩家就出于吕门。韩吕势力鼎盛，且为人谦恭，易于接近，你若以他们为友，多费心思，持之以久，他们自不怕因推荐于你而有损他们的利益，事情就好办得多了。"

王安石自此百般交纳韩、吕两家子弟，对朝中的其他人，他也区别对待，不似先前那般不分敌我，一味讨好了。这种策略和方法，果然行之有效，韩吕两家开始推荐王安石，而其他人见王安石态度改变，也心生畏惧，再不敢明目张胆地轻视他了。

宋神宗为颍王时，韩家的韩持国是他的老师，韩持国给他讲解经义，宋神宗听得入迷，一再夸奖他讲得精妙。每到这个时候，韩持国便会对他说："王爷不知真情，微臣不敢隐瞒。其实，这都是我朋友王安石的见解，我只是借用一时罢了，他才是真正的治国安邦的大才啊。"

宋神宗十分吃惊，对王安石的印象便十分深刻了。有一次他感叹地对韩持国说："先生高见，我素来敬佩。王安石何许人也，竟让先生如此推崇于他？若我为君，我必重用此人。"

后来，当宋神宗为帝时，果然重用了王安石，任命他为宰相。王安石权位在手，终得以实现他酝酿多时的改革大计，名垂青史。

王安石有经天纬地之才，自非常人能比，这样的人，也都需要别人的提携，何况不如他的人呢！荀子说："圣人善假于物也。"说的就是这个道理。如果你才识俱备，不妨像王安石那样采取点"借"术，或许，借助你命中的"贵人"，你就能迅速冲破樊笼，一飞冲天。

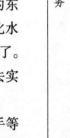

第七章 用道家智慧管理事务

据前史记载，商容张开口问老子说："我的舌头还在吗?"

老子说："在。"

又说："我的牙齿还在吗?"

老子说："不在!"

商容说："知道这个道理吗?"

老子说："不就是刚硬的容易败亡，柔弱的而能存在的道理吗?"

商容说："唉! 天下的事情完全是这样。"

这就是柔弱用世的方法，在中国受到历代的传承。

老子说："天下中最柔弱的东西，可以攻入天下最坚强的东西里面去，可以说是无孔不入。普天之下，再没有什么东西比水更柔弱的了，而攻克最坚强的东西，却没有什么可以胜过水了。弱胜过强，柔胜过刚，普天之下没有谁不知道，就是没有人去实行。"

老子提倡以贵柔守雌、以弱胜强、无为而治、从反面下手等处世方法。"黄老之术"即是所谓黄帝、老子的智谋之术，其中积极的成分至今依然可取。

曾国藩研究老子的思想很深，他一生为人处世信仰老子的观念，却不言谈老子的思想。所以虽居在功名富贵的极高处，却能全名而归，全身而终。

第一节　有所为，有所不为

◆醉心于大事业，就难免在小处疏忽；而光在小处着眼的人，就会忘了大利害。

◆对于个人来说，远虑不及，必生近忧；只有高瞻远瞩，拿得起放得下，能屈会伸，才能争到主动。

◆经常忽略对天下形势的了解，对小事一点也不放过的人，对于大事常常会感到困惑不解。

◆秉要执本是统治的智谋、领导的艺术。

◆明智的掌权者，会让人以利，收服人心，从根本上杜绝后患，以保大局无失。

1. 别成为一个道具，要做使用道具的人

孔子说过："君子不器"，这句话的意思就是"为政者不是道具，而应该是用道具的人。"

领导人的艺术千姿百态，不一而足。而知人善任，可以说是其中的"拳头产品"，它既是一种艺术，又是一种高智商行为。领导者为了做好方方面面的工作，在全局上实现自己的抱负，就需要一批得力的助手为之冲锋。知人善任，也就是在了解部下特点的基础上善于用其长处而避其所短。具有这种能力的领导者才能无往而不胜，无为而不成。一个主管领导，就应该把主要精力放在如何制定正确的决策上，具体执行应该放手让下属们去完成，而不能无论事情大小都去亲历亲为。否则，你轻者身心劳累，重者就会因小失大，影响整个工作的正常进行。

孔子有个叫宓予贱的学生，被任命为单父的行政长官。他上

任后垂拱而治，他说："我的做法叫作使用人才，使用力气的人当然劳苦，而使用人才的人；自然会安逸！"

汉文帝亲政后，有一次朝会的时候，文帝询问右相周勃道："天下一年审理和判决的诉讼案件有多少？"

周勃谢罪道："不知道。"

文帝问："天下一年钱粮的收入和开支有多少？"

周勃又谢罪说不知道，并吓得汗流浃背，因为不能对答而感到羞愧。这时文帝又询问左丞相陈平。陈平答道："自有主管官员。"

文帝问道："主管官员是谁？"

陈平锐："陛下如果问诉讼案件，就应该去查问廷尉；如果问钱粮，就应该去查询治粟内史。"

文帝说："如果各个部门都有主管的人，那你管的又是什么呢？"

陈平谢罪道："臣惶恐得很！陛下不知道臣等才智平平，让臣等忝居宰相职位。宰相的职责是对上辅佐皇上，调理阴阳，顺应四时；对下则抚育万物适时生长；对外镇抚四夷和诸侯；对内亲附百姓，使公卿大夫都能履行他们的职责。"

文帝听了以后大为赞赏。右相周勃非常惭愧，退朝之后便埋怨陈平道："你怎么不在平时教我如何对答！"

陈平笑着说："您身居丞相之位，难道不知道丞相的职责吗？如果陛下要询问长安城中盗贼的数目，您也要勉强回答吗？"

这时周勃才明白自己的才能比起陈平差的太多。过了不久，周勃告病，请求免除右相的职务，陈平就独自担任丞相。

领导的工作重点是把握宏观决策，具体实施应该放手让下属去完成。如果在别人做事的过程中，领导老是怕他出错，千叮咛万嘱咐，那就会让别人感到无所适从，更会让他认为领导不相信他的能力，从心里对领导产生反感，进而影响他做事的积极性。

2. 凡事从大处着眼

存大体而忽小节是一条重要规则。实际上就是说，为官者不可对下属太苛察，对有些不伤大体的小节该装聋作哑就装聋作哑，两者心照不宣而已。如自恃聪明，察之入微，置下属于极难堪境地，反而坏大事。

诸葛亮曾经说，治世以大德不以小惠。一个有智谋的人，会在别人注意小事时，从大处着眼；别人看得近，他会看得远；别人愈忙而事情愈乱，他会不动声色把事情自然理顺；在别人束手无策的时候，他会游刃有余，思路深入于无声无息的细微之处，举动却出乎于人们思索意料之外。这样，再困难的事情对于他都会易如反掌，再多的问题他都可一笑置之。

醉心于大事业，就难免在小处疏忽；而光在小处着眼的人，就会忘了大利害。

在一次宴会上，有人邀请雅典政治家塞米斯托克里演奏竖琴。但是他却说："我不精此道。我只会将一个小镇发展成一个大城。"

尽管他说此话时态度极其做作，但这句话却可以一般地用来评论政治家。如果我们观察一下历代的治国者，就会发现此辈确可划分为两类：一类人善于把小镇变成大城大国，却不会弹竖琴；另一类人精于竖琴，却不会把小镇变成大城，反而会把大城变成小镇甚至废墟。

孔子也曾经为生活所迫，而做过各式各样的工作，因此多才多艺。但他自己也说，由于那些经历，而耗费了太多的精力，从而阻碍了政治上的发展。

因此，可能的话，最好不要到处找零工，不要将精力放在与自己的奋斗目标无关的事物之上。

在我国历史上，专于小事而误大事的人物可以说俯拾皆是。

最早的是春秋时的鲁庄公，他能歌善舞，远远超过"曲有误，周郎顾"的水平，却把国家治理得一塌糊涂，民不聊生，国人写了《蔽苟》一诗来讥刺他。

到了南北朝时，梁元帝萧绎幼年聪睿俊朗，天姿英发，五岁即能口诵《曲礼》，六岁时为父做诗曰："池萍生已合，林花发稍稠。风入花枝动，日映水光浮。"他长大成人后，博览群书，下笔成章，文不加点。军旅书翰，策令诏语，都是自己亲自挥毫，从不假人之手。他平生著述颇丰，先后撰写编著《金楼秘诀》、《古今同姓名录》、《江州记》等书籍四十二种，共七百多卷。他还精通书画，自画孔子像，并作赞语，自己书写，世称三绝。他如改行当艺术家，也许会名垂后世，然而作为皇帝，却将国家人民带入了水深火热的境地。

晋代惠帝有一个很聪明的太子。此人不喜读书，也不喜执政，偏偏喜欢学做买卖。即位后，他在宫里面按市场的样子建造店铺，自己打扮成商人大声叫卖。他让爱妃当酒保，自己当伙计。还在苑中开渠引水，在岸边设立肉铺，自己操刀卖肉，让爱妃卖酒。他竟锻炼到可以用手来估"肉的斤两"不差分毫。

作为总管方方面面的人，必须学会识大体、知大体而弃细务。东汉名臣陈蕃说："大丈夫应当扫除天下，怎能只留心收拾屋子这些琐事呢？"

3. 小事糊涂，大事不糊涂

曾有人在报纸上提倡，一周里有几天不要看报纸。在美国，从 1995 年开始，有人倡导一个活动叫做国家无电视周，今天已经有五万所学校响应这一活动。在那个完全不看电视的星期之后，大多数人都感觉到变得更有创造性和想像力。

无论是不看电视还是不读报纸，道理其实都很简单：如果天天被各种"消息"所淹没，反而会忽略真正需要注意的东西。远离那些"无微不至"的琐碎消息，而把时间留给自己来思考世事，好处要大得多。

吕端，字易直，河北人，后晋兵部侍郎吕琦之子。后周时曾任著作佐郎，入宋之后，历任成都府、蔡州（今河南汝南县）主管，在公元 995 年继吕蒙正为宰相。

据说宋太宗想任命吕端为宰相的时候，有人对太宗说："吕端为人糊涂。"

太宗则说："吕端小事糊涂，大事不糊涂。"

据《宋史·吕端传》记载，公元 997 年，宋太宗病危，吕端每天都陪同皇太子（宋真宗）入侍，探问病情。

内侍王继恩嫉恨太子英明过人，私下里勾结参知政事李昌龄、殿前都指挥使李继勋和知制诰胡旦，图谋拥立因纵火焚宫而被废除的太宗长子楚王赵元佐，替代太子。

有一天，吕端循例到宫禁中去探问皇帝的病情，发现太子不在皇帝身边，怀疑其中有变化，就写了"病危"两个字，命令亲近可靠的官员请太子马上入宫侍候。

太宗死了，李皇后叫王继恩来召吕端进宫。吕端知道事情有变化，马上哄骗王继恩，让他领着进书阁查检太宗先前亲笔所写的册立太子的诏书，然后把王继恩锁在书阁内，这才入宫。皇后说："陛下业已驾崩。立嗣以长子（指赵元佐）才顺乎传统。"

吕端说："先帝立太子，正是去年的今天。现在天子刚刚离去，难道可以马上就违抗天子的命令，在王位继承人问题上提出别的不同说法吗？"

说完，拥着太子到了福宁宫，派人严加保护。

宋真宗登上王位后，在举行登基仪式时，天子座位前垂着帷帘接见群臣。吕端平静地在殿下，先不拜天子，而是请求天子卷起帷帘，他上殿仔细看过，认清了的确是原太子，然后才下台阶，带领群臣拜见天子，高呼万岁。

接着，吕端大刀阔斧地把几个反对派驱逐出权力中心。

吕端设思深远，态度镇静，老谋深算，在预知王继恩等人的计谋后，审慎防备，先果断锁住王继恩，防止节外生枝。然后以先帝的名义和顾全大体的理由说服李太后，到真宗即位后，还想到卷帘验明正身，虽属犯上之举，但却是非常时期不可忽视的一道程序。

最后，为真宗清除异己，稳固其地位，也是政治斗争的必经程序。从这一系列步骤来看，吕端的确不愧"大事不糊涂"的美誉。小事不糊涂，不能说是有见识；大事一定不肯糊涂过去，这就是大智慧。

社会虽然复杂多变，但它总有其规律可循的。一个人对于社会而言虽然渺小无比，但是如果对它从长远和整体上进行了解和认识，那么就会逐渐聪明强大起来。

4. 观远数，识大道

很多人能"详小事、察近物"，却不能"观远数"和"识大道"，"远数"和"大道"是指光明足以普照四方，智慧足以统帅万物，手中的权力足以应付变化万端的时局，推行的义举足以使经济繁荣，威望足以遏止对手发难。能够辨别下属们反映的情况是否实事求是，然后通过实际行动来明白兴废的根源，精通安危的界线。

宋真宗时，鲁宗道在做右正言之官。一次，皇上召见他。使者到他家，却找不到他。过一会，他从酒市饮罢归来。使者怕他难堪，与他相约说："皇上若怪先生来迟，当以什么理由来回答？"

鲁宗道说："以饮酒实情相告。"

使者说："这样，皇上会降罪。"

鲁宗道严肃地说："饮酒是人的常情，欺君则是为臣的大罪。"

使者回去把鲁宗道之言如实禀报。真宗问鲁宗道说："你私自跑到酒家去，是何缘故？"

鲁宗道谢罪说："我家里贫困，没有酒器，而酒家具备。恰好有乡亲远道而来，我请他去吃酒。我已换上便服，市人没有认识我的。"

真宗笑说："你是朝臣，恐怕要被御史弹劾。"

然而从此很看重他，以为他可大用。

许多人出了问题，第一个念头就是如何找个理由辩解，往往是越描越黑。但鲁宗道却反其道而行之。这不仅是体现了一个人的品格，更体现了高超的智慧，那就是平常人们所说的"识大体"，能分清事情的大小。所谓"巧诈不如拙诚"，鲁宗道的所为，其实正说明"大智慧高于小聪明"的道理。

很多人都把"施恩不图报"看作是一个人道德高尚的标志之一，然而，圣人孔子却明确反对这一点，强调施恩图报。

春秋时期，鲁国的法律规定：如果一个鲁国人做了其他国家的人的臣妾奴仆，凡是有人能够帮助他们赎身回到鲁国的话，赎人的人可以到国库中取回自己花费掉的资财。

孔子的学生子贡从别国把一个鲁国人赎了出来，但是却没有去国库之中取回自己花掉的银两。

孔子知道这件事后，对此评价说："子贡在这件事上做得并不正确啊！圣贤之人所做的事情，可以带动社会风气的变化，从而对普通百姓起到言传身教的作用，而并非仅仅是成就个人的美德。现在鲁国富有的人少而贫困的人多，如果子贡赎回人后，从国库中取回自己所花费的钱，对个人的德行修养并没有什么损害。但如果所有赎人的人都效仿子贡，不去取自己的钱，那么再不会有人去赎回自己的同胞了！"

后来，孔子的另外一个学生子路救起一个落水者，那人送给他一头牛以报答他的救命之恩，子路接受了这份礼物。孔子知道这件事后，满意地说："以后鲁国搭救落水者的人就会多起来了！"

施恩不图报，当然是一种高尚的品德，是君子的风范。孔子当然明白这一点，他之所以劝子贡和子路收取回报，是考虑到这件事情的社会效应。

以前社会提倡拾金不昧，现在社会允许拾金者收取一定比例的酬谢，这是为什么呢？因为对拾金者给予一定的奖励，其实是对他美德的肯定和激励，这样做有利于良好的风气的形成。

再说，有时候，做好事是要付出很大成本的，这时更要给做好事者一定的补偿了。比如子贡花自己的钱赎回鲁国人，如果不求分文回报的话，他能有多少钱去做好事呢？再如今天法律规定不许猎杀野生动物，但野生动物如果破坏了农民的庄稼，国家就应该给予一定的补偿，否则他哪来的积极性呢？

用平凡的眼光来看这两件事，子贡不取赏钱，似乎胜于子路接受别人的牛。而孔子却肯定了子路而贬斥子贡，是想告诉我们，评价一个人做的事是不是好事，不能以一个人为标准，而应看天下人能否做到，尤其不能只看眼前的行为，而应看其长远的效果和影响；不能只看一时，而应看到长远。所谓人无远虑，必有近忧，人的远虑是最具战略意义的反映。

作为领导，在处理事情时，不能只看这件事本身的得失，一定要考虑到长远影响和社会效应，要善于从大局权衡得失利弊。

5. 责其大指而不苛求小处

清咸丰十一年，曾国藩写信给胡林翼，其中有一段话用身体与六位的关系来形容战事的全局与要害，他说："肢体虽大，针灸不过数穴；疆土虽广，力争不过数处。"

在战争中占领了战略枢纽，就在全局中占有了优势。天同此理，在政治和生活中如果抓住了问题的要害，也就把握了事件发展的方向，这就是责其大指而不苛求小处的道理。

汲黯是濮阳人，汉武帝时候推行黄老哲学的一个人物。

据司马迁记载："黯学黄老之言，治官理民，好清静，择贤吏而任之，责大指而已，不苛小。"

当汲黯任东海太守的时候，用这种办法治理东海。只用了一年多时间，东海就大治了。

汲黯的这种黄老哲学符合一个原则，就是"上无为而下有为"。

汲黯管理督促他的属下，叫他们把事情办好，这就是"下有为"，在叫他们办事的时候，要给他们一定的理由。汲黯只"责大指，不苟小"，说的就是这个意思。他并不亲自办事，这就是"上无为"。汲黯的身体不好，经常害病，但他能够责成他的属吏替他办事，这是法家的办事方法。洞察力过于高超，未必能带来好的结果，因为这种人容易从小的地方观察入微，有时反而会忽略了大的问题。而且，能把毫厘之差算得一清二楚的人，经常忽略对天下形势的了解；对小事一点也不放过的人，对于大事常常会感到困惑不解。

战国时期，孔子的一个学生做单父县长，齐国人攻打鲁国，单父是必经之地。

单父的老人们向孔子请求说："地里的麦子已经熟了，请你任凭人们出去收割吧！不要管是不是他种的。让单父的百姓增加些粮食，总比留在地里，让敌人获得资助强些。"

他们请求了三次，孔子都不同意。

不多久，齐兵就来了，抢走了麦子。季孙氏听说以后很心疼，派人去把孔子拐弯抹角地骂了一顿。

孔子生气地皱着眉头说："今年没有收到麦子，明年可以再种。如果让不耕种的人趁机获得粮食，就会使他们越发希望有敌人入侵。单父一年的小麦能否收到，并不影响鲁国的强弱。如果使老百姓有了侥幸获取的心理，世风坏了，对鲁国所带来的损害几代人都恢复不过来。"

季孙氏听了十分惭愧，他说："如果入地有门，我难道还有脸去见孔子吗？"

孔子的做法对于解救危难似乎有点迂腐，但对于维持国家的长治久安则关系甚大。有了长远和总体的把握，就如多了一只眼睛。这只眼睛长在身外，高屋建瓴，从上往下俯视，全局了然。

这样，每当遇到问题的时候，能看到自己，也看到对方；看到事件之内，也看到事件之外；看到现在，也看到过去将来，因此能做出英明的决策。

6. 秉要执本抓关键

有人说：聪明勤奋的人可以做参谋，又笨又懒的人可以做士兵，又笨又勤奋的人只会添乱。

将军之所以能够懒惰，是因为他很聪明，这种聪明在很大程度是因为他懂得选拔利用人才，而不去亲自做应该下属做的事，这是秉要执本。

《汉书·艺文志》："秉要执本，清虚以自守，卑弱以自持，此君人南面之术也。"秉要执本是统治的智谋，领导的艺术。那些不会做领导的人，伤形费神，愁心劳耳目，结果是管不好单位，做不出成绩，因为他不懂得抓住根本。

挑选管理者，要挑选那个能够把事情管好而不是做好的人。作为领导，正是因为不必事事操心，所以才能统筹众多有才能的人。问题大都是相对而言的，除了必须解决的问题之外，大多数问题都可以忽略，如果要先解决掉所有的问题才行动，那就什么也做不成。

汉惠帝时，曹参为齐国丞相，萧何死后，曹参被召往长安继任萧何。分别的时候，他嘱咐继他任齐相的人说："要把齐国的刑狱和集市留意好。"

继任的齐相问道："国家的政治没有比这些更重要的事情了吗？"

曹参说："监狱和集市都是安排坏人的场所，你现在如果处理不好二者的平衡关系，把坏人安置到什么地方去呢？"

很多人在工作中不懂得抓大放小，没有学会把责任分摊给其他人，坚持事必躬亲，但结果往往因为很多枝枝节节的小事，搞得局面非常混乱，而总觉得很匆促、忧虑、焦急和紧张，陷入各种日程中不能自拔。

战国时，郑国的相国景差有爱民如子的名声。有一天，景差坐着马车带着随从外出，出都城走了一段路，发现前面车马拥挤，道路堵塞，景差让随从上前察看。原来前面很长一段路淤泥堆积，坑坑洼洼，车马每行到此便难以前进，人只好下车去拼命推拉那些车马，搞得十分狼狈。

景差命自己的随从都下去帮忙推车拉马，自己也下车指挥，使混乱的局面慢慢变得有秩序起来。

又有一次，景差坐车经过一条河边，只见一个老百姓卷起裤脚走过河，因为时值隆冬，那人上得岸来，两条腿已经冻僵，全身也哆嗦成一团。景差看到这个情况，赶紧叫随行的人把那冻得浑身发紫的百姓扶到后面的车上，拿过一件棉衣盖在他身上。好半天那人才缓过气来，对景差真是千恩万谢，感激不尽。景差关怀老百姓疾苦的事情传开了，大家都称赞景差是个了不起的人。

可是晋国大夫叔向却与众人持相反的态度。叔向说："作为一个相国，景差并不称职，只不过是个庸才罢了。假如他真正胜任本职工作，就该对交通情况、桥梁道路了如指掌。对泥泞的路面及时加以维修而不至于到了走不通时去指挥疏通。至于桥梁，他该在春季就动员百姓把河沟渠道清理好，在秋季就组织人力物力将渡口桥梁修复、架好。到了寒冷的冬季，连牲畜都不能过河了，何况人呢？"

可见景差胸无全局，不会深谋远虑，算不得称职的相国。

与秉要执本相对的是事必躬亲。将将就是秉要执本，将兵就是事必躬亲。对普通人而言，事必躬亲是个人风格，无可厚非，但对于领导者来说，事必躬亲却是管理的大忌，对于整个集体的运转可能是致命要害，如果什么都亲自过问，一竿子插到底，实际上是越俎代庖，那还要手下的人干什么呢？

更大的危害还在于，事必躬亲一方面使下级感到不被信任，另一方面还会使下级的下级不听上司的话而直接亲附于你，从而造成职责不明，政令不通，人际纠葛不清，矛盾斗争尖锐。

所以，事必躬亲实际上是领导无能的代名词。正是想通了这些道理，丙吉才能够"问牛不问人"，知大节，识大体。问题在于，很多领导人，包括英明的领导人都想不通这一点。诸葛亮七出祁山时，工作起来废寝忘食，凡是处罚二十棍以上的事都要亲自过问。他的老对手司马懿听说后，不以为然地说："吃得少，又事必躬亲，哪里是长久之计呢？"

当然，诸葛亮也有他的难处，所以他说："吾非不知，但受先帝托孤之重，惟恐他人不似我尽心也！"说到底，还是不懂得秉要执本的重要性，只不过反映在对下属信不过而已。

7. 忽小利而存大义

掌握了权力，并不意味着永远可以占有权力，如果掌权者只顾为自己捞取好处，刻薄待人，恩惠不施，人们就会心怀怨恨，处处拆台，惟盼他早日完蛋了。一待变乱而起，他们便是潜伏的生力军，力量是十分惊人的，自会加速统治者的覆亡。

所以明智的掌权者，会让人以利，收服人心，从根本上杜绝后患，以保大局无失。

李存勖是后唐帝国的皇帝，他灭掉朱温所建的后梁等国，一时威震天下。

与此同时，李存勖便骄狂日甚，荒淫放纵。

他自以为江山永固，索性每天不理朝政，只是忙着看戏玩乐，对臣下军士也日益刻薄寡恩，不像从前跟后梁作战时那样略有赏赐了。

李存勖的皇后刘玉娘，比李存勖更为贪婪和吝啬。她趁李存勖淫乐嬉戏之时，把持朝政，所做的事都与捞钱有关，且从不赏给臣下分毫。

这年中原大旱，后唐将士缺衣少粮，父母妻儿只好到郊外挖掘草根充饥，常常是倒地即死，情景十分凄惨。

面对军心浮动，国将不国的严重局势，后唐宰相上奏刘玉娘说："事态紧急，刻不容缓。将士乃国家之基石，怎可不加救助？还望娘娘以皇权为重，暂以皇宫中的金银绸缎救急，让濒死将士养家度难。如今国库空虚，一待有所充足，定如数归还。"

这本是维系后唐，为皇上着想的上上之策，不料一听到借钱，刘玉娘竟似剜她的骨肉一样大发雷霆。她派人只取来两个银盆，对他说："宫里的东西就只有这些了，你卖掉作军饷吧。"

宰相明知皇宫里的财宝堆积如山，此刻却不敢分辩。他长叹一声，认定后唐必亡无疑，索性也撒手不管此事，再不进言。

不久，李存勖手下的大将李嗣源在邺都叛变，李存勖御驾亲征，大军走出不远，怨恨冲天的后唐将士便纷纷逃向叛军投降。李存勖见事态不妙，这才极力向将士们示好，一再声言即行颁发赏赐，决不食言。

李存勖的把戏这会早让将士们看穿了，他们咬牙切齿，愤愤地说："我们的父母妻儿已然饿死，皇上见死不救，这会纵是搬来金山银山，也不能让他们复生了，又有什么用呢？"

他们发动了兵变，李存勖全族被杀，自己也被乱箭射死。刘玉娘带着两包珍宝逃到太原，躲进尼姑庵为尼。将士们对她穷追不舍，直至把她抓获，绞死了事。

既要看到眼前，又要考虑到以后，方可谓知小大之辨者，有些人目光短浅，往往为眼前利益所诱惑，而不顾由此而带来的恶劣后果，待到灾祸来临，悔亦无济于事。

高欢是东魏丞相，他审时度势，独揽朝政，培养起强大的政治势力，其子废东魏而建立了北齐政权，高欢也被后代尊为北齐神武帝。

公元519年，他还未入仕途，一次，他从洛阳回到家里，拿出全部家产来交结宾客。亲友们感到奇怪，就去问他。

他回答说："我到洛阳，看到宿卫羽林军士相继焚烧领军张彝的房舍，朝廷害怕他们作乱而不加过问。国家的政治已到了这般地步，其前途也就可以知道了。财物岂是可以常守的吗?"

不着眼于未来，小事情明白，大道理忽略，对身边的人和事一清二楚，对长远的问题却稀里糊涂，自古以来没有不因此而误事的。高欢能从世事看到隐藏其中的危险。看似平易的智慧，却足令后世贪利亡身的蠢人汗颜。

第二节　龙蛇屈伸方圆之道

◆安身处世要懂得进退，既有原则又要灵活。由于种种原因，人有时不得不违心地处世待人，在此种情势下，亦应相应采取补救之策。

◆时势变迁，事物的发展也随之变化，因而对策也要随之改变。做人须内里端方正直，对外灵活圆通。笔直的树木不能形成阴凉，过于直率的人容易得罪人，就不会有朋友。

◆与人相处要随和之中有耿直；处理事情要精细之中有果断；认识道理要正确之中有通达灵活。

◆以正直克己持身，贵在处世有灵活变通不固执己见的权变。

1. 临危不惧真君子

屈是为了伸，屈身本是蓄志。不屈难以伸展，不屈身志从何展？

曾国藩的"屈身"表现在他与君与僚属的共同处事上，这种屈身来自于他对中国传统文化的体验，来自一种儒释道文化的综合。

曾国藩学养深厚，才能做到"凡规划天下事，久无不验"。他能总揽全局，抓住要害，表现出高超的战略水平，以致"天子亦屡诏公规划全势"（李鸿章语）。正因为他学养深厚，才能慧眼识英才，看得准识得透，大凡他所举荐的人，"皆能不负所知"，李鸿章对此格外佩服，称他"知人之鉴，并世无伦"。

遇事慌乱，是成功者的大忌。尤其是在面临比自己强大的对手时，如果乱了方寸，更会受制于人，落人失败的泥潭。在危机发生的时刻，只有让自己保持头脑的清醒，才可能在电光火石的瞬间看出对方的破绽或是问题的要害，从而找出破解之法。

陈平在当初投奔汉王刘邦的时候，曾发生过一宗险事。

那是春夏之交的时节。一天中午，天空灰蒙蒙的，碧绿的田野一片静寂。这时，从楚王项羽的军营里走出一个人，身穿将军服，佩带一把宝剑，警戒地四下看着，顺着田间小路，急匆匆地向黄河岸边赶去。

这个人就是陈平。他偷渡黄河去投奔汉王刘邦。

陈平赶到河边，轻声叫来一艘渡船。只见船上有四五个人，都是粗蛮大汉，脸上露出凶相。

当时陈平早已觉察到，上这条船有些不妙，但又没别的去路。

他担心误了时间，楚兵会很快追赶上来，只好上了船。

船只慢慢离开了岸，陈平总算松了口气，但他敏锐地观察到，船上这几个人窃窃私语，相互递着眼色，流露出不怀好意的举动。

"看来是个大官，偷跑出来的。"

"估计他怀里一定有不少珍宝和钱，嘿嘿。"

坐在舱内的陈平听到船尾两个人这样低声议论，并发出阴险的笑声时，不禁有些紧张。心想："他们要谋财害命！我虽然身上没有什么财物和珍宝，我只是独夫一个，只有一把剑，肯定敌不过他们。如何安全地摆脱危险的困境呢？"

这时船到了河中央时，速度明显地减缓了。

"他们要下手了，怎么办？"陈平在上船时已考虑了一计策。

他从船内站起来，走出船舱说："舱内好闷热啊！热得我都快要出汗了。"

陈平边说边佯作若无其事地摘下宝剑，脱掉大衣，倚放在船舷上，并伸手帮他们摇船。这一举动，出乎他们的预料，使他们一时不知道该怎么办才好。

陈平很用力地摇船。过了一会儿，他又说："天气闷热，看来要来一场大雨了。"

说着，又脱下一件上衣，放在那件外衣之上。过了一会儿，再脱下一件。

最后，他索性脱光了上衣，赤着身子，帮他们摇船。

船上那几个人，看见陈平没有什么财物可图，就此打消了谋害他的念头，很快把船划到对岸了。

陈平在这样的情况下，以他一介文士的身份，不论是向船家极力辩解还是凭一时血气之勇拔剑与船家展开搏斗，恐怕都难以逃脱被船家杀害的结局。

陈平能在间不容发的紧张瞬间想出办法，不露声色地把危机消解于无形，不愧为处事的高手。

缓兵之计不只需要察言观色，耐心等待，更需要审时度势采取不同的对策。假如让一般迂腐之人处理此事，必会想出一番大道理来与他们辩论，这不但会激怒对方而危及自身，也会使对方志在必得，甚至狗急跳墙，以刀兵相逼，使局面无任何回旋的余地。要登上台面，有时必须先把自己的真实想法放到一边，先适合别人的需求，然后曲折求进。如果一言不合便不再努力，就连一丝成功的机会也没有了。

诸葛亮的空城计是以无示有，给敌人造成迷惑；而陈平是以无示无，消除对方的怀疑。但归根结底，目的只有一个，就是最大限度地保全自己。

计谋要活用。要见机行事，随势而变。

一是一切，一切是一。计谋也是如此，千变万化，总是不离其宗。

2. 拉长战线，以时间换取空间

《周易·系辞下》："尺镬之屈，以求信也；龙蛇之蛰，以存身也。"为了实现最终的目标，在敌我力量对比比较悬殊的时候，不必逞强，也不必硬拼，只需要用缓兵之计避开锋芒。蜷缩起身子，夹起尾巴倒退几步，同时寻找起身直腰时怎么行动，瞄着更远的地方，寻思怎么冲过去。在卑贱让步、诚恳憨厚和虔诚友好等等的背后，是极其紧张的谋划报复、攫取反击。

汉惠帝在位七年，朝政大权实由母亲吕后掌控。惠帝死后，这个做母亲的丝毫不感到伤感，反倒是担心自己的政权能不能巩固。

留侯张良的儿子张辟强入朝服侍天子，年方十五，他向垂相王陵、陈平说："太后只有惠帝这一个儿子，为什么现在惠帝驾崩，太后却一点也不伤心？想必是因为接位的少帝年幼，太后担心朝中旧臣夺权，威胁到她的地位。假如垂相能奏请太后娘家的人出任朝中要职，令太后安心的话，则丞相等当可免于祸患。"

王陵、陈平深以为然，便依张辟强建议奏请太后；太后大悦，心安之后才真正为儿子的过世感到悲哀，伤心地哭了起来。新立的少帝是个傀儡皇帝，国家的政诏号令皆由吕后所出；吕后后来干脆把少帝丢到一旁，自己临朝称制。

为了扩大势力，吕后打算分封吕氏子弟为王，却怕朝中大臣反对，便先试探性地询问王陵和陈平等诸位大臣的意见。王陵对吕后的意图大为反对，他说："当初高祖在世，率诸大臣向上天盟誓，'非刘氏而王者，天下共击之'。现在太后想封吕姓为王，显然大大违背了高祖的意思。"

吕后听了王陵的话后很不高兴，转而问陈平和太尉周勃等人。陈平等明了吕后的私心和企图，知道封诸吕为王一事势在必行，就算所有大臣都反对也没有用，便说："高祖平定天下，分封诸子弟为王；如今太后称制临朝，执掌天下，封吕姓为诸侯王也是理所当然。"

吕后见陈平等人附和自己的意见，就不顾王陵一人的反对，遍封吕氏为王。罢朝后王陵责骂陈平、周勃等人，说："我们随高祖征战天下，千辛万苦才建立汉朝基业，现在却转眼就要葬送在一妇人之手！当高祖杀白马向上天盟誓之时，各位不也在场吗？如今却背盟弃约，迎从太后之议，各位死后有何面目见高祖于地下？"

陈平、周勃说："在朝堂上据理力争，维系大义所在，我们是比不上你；但若论保全国家社稷，存续刘氏命脉，恐怕你就不如我们了！"

王陵辞穷，无以应之。

而吕后则因为王陵不顺从她的意见，便罢免了他的丞相之位，迁任他为少帝的老师。王陵知道吕后存心架空自己，便上表称病辞官，回归乡里。

至于留在朝中的陈平、周勃等人，他们表面上服从吕后，实则心向刘氏。几年后吕后驾崩，就在这批老臣的策动之下消灭了诸吕，平定了汉朝初年外戚窃权的危机。

陈平和周勃采取的是"拉长战线，以时间换取空间"的策略，反吕势力虽成，但也不宜贸然有所动作，否则将伤害国家百姓。陈平一直等到吕后驾崩才动手，可说顺势而为，带给国家的伤害也最小，不愧为老臣谋国之道。

3. 当柔则柔，当刚则刚

血性男儿，身性不可无刚，但不能"刚"过了头，过了头便是"暴"。历史上，多少君王流于"暴"呢？他们之暴种下的祸根，有的报在自身，有的报在子孙！惹下政变、杀身之祸并不奇怪。因此，刚与柔要并济，是做人的又一策略。

一般来说，男儿"刚"时为伸，"柔"时为屈，当柔不柔，也就等于当屈不屈，屈伸失衡，焉有不败之理。

柔，有时也是忍，忍也是屈；刚则是伸，暴是"刚"得过头的结果。从这一角度说，忍与屈，同样可以制暴。

不懂伸应有时有限，屈与伸的尺度掌握不好，在别人的眼里，你要么是一个暴徒，要么是一个懦夫。

人生在世，当柔则柔，当刚则刚。单柔不能成事、单刚不能立威之时，不妨刚柔并济、或者刚中见柔、柔中藏刚。

世人应当明白：内"刚"固可喜，若外亦"刚"则堪忧矣。

外柔内刚，就是自己有主见，有原则，不同流合污，而在行动语言上委婉、圆转、不恃强、不凌弱，不与人攀比，不争口舌之胜，不显贵露富。

战国时的赵国人蔺相如临大事时刚中见柔、柔中藏刚，可谓是深明其理、深得其味之人。

公元前229年，赵惠文王应秦昭襄王之邀，会晤渑池。饮酒间，襄王为显自贵，让手下人托出琴来，请文王弹奏，以助酒兴。文王不便推辞，抚琴一曲。

曲罢，秦昭襄王得意地大声令御史记下这件事，说某年某月某日，两王饮酒，赵惠文王为秦襄王弹曲以助酒兴。

随文王而至的蔺相如见文王受辱，心生一计，将桌上装菜的瓦罐拿起，走到襄王面前说：赵王听说秦王精于秦声，我特捧上瓦器，请求秦王击而歌之，相互娱乐也！"

秦王不理，蔺相如则高举瓦罐，凛然发威道："秦王若不答应，我当血溅大王之身！"

秦王无奈，在蔺相如所提的瓦罐上敲击了几下，蔺相如便让随行的赵国御史记上：某年某月某日，两王相会，秦襄王为赵惠文王击缶。

在渑池之会上，蔺相如保住了文王的自尊，挽回了面子，文王觉得蔺相如堪称奇才，于是更加重用，升为上卿，官位比战功赫赫的大将廉颇还高。

廉颇不服，时时伺机羞辱蔺相如，蔺相如为了不与廉颇发生正面冲突，见了他的马车队伍，便远远地躲避，使得手下人慢慢地看不起他。一日，手下人一块找蔺相如说："我们远离故土，投奔到你的门下，是觉得你是个顶天立地的大丈夫！现在，你的官越当越高，却越来越懦弱，见了廉将军，连照面都不敢打就躲，我们都觉得耻辱！所以，我们要离开你！"

蔺相如长叹一声说："廉将军与秦王比，谁更厉害？"

手下人答："自然是秦王厉害。"

蔺相如说："秦王厉害，我都敢当面侮辱他，轻视他的群臣，难道我还单单怕一个廉将军吗？我让他容他，是因为我明白，两虎相斗，必有一伤！而我们赵国，正是有我和廉将军同在，秦国才不敢侵犯我们，我是先把国家的安危放在首位，而不计较个人的得失啊！"

这些话传到了廉颇将军的耳中，明事理的他终于明白了蔺相如的胸襟气度和良苦用心，深感羞愧的廉颇诚恳地向蔺相如"负荆请罪"后，两人重归于好，握手言和。

对于敌对者，要制服他要压制他，就得用"刚"，而且越"刚"越好！渑池之会上，蔺相如若不手持瓦罐，以视死如归之"刚"，又怎么能令骄傲蛮横的秦襄王"甘心"为赵王击缶呢。

知道了忍让的必要性，蔺相如方能容忍廉颇的羞辱：几次三番地退避，甚至以不出门、不上朝来达到"让"的目的，实是需要有智者的修养方可拥有的忍让技巧。

正如老子所言："知其雄，守其雌，为天下谿。"人生应有怀刚守柔的意识，不为无谓的雌雄之争而抛却人生的使命。

当然，不能一味地强调明哲保身、全身远祸，而是强调既谦下，又当仁不让，顺其自然，当柔则柔，该争则争。一味地谦下，不是虚伪，就是窝囊。人要是窝窝囊囊活着，既活得没有人格，也不利于养生。所以，一方面要做个"守柔不争"的谦下君子，另一面也要当仁不让。不过当仁不让，也需要策略。这就是以柔克刚，不争则已，争则胜之。

总之，待人处世不能一味讲"柔"，更不能一味忍让，刚柔相济者才能成为真正的智者。

4. 邦有道则智，邦无道则愚

人生应有怀柔的意识，当我们理解了《菜根谭》中"执拗者福轻，而圆融之人其禄必厚；操切者寿夭，而宽厚之士其年必长。故君子不言命，养性即所以立命；亦不言天，尽人自可以回天"之言，自然能够平衡内心与行为，行事处世方能达及外柔内刚之道。

孔子曰："宁武子，邦有道则知（知通智），邦无道则愚。其知可及也。"宁武子就是宁俞，他是春秋时期卫国的大夫。在他辅佐卫文公时，天下太平，政治清明，宁俞表现出非凡的才干。然而，当卫文公的儿子卫成公执政后，国家则发生内乱，宁俞则糊涂起来。显然，这是他明哲保身之道。身为国家重臣，不暂时保住性命，将来何谈治理国家。后来周天子出面，诛杀佞臣，政治出现清明之象，宁俞又聪明大显，辅佐卫成公大治国家。

由此可见，孔子是很欣赏宁俞这种"邦无道则愚"的做法的。在聪明中见屈，在糊涂中藏伸，才是真正掌握了屈伸之精要。

愤世、避世、玩世、混世、厌世、欺世都不足取，顺应自然，方可刀枪不入。

孔子云："死生有命，富贵在天。"即所谓"人算不如天算"。因此，顺应客观，万事不可强求。

"世态有冷暖，人面逐高低"，在世事的变化无常面前，只有顺应变化，方能安时处顺。时间是消除偏见、误解，缓解紧张情绪的最好的催化剂，因此，待人处世要有诚心、有耐心、有方法，要顺应过程。

人生在世若能首先找准自己的位置，处理好自己与社会与他人之间的关系，顺应社会，入乡随俗，自然就会一通百通。

第四节　尽性知命

◆热衷于名利，汲汲于名利的人，在欲望的泥沼里越陷越深，终至无法自拔；等到眼前无路的时候，再想回头，为时晚矣！

◆时刻保持清醒的头脑，要拿得起放得下，要以一颗平常心去看待尘世中的是非成败。真正做到不以物喜，不以己悲。

◆应该属于你的，别人是抢不去的，不该属于你的，即使你争夺来了，也不会长久。"舍"就是"得"，养廉就是护身。

◆在死亡面前，每一个人都是平等的。但人人都害怕死亡的降临。这正是人之所以轰轰烈烈去活着的原因，也正是有很多人做出一些糊涂的事情的根源所在。

◆"布衣可终身，宠禄岂足赖"，一切都不过是过眼烟云，荣誉已成过去时，不值得夸耀。

◆官场少有常青树，财富总有用尽时，若练得宠辱不惊，去留无意的功夫，又怎会有凄凉与悲哀。

1. 生死由命，知死乐生

齐景公在牛山上游览的时候望着都城临淄，泪流满面地说："美丽的国都啊，草木多么茂盛！为什么随着时光的流逝，万物都要死亡呢？假若从古到今没有死亡，那么我将离开这里到哪里去呢？"

他的两个大臣史孔和梁丘据也跟着流泪："我们依靠君主的恩赐，饭菜可以吃饱，车马可以乘骑，看见死亡临近，心情都很悲伤，何况我们的君主呢？"

他们说的这些话，被旁边的晏子听到了，晏子在旁边独自冷笑着。

景公看见晏子笑，便回头问他："我和我的大臣触景伤情有什么值得你发笑呢？"

晏子说："假如贤明的君王不生老病死，那么你此时只会在农田里，哪还会有时间触景伤情呢？正是因为一个人离开了君位，才有机会让另一个人被立为君，也才有机会轮到您当上了国君。可笑你身在福中不知福。你却为自己即将死亡而悲伤而哭泣，这是很不仁义的啊！我对不仁义的君王及好巴结的大臣怎能不讥笑呢？"

景公听了十分惭愧，举起酒杯来自己罚自己的酒，又罚史、梁两人各一杯酒。

人们常常对自己即将失去的权、势、钱等忧伤不已。殊不知，这些东西是不可能永远占有的，一味沉遨于这些东西之中终会把自己毁了。要想开些，把功名利禄看作过眼烟云，得而不喜，失而不忧，以超然的胸怀对待它们，你才会摆脱它们的束缚，真正做到不以物喜，不以己悲，则可以超然物外，做一个自由自在的人，快乐幸福的人。

庄子的妻子死了，惠子前去吊唁，见庄子不但没有哭泣，反而两腿平伸岔开坐在那边，边敲着两腿中间的瓦盆，边大声唱着歌，惠子不解，问庄子："你妻子和你生活在一起那么久，为你生儿育女。现在她老死了，你不哭也就罢了，又敲盆唱歌，是不是太过分了！"

庄子的回答是："不像你说的那样，她刚死时，我也难过、哀伤，后来仔细一想，从根本上说，连生命的气息也没有，起始，她仅仅是夹杂在恍恍惚惚，若有若无的状态中，而后才有了生命的气息，这种气息变成了形体，形体再变就有了生命，现在又变为死。这就好像春夏秋冬四季循环运行一样。她平静地躺在宇宙这间巨大的居室里，而我却在她身边嗷嗷大哭，我认为那是没有彻悟生命的本质，后来就不再哭了。"

生生死死，四季更迭，乃是大自然的客观规律。不管人们如何讨厌死亡，惧怕死亡，死亡终究会降临。在死亡面前，每一个人都是平等的。这个道理，似乎大家都明白，但人人都害怕死亡的降临。这正是人之所以轰轰烈烈去活着的原因，也正是有很多人做出一些糊涂的事情的根源所在。

庄子面对死亡的态度，源于他对生命本体的大彻大悟。这是一种人生的大境界。什么事情一旦看得开了，自然就会心情坦然而旷达。

2. 布衣可终身，宠禄岂足赖

《菜根谭》云："宠辱不惊，闲看庭前花开花落；去留无意，漫随天外云卷云舒。"意思是说，对于一切荣辱都无动于衷，用安静的心情欣赏庭院中的花开花落；对于官场的升迁和得失都漠不关心，冷眼旁观天上浮云的随风聚散。

在作者洪应明看来，许多人羡慕名利地位，殊不知当官容易罢官难。当身居几品官位时，有人很为自己骄傲陶醉，而一旦让他下去做一个平民百姓时，就会失去心理平衡，犹如跌进了深渊一样。所以雄心万丈地在仕途进取的同时，也很有情趣地在做出世准备，免得从金字塔一落千丈时万劫不复。官场少有常青树，

财富总有用尽时，若练得宠辱不惊，去留无意的功夫，又怎会有凄凉与悲哀。

孙叔敖原来是位隐士，被人推荐给楚庄王，三个月后做了令尹（宰相）。他善于教化引导人民，因而使楚国上下和睦，国家安宁。

有位孤丘老人，很关心孙叔敖，特意登门拜访，问他："高贵的人往往有三怨，你知道吗？"

孙叔敖回问："您说的三怨是指什么呢？"

孤丘老人说："爵位高的人，别人嫉妒他；官职高的人，君王讨厌他；俸禄优厚的人，会招来怨恨。"

孙叔敖笑着说："我的爵位越高，我的心胸越谦卑；我的官职越大，我的欲望越小；我的俸禄越优厚，我对别人的施舍就越普遍。我用这样的办法来避免三怨，可以吗？"

孤丘老人感到很满意，于是走了。

孙叔敖按照自己说的做了，避免了不少麻烦，但也并非是一帆风顺，他曾几次被免职，又几次被复职。有个叫肩吾的隐士对此很不理解，就登门拜访孙叔敖，问他："你三次担任令尹，也没有显得荣耀；你三次离开令尹之位，也没有露出忧色。我开始对此感到疑惑，现在看你的气色又是如此平和，你的心里到底是怎样的呢？"

孙叔敖回答说："我哪里是有什么过人的地方啊！我认为官职爵禄的到来是不可推却的，离开是不可阻止的。得到和失去都不取决于我自己，因此才没有觉得荣耀或忧愁。况且我也不知道官职爵禄应该落在别人身上呢，还是应该落在我的身上。落在别人身上，那么我就不应该有，与我无关；落在我身上，那么别人就不应该有，与别人无关。我的追求是随顺自然，悠闲自得，哪里有工夫顾得上什么人间的贵贱呢！"

肩吾对他的话很钦佩。孔子后来听说了这件事，很有感慨地说："古代的真人，有智慧的不能使他意志动摇，美女不能使他淫乱，强盗不能劫持他，就是伏羲、黄帝也不配和他交游。死和生对于人是极大的事情了，可都不能改变他的操守，何况是官职爵位呢？像他这样的人，精神穿越大山无阻碍，潜入深渊也不会被水沾湿，处于卑微地位不会感到狼狈不堪。他的精神充满天地。他越是给予别人，自己越是感到富有。"

孙叔敖后来得了重病，临死前告诫儿子说："楚王认为我有功劳，因此多次想封赏我土地，我都没有接受。我死后，楚王为了回报我生前的功绩，一定会封给你土地，你千万不要接受富饶的土地。在楚国和越国之间，有个地方叫'寝丘'这个地方土地贫瘠，而且名字很不好听。楚国人信奉鬼神，越国人讲求吉祥，都不会争夺这个地方，因此这个地方可以长久据有它。"

孙叔敖死后，楚王果然要封给他儿子一块相当好的土地，他儿子辞谢不受，只请求寝丘之地，楚王答应了他的请求。

按照楚国的规定，分封的土地不许传给下一代，惟有孙叔敖儿子的封地可以世代相传。

孙叔敖的所作所为，其实并没有什么难理解的地方，但如果真正实行起来，却非一般人所能做到。人在利益的驱动下，往往会做出傻事，很多聪明人都会因利令智昏而犯错误，等到头脑清醒的时候，却一切都悔之晚矣。遗憾的是，在愚人那里，利总是比智的分量更重，而愚人总是占多数。

俗话说得好：风物长宜放眼量。如果孙叔敖要他儿子要求肥沃的土地的话，那么他的后人也不可能安静的生活，虽然牺牲了一些利益，但换来的是安宁的生活。

孙叔敖的智慧在于他懂得不把世俗人心目中的利益看作利益，懂得把别人所厌恶的东西当作自己所喜欢的东西。这也是有道之人之所以不同于世俗的原因。

不一味追求名利，恬淡怡然的生活不也是一种很好的选择吗？

3. 祸来泰然，福来坦然

世间万物皆有其法则，强夺不来，巧取不得。人之福祸，有时同样是难以预料的。

福与祸，本是一对孪生子。老子就曾在《道德经》中说："祸兮福之所倚，福兮祸之所伏。"意即：灾祸中总有幸福隐藏，祸是福的先行凭据；福里不免潜伏着灾祸、危机，福是祸的潜在前提。

自然界中常有不测之事发生，人生之中常有旦夕祸福出现，因而须有"祸来不必忧，福来不必喜"的豁达胸襟。

在福与祸这对矛盾中，须明白不论福也好，祸也好，均是由主客观两方面的原因铸成的。祸患来时要经受得起，把持得住，顺其自然，幸福降至时要冷静对待，淡然处之，方能乐极不生悲。

过于喜欢钱财的人，肯定要伤害自己的身体；肯于把钱财分散给大家的人能得到众人的拥护。

范蠡迁居陶地之后，自称陶朱公。朱公有三个儿子，他们性情殊异，完全不像父亲。

有一年，老二因杀人罪被囚在楚国。朱公的妻子忧心如焚，整日哭哭啼啼，央求朱公搭救儿子。

朱公无奈，只得设法托人求情。他吩咐小儿子说："唉，杀人偿命这是常理。不过千金之家的儿子不该死在法场……你去求求庄生吧，他是我的好朋友，多多带些黄金，供他通关节之用……"

小儿子准备启程，老大却不答应。他与父亲争辩道："我是长子，二弟有难，父亲不遣我去，而遣小弟，这是让人家说我不肖，我不如自杀……"

"唉，让小儿子去未必能救出老二，还是叫老大去吧，不然老二死活不知，再先死了个老大，不是祸上加祸吗？"妻子也劝朱公。朱公没有办法，只得改遣老大。

朱公写了一封密信，交给大儿子，说："老大，这封信是写给庄生的，你到那里先把黄金交给他，一切听他的安排，小心谨慎，千万不能与他争辩……"

"父亲勿虑，儿会见机行事……"

老大收起黄金，自家先留下百两，然后将剩余的装入牛车，奔楚国而去。

老大找到庄生，将黄金和书信交给他。庄生看罢信，叮嘱老大道："这事交给我了，我会设法办妥。你立刻离开这里，万不可久留。你二弟放出后，你不要问是怎么出来的……记住！"

老大走后，庄生将朱公赠金保存起来，拿出自己的积蓄派人送给楚国贵人，以通关节。不久，庄生见到了楚王，说："吾观星辰，将有灾星降楚……"

"何以免灾？"楚王急切地问。

"独以德为可以除之！"

"好吧，寡人下令大赦天下……"

楚国有个贵人得知大赦的消息，马上转告了老大，老大反问道："何以知之？"

贵人说："每次大赦之前，都是先封三钱之府，防备盗窃。昨晚君王已经下令将钱府封上了……"

老大惊喜万分，心想："真是苍天保佑，楚王大赦，二弟必定释放，何必再花千金之财求助庄生？"

他急奔城郊茅舍，找到庄生。

"你怎么还在城内？"庄生惊讶地问。

"二弟没事喽，楚王大赦天下，他一定会平安归家……所以不必再麻烦您了，那黄金我打算带回去……"

"唉！"庄生惋惜地说，"黄金分文未动，你拿走吧……"

庄生本是廉洁之士，闻名楚国，楚王与楚国大夫对他以师相敬。他本来不打算收下朱公黄金，准备事成之后全部送回。

然而老大恋财，根本没想到这一层，连父亲的叮嘱也忘得一干二净。

老大复得黄金，暗自欢喜。庄生却气得浑身发抖。他马上面见楚王说："臣听见路上行人皆言富豪陶朱公之子，杀人囚楚，其家多持重金贿赂大王左右，大王岂能为朱公子而大赦？"

楚王勃然大怒："寡人虽不德，岂可以朱公之子而施惠乎！"

于是下令先杀了朱公儿子，明日再大赦天下。

老大把二弟的棺柩带回了家。亲人和乡邻十分哀伤。只有朱公仰天大笑："我早已断定你这次去楚国必会害了老二，不是你不救二弟，而是你太爱钱财。这不怪你，你从小跟我一起，知道钱财来之不易、生计艰难……而你三弟生在富家，不吝惜金钱，所以我叫他去……算了，莫要悲伤，这一切全是合乎事理的！"

范蠡是第一等的处世高人，他帮助吴王夫差打了天下后，便功成身退，然后跑到海边经商，又很快成为当地的巨富，这足以证明他的智慧超人。

在大儿子去营救二儿子的事情上，他更是有先见之明，他就知道大儿子去楚国肯定救不出二儿子，惟独小儿子去楚国才能救出二儿子。遗憾的是，家中三口人，有两个人反对他的意见，最后妥协让大儿子赴楚国救二儿子，结局跟他预料的一模一样。

范蠡是久经沧海的人，他知道酷爱钱财的人往往办不成什么大事，而那些挥金似土的人往往能成大事。他深知自己的大儿子惜钱如命，哪里会救出自己的二弟呢？因财毁人，因财毁义的事屡见不鲜，关键不在财，而在人心；贪心不足蛇吞象，这固然不可理喻，却一再上演。

幸福乃人人所期望、所追求的，灾祸却是人所厌之、恶之、避之的，可世间哪有单纯的福、纯粹的祸？福祸总是相伴相生。不论福至还是祸降，我们所需要的是一颗"平常心"，一种"顺其自然"之念，方能超然于物外，"持身如泰山九鼎，凝然不动"。心境能顺其自然，待人处世方能显己之真性，圆润得体，晓是非，明利害，"一毫不落世情窠臼"。君子生活在世界上，做的是他应该做的事，而不是做他不应该做的事。

4. 无为之为

"无为而治"是老子"南面之术"的核心意旨，他的一整套治国哲学都是围绕着这一条而展开的。老子主张"为无我，事不事"，"处无为之事，行不言之教"，用"无为"去处事，用"不言"去教导百姓。

为什么要按照"无为"的原则来统治天下呢？老子从两个方面来论证了"无为"原则的根据。

其一是根据宇宙万物的自然规律。老子说："天地不仁，以万物为刍狗；圣人不仁，以百姓为刍狗。""刍狗"是古代祭祀时用草扎成的狗，人们把草做成刍狗的时候，既不爱它，也不恨它，祭祀完了就抛开它，对它没有什么感情。天地对于万物就是如此，天地是无所谓仁慈的，听任万物自生自灭。治国的"圣人"也当如此，听任百姓自生自灭。

《论语·阳货》记载孔子说过："天何言哉！四时行焉，百物生焉。天何言哉！"这也最符合老子对于"天道"的看法。天道自然，人道取法天道，治国也应当自然而然，顺应事物自身的规律。"道常无为而无不为。侯王若能守之，万物将自化。"

其二是对于古代帝王统治经验的总结。按"无为"的原则行事，是由权力自身的性质决定的。

老子说："天下神器，不可为也。为者败之，执者失之。""天下"这奇怪的东西，是不能勉强去搞的，谁去人为地治理天下，谁就会把天下搞坏，谁去用心地把持天下，谁就会把天下丧失。这是为众多的史实所证明了的经验教训。

老子还引用古代"圣人"的话来说明这个道理，他认为帝王当"以正治国，以奇用兵，以无事取天下"。老子自问："我何以知道应当如此呢？"回答是："天下的禁令越多，人民越加贫穷；民间的武器越多，国家就越容易混乱；人们的技术越巧，奇怪的物品就会越多；法令越分明，盗贼反而益众。"

"圣人"早就说过："我无为而民自化，我好静而民自正，我无事而民自富，我无欲而民自朴。""圣人"就是古代统治天下的帝王。

孝惠帝刘盈即位二年，相国萧何病危。孝惠帝亲自去相府探病。他俯身病榻，哀伤地询问萧何："相国百岁之后，谁人可代您相位？"

萧何淡淡一笑："陛下，知子莫如父，知臣莫如君呀，恐怕陛下自有考虑……"

孝惠帝思忖片刻，试探着问："您看曹参怎样？"

萧何连连点头道："陛下慧眼识人哪，有曹参做相国，臣死而无恨，可以瞑目矣！"

几日后，萧何病故，曹参继丞相位。

曹参当上相国，一切都遵照萧何制定的法规，丝毫也不加以变更。因此他清闲自在，经常喝酒取乐，消磨时光。

臣像与宾客看见曹参终日饮酒会友，不事朝政，很不放心，便想劝说他。然而刚想张口，就被曹参用酒堵住了，他用酒把客人灌得酩酊大醉，无法再劝说他了。

曹参饮酒不务朝政的行为传到孝惠帝耳里，孝惠帝左右为难，不好直接斥责相国，又不能坐视不管。一天，孝惠帝找来曹参的儿子曹窋，对他说："相国是不是嫌我年少，不足以言辞？高帝刚弃群臣，相国日夜饮酒，无所事事，何以负天下如此？你回家将我的意思透露给他，但不要说是我授意你的……"

曹窋回家后，将孝惠帝的话委婉地告诉了曹参。曹参顿时暴跳如雷，命令侍卫将儿子鞭笞二百。他怒骂儿子："天下事不是你等孺子所应该说的，赶快滚回宫去当你的中大夫去吧！"

孝惠帝听说曹窋挨了鞭笞，忙向曹参解释道："你怎么惩治了儿子？是我教他那样说的呀！"

曹参脱帽请罪说："臣明白陛下心意。请问陛下自以为比高帝如何？"

"我岂敢与先帝相比！"

"陛下以为臣与萧何比谁贤明些？"

"你不及萧何！"

"陛下所言极是。高帝与萧何共定天下，朝政清明，百姓安乐。所定法令深入民心，百官守职。陛下与相国只要继承先帝的章法，守而不变，遵而勿失，天下则安矣，何必节外生枝？"

孝惠帝忽然明白了曹参的心思，频频点头称赞他说："曹相国真忠臣也，可说是萧规曹随啊！"

汉朝承接秦末的大乱，天下刚刚安定，人民正需要休养生息，曹参这种清静无为，以不扰民为原则的治术，正好符合了时代的需求，也让汉帝国在稳定中求得发展，慢慢培植国力，终于在汉武帝一朝缔造出灿烂辉煌的成果。

识时务者为俊杰。做事情一定要搞清楚当时的大背景，理顺身边的小环境，然后再因地制宜摆正自己的位置去做。曹参聪明之处就在于他继承了相位以后，非常清楚自己的位置，他该做什么，不该做什么，心中一片了然。曹参是大智慧者。

在日常生活中，有很多人是"一朝权在手，便把令来行。"不知天高地厚，总想快速出"政绩"，往往适得其反，南辕北辙。

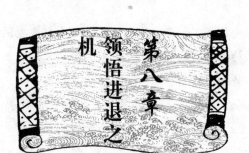

秦朝丞相李斯曾经说，人生在世，最大的耻辱是卑贱，最大的悲哀是穷困。一个人总处于卑贱贫穷的地位，就像禽兽一样。他还作过这样一个精辟的比喻，在厕所中觅食的老鼠，遇见人或狗就慌忙逃窜。再看粮仓中的肥鼠，自由自在地偷吃粮食，没有人去打扰。同为老鼠，命运却有天壤之别，原因就在于所立足的地方不同。人也一样，无论是在积极进取还是在退而自守时，都必须懂得良鸟择木而栖，选择最能发挥自己才华的地方，又要懂得危邦不入，乱邦不居，避开可能危及自己的去处，这就是所谓的进退之道。

"进"与"退"都是处世行事的技巧，把握中庸，便有了进与退的判断标准，是进是退都有章法。不会该进的时候不进失去机会；该退的时候不退惹来麻烦，甚至是祸害。另外，就是妥当地进退，"进"不张扬直奔要害；"退"不委屈善收场。

第一节　柔生刚死

◆《尚书》中说："满招损，谦受益。"所以人不能只图雄强长远，还要屈服雌柔；不能只图一味进取，还要甘心恬退。

◆没有安，就无所谓危；没有危，也无所谓安。任何事情走到极端就会向反面转化，处世必须拿捏好"度"。

◆天地间万事万物都会由盛而衰，人生兴衰也同样如此，盛的时候应保持清醒，防患于未然，衰的时候不应自暴自弃，更应加强自身的修养。

◆在诸多诱惑之中，最容易使人失去理智的莫过于"权"。"人之有权也，天可梯而上。"正是由于它的诱惑最大，其中隐藏的危害也最大。权势蕴涵着危险，而引发危险的导火索就是"弄权"。

◆为了不重蹈"飞鸟尽，良弓藏，狡兔死，走狗烹"的悲剧，不仅不可恣意忘为，最好能够得意之处，及早回头。

1. 祸殃多因强出头

《菜根谭》中说："舌存常见齿亡，刚强终不胜柔弱；户朽未闻枢蠹，偏执岂能圆融。"

牙齿较之于舌头，自然是坚硬刚强的，可是它们却经不起虫蛀菌噬，常被腐蚀得不堪入目，直至完全脱落，而柔软的舌头虽经酸甜苦辣，却毫发无损，安然无恙。以过于刚强之势对人对事，以强权逼迫过分，不能掌握适可分寸，便会物极必反，进取过了头必会招来灾祸。

战国时的晋国，其大权被智伯瑶、魏桓子、赵襄子和韩康子四位大夫掌握着，后来，四位大夫间发生了矛盾，势力最大的智伯瑶便依仗自己的势力胁迫其余三家将各自方圆一百里的土地交给他。

韩、魏两家自知财势逊于智家，无奈之下只有勉强答应，不得不忍气吞声地交了出来，唯有赵襄子不愿受其胁迫，便以维护祖先的基业为借口，拒绝了智伯瑶的无理要求，没有交出属于自己的这一部分势力范围。

智伯瑶为此勃然大怒，于是联合起交出了土地的韩、魏两家共同发兵攻打赵家。赵家也不示弱，由赵襄子亲自率领自己的兵马坚守在晋阳城内与之抗衡。

晋阳城中有充足的粮草，百姓们十分痛恨智伯瑶的强取豪夺行径，为了捍卫自己的领土，几乎是全城皆兵，支持赵襄子。面对城外围困着自己的智伯瑶与韩、魏三家的兵马，军民们同心协力抵抗，斗志高昂，众志成城，一直坚持了两年多。

晋阳城久攻不下，令智伯瑶头疼不已，他又想出了另一个办法：命士兵们将晋河改道，让河水直冲晋阳城，准备水淹晋阳城。

此计实施后，晋水淹没了大半个晋阳城，满心欢喜的智伯瑶以为这次一定能让赵襄子投降，攻下晋阳城，并将之据为己有已是指日可待。可惜的是，面对如此险境，晋阳城中的军民依然没有一人肯出城投降，使他的如意算盘落了空。

虽然城中军民们仍士气不灭，可却已是危城一座，破城在即，命在旦夕了。

智伯瑶眼见破城有望，不免得意忘形起来，肆无忌惮的他无意中便说出了在日后必要时，将用同样的方法消灭韩康子和魏桓子两家的话。

说者无心，听者有意。韩康子与魏桓子为此不寒而栗，思之再三，唇亡齿寒的道理终于使韩康子和魏桓子两家下定决心反戈一击。

于是他们暗中与被困在晋阳城中的赵襄子商量好，以其人之道还治其人之身，将晋水反引入智家的营寨中，里应外合攻打智伯瑶的兵马。

此时的智伯瑶还沉浸在即将胜利的喜悦中，对韩、魏两家的倒戈毫不知情。

最后，智伯瑶被杀，其所有的财产、土地及户口由赵、韩、

魏三家平分了。

形同虚设的晋国国君也被赵、韩、魏三家的后代废除，取而代之的则是赵、韩、魏三国。这也就是历史上有名的"三家分晋"。

智伯瑶在当时虽是势力最强大的一家，但却因不知收敛锋芒，终走上自取灭亡的不归路。

2. 凡事，有必可做之理方去做

朱熹曾说：做事"必先审时度势，有必可做之理方去做，不能则谨守常法"。如进谏、弹劾之事，若仅出于一腔忠诚，而不论事之成败，则徒逞一时意气，不但于事无补，反遭杀身之祸。智者不为也。

魏太武到西河套狩猎，命令古弼备些好马给手下的骑士们，以便狩猎。

圣意如山，谁敢不从？可到了打猎的那天，魏太武惊奇地发现，古弼为他们准备的都是些老马瘦马，跑起来慢吞吞地，哪里追得上猎物？

魏太武勃然大怒，骂道：

"这个尖脑袋的奴才，竟敢和我对着干。回去后我先斩了他！"

古弼的长相很奇特，他的脑袋尖尖的，看上去像一枝笔，魏太宗为他起名叫"笔"，而魏太武就开他的玩笑，管他叫"笔脑袋"了。

古弼的周围人都吓得脸色发白，不知如何是好。他们知道，这次不光是古弼性命不保，恐怕他们也会受到牵累。

古弼却说：

"替君王办事，不能使君王玩得尽兴，这是小罪；但假如不为危急时刻做出准备，这才是大罪。现在北狄南胡的敌人正在窥探时机，随时准备入侵，这是我所担忧的。我挑选好马充实国防，假如这样对国家有好处，我又何惜一死！明主会分清是非。过错在我，与你们无关。"

魏太武听了，感叹道：

"有这样的臣子，是国家之宝啊！"

皇帝狩猎，要好马。古弼却准备了一些差些的马。难道他不知道这样会使皇帝不快？在专制时代，皇帝个人的喜怒哀乐完全可以决定一个人或一个家庭的命运。但古弼首先考虑的是国家的安危。当然，皇帝也不傻，当知道古弼的良苦用心，就嘉奖了他。

重诺守信固然可贵，然而不知变通，不敢越雷池一步，则是呆板迂腐的表现。许多人执迷不悟，因一时的轻易许诺和错误决定而处处受到限制，甚至出力不讨好。这是一种愚忠，一种短见，近乎傻瓜。

就拿进谏来说吧，为人臣者向君主进谏为其本业，但进谏是门政治艺术。善于进谏者，不仅可得到君主信任，而且升官发财。而不善进谏者，轻则君主疏远，重则丢官丢命。另外，进谏的方式也要讲究，但有一点应注意的是，不要预先向外人暴露自己的想法，泄露自己进谏的内容，更不应将某事成功归于己，而过失归于君主。这都是自取灭亡之道。

因此，做事要留有余地，不把事情做绝，不把事情做到极点，于情不偏激，于理不过头。这样，才会使自己得以最完美无损地保全。

3.显赫以后最好的办法是低调做人

《菜根谭》说，"滋味浓时，减三分让人食，路径窄处，留一步与人行。""留人宽绰，于己宽绰；与人方便，于己方便。"这是古人总结出来的处世秘诀。

争强好胜之心人皆有之，关键在于对"刚与柔"的把握。在大是大非面前，在天下兴亡的大义面前，不争何待？在名利场中，在富贵乡中，在人际是非面前，退一步让一下有何不好？

一个人当取得了显赫的功绩以后，必须重新审视自己的处境，千万不要利令智昏，最好的办法是低调做人，力求少得，方可保平安。

清朝的年羹尧早期仕途一路顺畅，1700年考中进士，入朝做官，升迁很快，到1709年已成为四川省长官，成为国家重要的地方大员。

这个时期是清朝西北边疆多战事的时期。当时康熙重用年羹尧，就是希望他能平定与四川接近的西藏、青海等地叛乱。年羹尧也没有让康熙失望。

在1718年参与平定西藏叛乱的过程中，年羹尧表现出了非凡才干。他当时负责清军的后勤保障工作，他熟悉西藏边疆的情况，与清军中满族、汉族将领的关系都很不错；虽然运送粮草的道路十分艰险，但是在年羹尧的努力下，清朝大军的粮饷供应始终是充足的，从而为取胜创造了条件。因此，第二年年羹尧就被康熙皇帝晋升为四川、陕西两省的长官，成为清朝在西北最重要的官员。

这一年九月，青海地区又出现叛乱。这一次朝廷任命年羹尧为主帅前去镇压。出兵前，年羹尧突然下令："明天出发前，每个士兵都必须带上一块木板，一束干草。"

　　将士们都不明白这是为什么，又不敢问。第二天进入青海境内，遇到了大面积的沼泽地，队伍难以通过。这时年羹尧下令将干草扔进沼泽泥坑中，上面铺上木板，这样，军队就顺利而快速地通过了沼泽。

　　这沼泽本是反叛军队依赖的一大天险，认为清军不可能穿过沼泽，哪想到突然之间年羹尧的大军已经出现在他们面前，一时惊慌失措，很快就被打败。

　　又一次，夜晚宿营，半夜时突然一阵风从西边吹来，很快便停了。年羹尧发觉后立刻叫来手下将军，命令他带上几百名精锐骑兵，飞速赶往军营西南的密林中捕杀埋伏的敌人。手下来不及多想，带上兵马就去了，果然在密林中发现埋伏的敌人，便将他们全部歼灭了。手下百思不得其解，问他是如何知道密林中有伏兵，年羹尧笑笑说："那风一阵子就突然没了，应该不是风而是鸟飞过的声音。半夜鸟不应该飞出来，一定是受到了人的惊吓。西南十里外密林中鸟很多，所以我料定敌人在那里埋伏。"

　　手下听了不由暗暗起敬，年羹尧之多谋善断、能征善战可见一斑。

　　由于年羹尧从小曾在雍正家里呆过，因而一直视雍正为他的主人，而雍正能成为皇帝，年羹尧也立下过汗马功劳，因而即位后的雍正更加信任年羹尧。西北地区的军事民政全部由年羹尧一人负责，在官员任命上雍正也常听年羹尧的意见。雍正不仅对年本人而且对他全家也很关照，年家大大小小基本都受过雍正封赏。

　　但是，随着权力的日益扩大，年羹尧以功臣自居，变得目中无人。一次他回北京，京城的王公大臣都到郊外去迎接他，他对这些人看都不看，显得很无礼。他对雍正有时也不恭敬，一次在军中接到雍正的诏令，按理应摆上香案跪下接令，但他就随便一

接了事，令雍正很气愤。

此外，他还大肆接受贿赂，随便任用官员，扰乱了国家秩序。他一出门威风凛凛不算，他家一个教书先生回江苏老家一趟，江苏一省长官都要到郊外去迎接。雍正渐渐对他忍无可忍。

1726年初，年羹尧给雍正进贺词时，竟把话写错，赞扬的语言成了诅咒的话，雍正便以此为借口，抓了年羹尧，此后又罗列了多条罪状，将他彻底打倒。最后雍正令年羹尧自杀，年羹尧在狱中上吊而死。

要守得住"柔"，那就得像古人说的那样："处利让利，处名让名。"时时注意收敛退藏。切不可气太盛，张扬过度，这便是"满招损"的道理。

4. 本来归于己的，让给对你重要的人

为官之道往往蕴含着最高的人生智慧，怎样出人头地，如何处世，何以避祸，这些经验和方法对每一个人都十分重要。在处理上下级关系中，把自己的功劳让给上司，把上司的过错揽给自己。如果一个人什么也不想栖牲，特别是还要和上司与虎谋皮，那他就什么也得不到了。

唐代的中后期，李泌是政坛上有名的人物。他先后被四代皇帝所宠信，也为大臣们所尊崇，这在当时复杂而凶险的政治环境中，实是别人难以做到的事。李泌的成功不是偶然的，这一切皆源自于他那丰富的政治经验和为人处事之法。仅举一事为例，便可见其制胜之术了。

唐德宗时，李泌担任宰相。西北边陲的回纥想与唐朝议和，德宗皇帝因早年曾受回纥人的差辱，对此拒不答应。议和对双方

都是有利的事，李泌便极力促成此事。他不急不躁，多次陈述利害，无奈德宗皇帝记仇心重，就是不肯，有几次还对李泌严加斥责了一番。

朝中大臣有的对李泌说："皇上态度坚决，大人何必自讨没趣呢？大人切不可再提此议了，否则祸事加身，我们都以为大人太不值了。"

李泌说："皇上也知议和的好处和必要，只是一时激愤，才会不允。相反，如果我不极力促成此事，皇上早晚会怪罪于我的。"

果不其然，又过了一段时间，德宗皇帝怨气消了，便接受李泌的劝告。

李泌又亲自和回纥首领见面，屡经交涉和说服，终使他们答应了唐朝的五条要求，且向唐朝皇帝称儿称臣。

这件十分艰巨的工作，全凭李泌之力方得以完成。可当德宗皇帝询问回纥人何以这般顺从时，李泌对自己的辛劳却是只字未提，倒是极力渲染撒谎说："陛下威名远播，回纥人极为敬畏，才会如此行事。陛下大仁大德，不计前仇，施恩于彼，纵是虎狼亦会感化，何况是人呢？小臣亲见亲闻，何其幸也！"

德宗皇帝高兴异常，从此，他对李泌更加宠信，简直到了言听计从的程度。

事情总有正反的两面。对人有利的东西，在不同的时间和场合，也许就会变得对人有害。尤其是一个人得意之时，往往会忘形失态，显露真性，放纵自己，这才是最危险的时刻。

第二节　天道忌盈

◆宇宙中有其自然法则，中国的圣哲们也素来讲究道法自

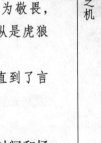

然。无论是在天地、阴阳、昼夜等事物间还是在男人女人之间，自然之道均能创造出一种平衡，一种动态的平衡。如果这种平衡被打破的话，灾难的产生也就是必然的事。

◆月在天，有盈有亏；水在地，潮涨潮落；人在世，生老病死等等都是自然法则的体现，没有谁能抗拒得了，也没有谁能躲避得掉。

◆人类也不能以极端的方式来面对人生。过分的积极或过分的消极，不是正确的人生态度；过分的刚强与过分的柔弱，也不是完美的性格。

◆欲取得生命的平衡，就应该做到思想与行动上的平衡，而这种平衡就是能够在理智与情感、逻辑与直觉、紧张与松弛，以及理想与现实之间寻找到一种和谐、稳定与统一。

◆盛极而衰，是自然的规律。于是，人最愉悦的生存状态，当是在极权与无助、富足与贫困、傲慢与谦卑、过剩与不足之间。

1. 留有余地就是留有一手

常言道："有得必有失。"反之，"有失亦必有所得。"《菜根谭》云："事事留个有余不尽的意思，便造物不能忌我，鬼神不能损我。若业必求满，功必求盈者，不生内变，必召外忧。"意思是说，凡事不要做绝。若能做到这一点，便是那创造万物的上天也不会嫉恨我，神通广大的鬼怪也不能损害我。如果做事只讲十全十美，创业只要登峰造极，即使不发生内部变乱，也要招致外来的忧患。

李世民当了皇帝后，长孙氏被册封为皇后。当了皇后，地位变了，她的考虑更多了。她深知作为"国母"，其行为举止对皇上的影响相当大。因此，她处处注意约束自己，处处做嫔妃们的典范，从不把事情做过头。她不尚奢侈，吃穿用度，除了宫中按例发放的，不再有什么要求。她的儿子承乾被立为太子，有好几次，太子的乳母向她反映，东宫供应的东西太少，不够用，希望能增加一些。她从不把资财任情挥霍，从不搞特殊化，对东宫的要求坚决没有答应。她说："作太子最发愁的是德不立，名不扬，哪能光想着宫中缺什么东西呢？"

她不干预朝中政事，尤其害怕她的亲戚以她的名义结成团伙，威胁李唐王朝的安全。李世民很敬重她，朝中赏罚大臣的事常跟她商量，但她从不表态，从不把自己看得特别重要。皇上要委她哥哥以重任，她坚决不同意。李世民不听，让长孙皇后的哥哥长孙无忌做了左武大将军、吏部尚书、右仆射，皇后派人做哥哥的工作，让他上书辞职。李世民不得已，便答应授长孙无忌为开府仪同三司，皇后这才放了心。此后的朝政官任中，长孙无忌也经常受到皇后的教导，成为一代忠良。

长孙皇后得意时不把各种好处占全，不把所有功名占满，实在是很好地坚持了为自己留余地的原则。这样，不但不会使自己招至损害，而且还使自己在未来的人生旅途中进退有据，上下自如。

荣华富贵、吉凶祸福，人们常常以天意来解释在此的得失。其实，这只是人们自我安慰、推却责任的一种方法，有头脑的人是不会当真的。好处人人想要，祸事人人想避，若想在此有所成就，没有过人的心智和手段，实在是无法想象的。

昭帝登基后，竟然放手让霍光一人执掌朝政，并赐给霍光家族许多特权，从而打开了霍光骄奢的口子。

霍光一家骄横奢侈，不可一世。当时就有人指出："霍氏必亡。凡奢侈无度，必然傲慢不逊；傲慢不逊，必然冒犯主上；冒犯主上就是大逆不道。身卜而居高位的人，必然会受到别人的嫉恨，霍氏一家长期把持朝政，遭到很多人的嫉恨；众人嫉恨，又做出大逆不道之事，怎么可能不灭亡呢？"

这显然是对霍氏的提醒和警告，说得再清楚不过了。身居高位者，权势这样大，又好揽权弄权，就必然排斥异己，一切活动都是为了自己的权力，这样就会深受同僚及下属的嫉恨，何况又独揽朝政，傲慢侮上？所以霍氏必亡。

后来，霍光病故，汉宣帝才亲自执政。这时霍家的人不甘心交出大权，霍光的妻子和儿子们密谋策划，妄图废掉皇帝，重温朝政完全由霍家执掌的美梦。因阴谋败露，终至霍氏全族被杀。

从上述史实中不难看到，争权夺利，揽权弄权，必定陷人复杂残酷的倾轧斗争中。李林甫、李斯、赵高和霍氏正是由于贪求权势，卷人权力斗争漩涡，才使自己及其家人遭到灭顶之灾。当初，他们哪里想得到，踏着别人的肩膀向上爬，就会越爬越来劲，万一越爬越不知足，慢慢的，自己便身不由己地爬到了火山口上。

2. 留有一点缺憾

据说，孔子有一次在鲁国公庙里参观，见到了一个非常奇怪的器皿，于是问看庙的人说："这是什么？"守庙的人说："这叫做'宥坐之器'。""宥坐之器"是一种非常容易倾斜和颠覆的容器，正是由于它的容易倾斜与颠覆，所以一些君主就把它放在自己的座位的边上，作为一种警示。

孔子说："我听说'宥坐之器'虚则倾斜，恰好则端正，满则颠覆。"

于是，他就让自己的学生注水进去，果然如传说中所说的"中而正，满而覆，虚而斜"。

孔子叹息道："哪里能有满而不倾覆的东西呢？"

子路说："请问保持满的东西有办法吗？"

孔子说："聪明圣知，守之以愚；功被天下，守之以让；勇力抚世，守之以怯；富有四海，守之以谦，此所谓握而损之之道也！"

这个故事正体现了《菜根谭》中所说的"宁居无不居有，宁处缺不处完"的思想。

正如《易经》所说：当太阳到正午时，就会偏西；十五的明月，很快又会残缺，天地尚且有盈亏消长之道，何况人呢？

汉建初元年（76年），汉章帝想给几位舅舅封爵，马太后不允许。第二年夏天大旱，有的大臣认为，这是由于不封外戚的缘故，管事的人上书奏请依汉制旧典，对外戚封侯。马太后下诏坚决反对。

汉章帝读了太后的诏令，再次请求太后说："汉室兴，舅氏封侯，犹如皇子封王。太后虽有谦虚的美德，怎能让我承担独不加恩于三个舅父的名声呢？况且，卫尉马廖舅舅年岁已高，两校尉马防、马光舅舅大病在身，如果一旦不幸去世，将使我长抱刻骨的遗憾！"

马太后回答说："我难道只是想自己博得谦让的美名，而使皇帝承受不向外戚施恩的嫌疑吗？以前，窦太后想封景帝王皇后兄王信，丞相条侯周亚夫说受高祖的约定，无军功、不是刘氏子不封侯。现在马氏家中的人无功于国，怎能与阴氏、郭氏这样的中兴之臣相比呢？我曾经观察过富贵之家，官禄重叠，就像一年结两次果子的树木，负荷太重，必定伤根。人们之所以希望封

侯，是想能有丰厚的物质祭祀祖先，能过上温饱的生活。现在马家祭祖有四方进献的珍镶，衣食则蒙朝廷俸禄而有余裕，难道非得封侯得一食邑不可吗？我深思熟虑过了，不要再疑惑了。"

建初四年（79年），天下丰收，边陲无事。汉章帝下诏封三个舅舅马廖、马防、马光为列侯，他们都辞让，愿意就封关内侯。马太后知道这件事后，对他们说："圣人设置教化，不同对象采取不同的方式，深知人们的情趣性灵是不能整齐划一的。我年轻时，只羡慕古人留名竹帛，而不考虑命之长短。现在，虽然年纪大了，仍然告诫自己不要贪婪，日夜警惕可能发生的危难，总想自我降低待遇。希望这样生活下去而不辜负先帝的期望，也用以启发各位兄弟。现在，你们偏偏愿受封爵，万不料我的夙愿还是得不到你们的顺从。我只有含恨于九泉之下了！"

不得已，马氏兄弟三人接受封爵后马上辞去了官职，闲居在家。

马氏身为皇太后，权倾朝野，依靠自己的地位权势，要为兄弟子侄讨个加官晋爵的好处，可说是易如反掌。然而，她却反其道而行之，再三谏阻皇上，不要为三个舅舅封侯。目的是为了避免马氏家族重蹈前朝外戚灭亡的覆辙。可见，马太后是个明白人，没有被冲昏头脑。

首先，她对于提议为马氏诸弟兄封侯之人的目的看得明白，他们只是想讨好马太后而为自己谋取俸禄，并不是为了东汉江山，更不是为了马氏家族。

其次，对于前朝外戚封侯显贵，因骄横而遭灭门之祸的历史教训，她牢记在心。

第三，她不仅自己"居不求安，食不贪饱"，"戒之在得"，而且对娘家弟兄们的恃宠奢华之风大加抑制。最后，即使几年以后皇帝为三位舅父封了侯位，太后也说服三兄弟退位闲居，从而保住了马氏家门免遭"盛极必衰"的悲剧。可见，人生不能贪恋权势，不能依附权势，更不能滥用权势。因为权势过盛，必然要走向反面，稍不谨慎，就可能大祸临头。

这就是一种避祸远罪的智慧。这明显地受到了道家思想的影响。道家是以虚无为本，认为天地之间都是空虚状态，但是这种空虚却是无穷无尽的，万物就是从这种空虚中产生。老子说："持而盈之，不如其已，揣而锐之，不如长保。"而"知进而不知退，善争而不善让"就会招致灾祸，所以历史上司马光在《资治通鉴》中才发出"汉三杰而已，萧何系狱，韩信诛夷，子房托于神仙"的慨叹。

人们大都凡事都求全求美，绞尽脑汁来达到这个目标。其实不论何事都不应妄想登峰造极，因为有上坡就必然有下坡；因此，一定要保持清醒头脑，功业不求满盈，留有余地。比如对于置钱财家业，勿求多求尽；对于功名地位，勿求高求上。知急流勇退，才能保持人的本性，预先留几分余地，才会安全长久。

3. 尊贵的身份是诱惑，却也是人性的陷阱

《菜根谭》云："居盈满者，如水之将溢未溢，切忌再加一滴；处危急者，如木之将折未折，切忌再加一溺。"意思是说，生活在幸福美满之中，就好像已经装满了水的水缸，绝不要再增加一滴水，一旦增加之后就会流出来；生活在危险急迫之中，就好像快要折断的树木，绝不要再施加一点压力，否则就会有立刻折断的危险。洪应明在这里进一步强调，不可放纵自己的欲望，贪心永无满足的时候。为官者欲求晋升以获得高官厚禄，与商人经营欲获得更多的财富一样。唯当得之有道，且应适可而止。若贪得无厌，必为欲望所累，导致不测。

因此，一定要弄清楚攫取财富与寻求安身立命之所哪一个更

为重要。一个人虚己处世，大的方面足以容纳世界，小的方面也能保全自身。虚戒极、戒盈，极而能虚就不会倾斜，盈而能虚就不会外溢。

身处高位而依仗权势，足以引来杀身之祸。胡惟庸、石亨就是这样。有士才而不谦逊，足以引来杀身之祸，卢榕、徐渭就是这样。积财而不散，足以招杀身之祸，沈秀、徐百万就是这样。恃才妄为，足以招杀身之祸，林章、陆成秀就是这样。异端横议，足以招杀身之祸，李贽、达观就是这样。不像这样的人，就能免除身祸。这些人都是不能虚己所造成的。

能够虚己的人，自然能随时培养自己的机息，处处保留不尽可加的余地，不仅能得全，而且还可以养自己的大。

虚己处世，千万求功不可占尽，求名不可享尽，求利不可得尽，求事不可做尽。如果自己感觉到处处不及如人，便要处处谦下揖让人；自己感觉到处处不自足，便要处处恬退无争。

尊贵的身份是诱惑，却也是人性的陷阱。

项梁自吴中起义，率八千人渡江而西，加入消灭暴秦的行列。这时听说有个名叫陈婴的人已占领东阳县，便派人前往联络，想要和他一起联兵西进。陈婴本是东阳县一位小官，素来忠信恭谨，甚得县民爱戴。后来天下大乱，东阳县民中一伙年轻人杀死县令，聚众起义。

起义军找不到适合的首领，便延请陈婴来领导。陈婴推辞不掉，只好当了领袖。义军又想推陈婴为王，建立这支部队自己的名号。

陈婴的母亲极有见识，她对儿子说："自从我嫁来你家后，未曾听说你家先祖中有过尊荣发达的人；你一旦称王，突然获得尊贵的身份，恐怕会因此而遭受祸殃。不如将这支部队投靠到别人旗下，若是最后成就大事，你也可以列功封侯；若不幸失败了，你还可以隐姓埋名，易于逃亡。"

听了母亲的分析，陈婴于是不敢称王，对众义军说："我原是个秦国小官，位望不足以服人。今项梁起事江东，引兵西渡，派人来要求联合抗秦。项氏世世为楚将，声名重于天下，我们欲举大事，不如倚重世家名族，如此必能推翻秦朝。"

一共两万多人的东阳义军，便依陈婴的建议，投到项梁旗下。项梁得到这支大军后，声势大振，又有不少人慕名前来归附，阵容一下子扩充至六七万。其中包括一名骁勇善战的猛将——英布，项梁让他与侄儿项羽同居先锋，然后就率领着声势浩大的义军，继续向西进发。

陈婴母亲的说辞不一定是对的，因为刘邦之前也是个小官，可是他最后夺了天下！况且将相本无种，祖上无尊荣之人，并不代表陈婴就不能享大位！陈婴的母亲会对陈婴说这一番话，可能是知子莫若母，知道陈婴的性格不适合和各路枭雄争逐天下；若不适合却硬要当王，丢掉性命的可能性就很大，因此不如依附在强者的势力之下，进可享爵位，退可隐姓埋名，保有生命。从这个角度来看，陈婴母亲是相当务实的。

陈婴的母亲说"若一旦称王，突然获得尊贵的身份，恐怕会因而遭受祸殃"，生要是因为陈婴若称王，就形同向秦国宣布独立，不仅秦国会攻打他，也会和各路人马形成竞争关系而受到挑战。不称王，别人还会放心他，甚至要求他加入；一称王，就变成大家的敌人了！

其实，何止在做官上应知进退，其他事同样应知进退深浅。人和人只要在一起就会产生矛盾，因利益之争，因嫉妒之心，因地位之悬，因才能之较都可能结仇生怨，故做人处事最重要的是把握好谦虚退让的尺度。

4. 富者多忧，贵者多险

《菜根谭》云："多藏者厚亡，故知富不如贫之无虑；高步者疾颠，故知贵不如贱之常安。"意思是，当财富聚集太多时，就会整天担心财产被人夺去，可见富有还不如贫穷那样无忧无虑；当身份地位很高时，就会经常忧虑会丢官，可见高官厚禄还不如常人那样安闲。

这就是告诉人们，高官厚禄往往会导致灾祸。财富积聚太多的，就会整天担心财产的安全问题，因为"财帛动人心"，见钱眼开的人处处皆有。身份地位很高的人，就会整天担心权位的安全问题，因为"爬得越高摔得越重"，那些身居高位的人，虽然为此表面上得意洋洋，但是内心里非常恐惧。因此，他们不得不绞尽脑汁，维护自己的地位不被动摇，这种人与常人的无忧无虑比起来，自然是非常可怜的。这就是人们常说的，"无官一身轻"的道理。

有个叫陈元达的官员认为，人生际遇都有一定缘分。我以前不来是机遇不到。我若早来，恐怕你会封我做九卿，但这不是我应得的职位；如果得了，就承受不起。所以，我有意抑制自己的欲望，等待合适的机会才来。这样，才不会因职位过高而遭受诽谤，也不会因为担任超过我本分的官职而招致祸难，两全其美，多好啊！

陈元达这种做法，同样蕴涵着不凡的处世智慧。

俗话说：一无所有的人了无牵挂，无官一身轻，无财不担心。人生就这么怪，生于治世，贵者难尽情作威作福，富者也难得不义之财；处于乱世，暴富显贵多了，贼盗也多了。人为财死，鸟为食亡，多藏厚亡，怀璧其罪，财富招祸。

一个身居高位的人，无数人眼巴巴地在看着他的权位，爬得越高踩他的人越多，一旦跌下来，就如掉进无底深渊。所以，人处富贵之中要能思贫贱之乐，绝不可为贪求富贵而无所不用其极。其实此时想想自己生老病死时只盼望能多活一天，只盼能在白云下散散步的情形。

第三节　势不可恃

◆势不可恃。因为势只是一时拥有的东西，而任何人都不可能永远得势。

◆当一个人得势时，切不可恃势为非作歹。尤其借他人之势，一旦他人离去，自己将无所依托，

◆"祸兮福之所依，福兮祸之所伏"，官场上荣辱反复，祸福循环，几乎成为一种定律。辱也罢，祸也罢，关键是看怎样对待，古代大圣大贤之所以能成为大圣大贤，就是不仅善于处荣，而且也善于处辱，不因荣而忘乎所以，也不因辱而改其素志。

◆一个人在获取成功时，要有再接再厉的斗志和勇气并不困难，难的是当他功成名就，显赫一时之时，从意气风发中清醒、自愿地隐退下来，从辉煌趋于平淡的那股勇气。

1. 急流勇退，不失英雄本色

"鸿未至先援弓，兔已亡再呼矢，总非当机作用：风息起休起浪，岸到处便离船，才是高手工夫。"古人早已将把握时机、当机立断之举讲得明明白白，聪明人何须重锤敲打？急流勇退不是要求你在人生的顺境，事业的巅峰之时抛弃一切，退隐山林，它所看重的只是一种心境，一种不为物欲蒙蔽，不为名利诱惑的

中国人的

老经验

淡泊心境，它所需要的只是时时警惕，时时自省的清醒头脑而已。

急流勇退是一种观念，一种思想。"进步处便思退步，庶免触藩之祸。"此语出自《周易·大壮》，讲的是一只公羊因看见一道竹篱笆，就自恃自己有坚硬的犄角，便以角撞篱笆，想显示一番，可惜竹篱完好无损，公羊的犄角却被撞伤了；不服气的公羊仍不死心，又向篱笆撞去，这次的结果是被篱笆夹住犄角，进退不得，只好无可奈何地在那里叫唤。

这虽是一则寓言，可现实之中的人的行为与其何等相似！我们在笑那只羊愚蠢的同时是否也应该回头想想自己，检视一下自己？如清代权臣和珅，恃乾隆皇帝之宠，自承天下第二自居，连太子也不放眼里。结果，乾隆皇帝刚死，新掌权的嘉庆便抄了他的家，斩了他的头。

能做到急流勇退者确也不少，如范蠡（即后来有名的陶朱公）、陶渊明等并未因功成身退而湮没于历史的洪流中，他们凭着那一股野鹤轻风般的超然之气成为世代流传的美谈。

张良原是汉高祖刘邦手下的一名大臣，与萧何、韩信并称为"汉初三杰"，他熟悉兵法，一生以谋略见长，是刘邦的主要谋士之一。若没有他，刘邦能否建立汉朝也得打上问号。

他设计攻占秦国首都咸阳；他设计帮助刘邦逃脱鸿门宴上的杀身之祸；他英明决断火烧栈道，及时阻止了刘邦准备封赏六国后代的计划；是他力排众议，在楚汉议和后彻底消灭了项羽；他帮助刘邦在得天下后安抚各将士，建都长安，稳固了汉朝的江山社稷。

可就是这样一位开国功臣却没有居功自傲，不仅拒绝了封赏给他的三万户领地，还身体力行了老子所讲的"功遂，身退，天之道"的思想，不倚仗功劳让自己成为显赫家族，而是闭门不出，潜心学道，以引退的方式来表明他的人生哲学。

那么，张良此举是否就是在逃避人生呢？答案是否定的。从他晚年为使汉朝免于宫廷内战，为保持国家稳定而帮助人子刘盈请出"商山四皓"的事例中即可见其是以一种更超然的方式来参与朝中大事的。

这位早年在下邳向黄石公学习《太公兵法》的隐者，深深明白"达士知处阴敛翼，而峻岩亦是坦途"的道理，亦懂得"谢事当谢于正盛之时"才是"天之道"。

张良若与韩信一样贪恋权势，则很可能与之落得同样的下场。

2. 对谁都要留一手

能功成名就者肯定都是聪明人，但能急流勇退者却不仅仅是人聪明就能做到的，因为"由俭入奢易，由奢入俭难。"急流勇退，放弃的只是一些名利等身外之物，于人于己皆无损，而得到的却是超然人品，自然之心，于人于己皆有益，何乐而不为。

追求功名也好，功成身退也罢，在别人眼中无非只是一种形式，对自己而言，一切外在的形式皆由心生，正如一个人有了肚饿的念头，才会去吃饭充饥，有了身冷的念头，才会去添衣御寒一样。急流勇退不是一时之冲动，更非沽名钓誉之举，它所依赖的是轻权势之念，淡利欲之心。须知：一时一事易，时时事事难。更何况需在功成行满之时，得意正盛之机超然物外？

越王勾践平定吴国以后，引兵北上，与齐国、晋国会盟徐州，并且得到周平王的封赏，一时号称霸王。

范蠡虽然是越国的上将军，辅佐越王勾践前后二十余年，对

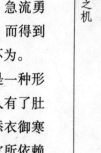

勾践的雪耻复国屡建奇功，越国百姓对他又十分崇敬，可是他仍然心事重重。一天，大夫文种问他："越国威震天下，号称霸王，你我官至上卿，功名盖世，为何闷闷不乐？"

"你哪里知道！"范蠡苦笑着说："俗语道'飞鸟尽，良弓藏；狡兔死，走狗烹'。勾践这个人，只可与他共患难，不能与他共安乐……大名之下，难于久居！我已决定离开勾践，你也该想想出路……"

"恐怕你是庸人自扰吧？……"

大夫文种对范蠡的忧虑毫不在意。

第二日，范蠡给越王勾践送上一份辞呈，说："臣闻主忧臣劳，主辱臣死。昔者君王受辱于会稽，臣所以不死，为的是复仇雪恨。今日君王已经达到目的，臣请君王赐死……"

勾践读罢辞呈，气恼地说："难道范蠡不相信寡人？我打算将越国分一半给他，他若是真生疑心，我真要加诛于他！范蠡心知勾践对自己并非真心实意，早晚要加罪于他。于是偷偷带上宝物珠玉，与心腹亲信乘船从海路逃走……

范蠡在齐国海边落脚之后，改名换姓，耕种滩涂，劳身苦作，治理产业。几年工夫就成了当地的首富。

齐国大夫听说他的贤名和才能，派人请他去做齐国的相国，可是他谢绝了。范蠡悄然长叹道："居家则致千金，居官则至卿相，此乃布衣之极也。久受尊名不祥……"

范蠡不去当相国，便不便在此处久居，于是，他又把家财分给知友、乡亲，只带些值钱的珠宝，迁移到陶地，自称为陶朱公。不久，他又成为当地的富豪，家资巨万，远近闻名。

自从范蠡不辞而别以后，大夫文种很觉孤单，又见勾践日夜享乐，不像从前那样敬重自己，有点心灰意懒，常常称病不朝。于是有人向勾践进谗言说："大夫文种自恃有功，踞傲不朝，背地里勾结私党，企图叛乱……"

越王勾践把一把宝剑赐给文种，命令道："你教寡人七种计谋征服吴国，寡人只用了其中三种就打败了吴国。还有四种计谋留在你那儿，我命令你去替我死去的先王谋划吧……"

大夫文种悔恨地说："这都怪我不听范蠡的劝告啊……"言毕，愤然自尽了。

范蠡深知"飞鸟尽，良弓藏；狡兔死，走狗烹"的道理，所以，功成身退，保住了自己的性命，这正是范蠡在做人处事上高人一等的谋略。而大夫文仲不听范蠡的劝告，贪恋权位，对越王勾践的残忍和胸怀认识不足，结局是饮剑身亡。

历史上，类似范蠡和文种的事例还有许多，但范、文二人的经历及其命运是最有代表性的。因此，急流勇退，并不失英雄本色。这样说，是源于对人心的深刻了解，话不能说尽，事不能做尽，心不能掏尽，对什么人都要留一手。这样于人于己都有利而无害。

3. 挟势要挟，最招人嫉恨

任何情况下都必须摆正自己的位置。即使立下盖世奇功，成为天下崇拜的英雄，假如自己产生自傲的念头，不但功劳会在自傲中丧失，还会招来意外的祸患。切记：骄矜无功，忏悔灭罪。

一代名将韩信，不论是带兵作战还是军事谋略方面的才能皆在其主刘邦之上，勇冠三军，威震四野，本应福至九族，荫及子孙，只可惜聪明之人却未明匿隐之道，不仅以勇略震主，更以功劳谋权谋利，终招诛灭三族之灾，酿成自己的人生悲剧。

试想，韩信若能将"雪忿不若忍耻之为高"贯彻落实至终，又岂会到此地步？指在特定的情况下，尤其是在自己的势力举足轻重的情况下，向有求于自己的一方提出先决条件，以获得晋升或扩大自己的政治势力。这种方法在封建专制时代，违背忠之原则，讨价还价，属徒逞一时之欲，难以久远，除非自己有实力能割据一方，否则当隐为祸机。

汉王四年（前 203 年）十一月，汉大将韩信占领齐国全境。平齐以后，韩信势力大增，成为刘邦和项羽之外一支举足轻重的力量，"右投则汉王胜，左投则楚王胜"。

与此同时，韩信的个人欲望也开始膨胀起来。他派使者对刘邦说："齐国伪诈多变，是反复之国。齐南邻楚地，不称假王镇抚，齐国的形势就稳定不下来。"刘邦根本无力阻止他称王。一旦得罪韩信，引起兵变，韩信与楚、汉成三足鼎立之势，天下成败难料。

于是刘邦厚待韩信派来的使者，派张良前去立齐王。

韩信最后被处死就是他两次以不出兵救援向刘邦要挟功名，刘邦当时虽顺从现实，但却在心里留下疙瘩；其二是韩信有据地称王的倾向，若不处理，韩信将成乱源！总而言之，韩信是伟大的将领，却不懂进退之道。

为官者切记，势不可恃。因为势只是一时拥有的东西，而任何人都不可能永远得势。

4. 不知足，伸手要，必惹祸

人人都有种种各样的欲望，只是许多人的欲望因受客观条件之局限，而被压抑着。而那些有理智的人，即使有满足欲望之条件，也能自己克制，这样于人与己都无害。但也有不少人，一旦大权在握便得意忘形，往往被欲望牵着走，结果害人害己，直至陷入万劫不复的深渊。

唐朝的王毛仲因在李隆基发动夺取皇位的政变中有功，被授予武卫大将军，进封霍国公，深受玄宗李隆基宠爱。

王毛仲从一个小小的侍卫一跃而为王公，可谓是一步登天了。哪知此时的他，权力欲也急剧膨胀起来，他虽位居王公，可毕竟无实权，他想过过掌实权的"瘾"，于是便向玄宗伸手索要兵部尚书的权位，这引起了玄宗的不满，两人开始出现矛盾。

开元十八年（730年）年底，王毛仲给儿子过"三日"，玄宗仍然没有忘记给王毛仲赏赐，除了大量的金银、酒食外，还当即封王毛仲刚出生的小儿子为五品官，可谓恩宠极隆。

可谁知王毛仲竟当着前去拜贺的宦官高力士的面说："我儿子做个三品官都没问题！"

高力士回官后便参了王毛仲一本。玄宗听后大怒道："这家伙在当初诛灭韦后时首鼠两端，我就不说了，现在竟因为这个小崽子的原因而怨我！"

高力士趁机说王毛仲及其党羽掌握着最为精锐的皇家卫队，此时不除，必留后患，玄宗便一横心，立即诛杀了王毛仲。

的确，为官者如不善于自修持政，为官之日也是祸生之时，而并非什么荣贵之事。自古以来，为高官者，从没有听说有谁饿死冻死，多是因贪财贪权、枉法害国被杀。如唐代宰相元载，贪污至极至奇，仅宅所达五十余处。试思，一人之身，一家数口，焉用如此多住所，真是权令智昏、利令神乱，达到变态失常境地。

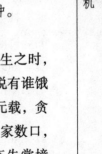

中国人的老经验 通人情懂世故

第八章 领悟进退之机

第四节　随遇而安

◆生存环境五彩缤纷，生存态度色彩斑斓，从中可以清楚地看出处世智慧的高下。"愤世嫉俗"、"避世归隐"、"玩世不恭"、"悲观厌世"、"欺世盗名"等都是处世大忌。

◆古人云，"死生有命，富贵在天"，即所谓"人算不如天算"。因此，顺应客观，万事不可强求。

◆"世态有冷暖，人面逐高低"，在世事的变化无常面前，只有顺应变化，方能安时处顺。

◆时间是消除偏见、误解，缓解紧张情绪的最好的催化剂，因此，待人处世要有诚心、有耐心、有方法，要顺应过程。

◆人生在世若能首先找准自己的位置，处理好自己与社会与他人之间的关系，顺应社会，入乡随俗，自然就会一通百通。

◆世间万物都与我合为一体，永恒不变。人只有透过纷繁变幻的物象世界看清事物的本质，领悟物我合一永恒不变的精神境界，才能摆脱世俗中束缚人精神的枷锁。

1. 把人生看作一个变幻不定的战场

社会充满矛盾，人生坎坷，正是由遭遇一个个矛盾而构成的。持顺其自然处世态度的人，就是要坚信过程会慢慢地化解矛盾。如此，你就会以不变应万变，冷眼看世界，时间终究会对一切都作出应有的结论。

一切都在变，都能变，问题是都需要一个过程。时间需要耐力、等待，等待不是"冬眠"，而是付出，付出即是创造条件，有时候人无法改变这个世界，因而只有去适应它。

如创立了禅宗五宗之一的临济宗的义玄禅师所云："随处可以做主人"的思想。

随缘顺事不是随波逐流；随遇而安也不是安于现状，无所事事，胆小怕事，苟且一生。

　　战国时期的魏国有一位著名的谋士，他就是范雎。出身寒微的范雎虽善断多谋，擅长辩论，且大志在胸，立志成就一番事业，可惜无人引荐，报国无门的他只好在不得已中来到魏国中大夫须贾府上任事。

　　一次，范雎随奉魏王之命出使齐国的须贾一同前往齐国。他们一行到齐国后待了几个月，齐国国君齐襄王听说须贾的随从有雄辩之才，便遣人带了一些美酒及十斤黄金送给范雎，以此表示自己对智士的尊敬。作为使臣的须贾却未能得到齐襄王的如此礼遇，心中因此有些愤愤不平。范雎对于齐襄王的厚礼，只是心领美意，却未敢接受。后来在须贾的命令下范雎才收下美酒，黄金则当即让来人带了回去。

　　这件事引起了须贾的嫉妒，也招来了须贾的怀疑，他怀疑范雎是因为将魏国的机密泄露给了齐国，才会受到齐襄王的重视。

　　回国之后，气量狭窄的须贾立即向魏国的丞相魏齐上告了"范雎受金"一事，为此，蒙受了不白之冤的范雎，便被偏听偏信的魏国丞相魏齐下令大动刑杖，以示惩罚。

　　范雎被打得牙齿脱落，肋骨断裂，浑身是伤的他明白此时自己是百口莫辩，无法洗清自己所受的冤屈，又不想让自己的一身才略、满腔热血就此断送，于是只好装死以求逃过此劫，免除灾祸。

　　装死的范雎被魏齐让手下人用破草席卷起来扔到了厕所中，并指使宴会上的宾客们用小便溺他，糟蹋他，美其名说是警告众人不得卖国求荣。

　　面对这天大的委屈，这飞来的横祸，范雎没有一死了之，更没有就此消沉，苟且偷生，随波逐流。蒙受了这场无妄之灾的范雎决定离开自己的国家，另谋他处施展才华，显身扬名。于是，为了逃生的范雎，以日后重谢的方式许诺看守者，让他放自己脱身。看守人趁魏齐醉酒神志不清之时，以将范雎"抛尸野外"为

由，放掉了范雎。

范雎逃出魏府后在朋友郑安平的帮助下改名张禄隐匿了起来。郑安平非常同情范雎的遭遇，于是积极地帮助范雎重寻明主。

此时的范雎便在忍辱求全中安下心来等候时机，静待出头之日的到来。

一天，魏国来了一位秦国的使节，郑安平得知此消息后，便扮作吏卒去接近秦使王稽。此时的秦国国强民富，且大有兼并其他六国的雄心，郑安平来到王稽身边为的就是将范雎引荐给他。

机会终于来了，在下榻的馆舍里，王稽向郑安平打听魏国的智士贤人中有没有愿意到秦国去的，郑安平便不失时机地向他推荐了范雎，陈说了范雎的才干与遭遇，并定于当天晚上让范雎到馆舍来与王稽见面。

晚上，范雎依约来到了馆舍，与王稽畅谈。范雎对天下大事条分缕析，侃侃而谈，其才情智慧深得王稽的赞赏，一席话未完，王稽就已决定带范雎人秦了。

有先见之明的范雎机智地躲过了魏国的搜检，方得以安全进人秦国首都咸阳。最后，在王稽的帮助下，以自己的才华取得了秦王的信任，终于拜为秦国丞相，并封赐应侯，实现了自己要成就一番事业的宏伟志愿。

试想，若范雎蒙受委屈之时不能忍一时的皮肉之苦、情志之辱，隐姓埋名等待时机的出现，不消沉，不失望，不安于当时的窘境，又怎能拜相封侯，雪耻报仇？即使是在遭遇人生挫折，"山穷水尽疑无路"之时，也要善于忍耐退让，随遇能安方可盼得"柳暗花明又一春"的到来。

2. 淡泊以能致远

宁静淡泊，即能宠辱不惊。人一生的地位总会发生变化，即所谓"三穷三富不到老"，"三十年河东，三十年河西"。当一个人得到他人的宠爱、宠幸时，能够不骄、不慎，淡然处之，是为得忍之骨。

公元前400年左右，匈奴游牧民族因其没有固定的居所，也不会生产生活必需品，故而经常袭击、骚扰蒙古高原附近的南方农耕民族。统一了中国的秦始皇虽然修筑了万里长城防止其入侵，派遣了三十万人马的军队予以征讨；但当秦帝国灭亡后，匈奴人死灰复燃，重新开始威胁长城以南的地区，人们备受其害，与其形同水火。

到了汉武帝的时候，刚继位的武帝便派出使节张骞，欲与被匈奴驱逐的大月氏建立友盟关系；六年后，武帝又提出要征伐匈奴，可惜被干预朝政的窦太后阻止，以致搁浅。第二年，窦太后亡故，朝廷上下终于达成了征伐匈奴的一致决定。

武帝选中了没有名望的卫青来执行他的新战略构想。

卫青一生坎坷，却培养出了他的智慧与毅力。卫青出身卑贱，从小便开始放牧羊群，没有欢乐可言的小卫青从来不敢多说话，渐渐地便成了一位锐气内敛的青年，从不抱怨生活给他的磨难。

后来卫青被武帝提拔为王宫的警卫队长，继而升任为太中大夫。

公元前一二九年的秋天，武帝派出了有卫青在内的四支征伐匈奴的部队。卫青凭着自己惯有的冷静忍受了众大臣对他的怀疑与轻蔑，也凭着自己的智慧领悟了武帝出兵匈奴的作战意图。

在这一次的征战中，只有卫青率部深入了匈奴的腹地——后方大本营龙城，捕获了数万的匈奴人，使匈奴军随之瓦解。由此，卫青成了武帝手中的一张新王牌，年年以统帅的身份指挥部队征讨匈奴军。至公元前124年共征伐匈奴四次的卫青实现了武帝当初发兵的愿望。此时，随卫青出征的侄子霍去病开始崭露头角，并逐渐替代了卫青在汉军中的地位。

武帝开始重用霍去病。深具洞察力的卫青并未因此而恼怒，反而暗下决心要默默地抽身而退。武帝决定和单于进行最后一次大决战，准备一战定乾坤。卫青照武帝的意思，安排霍去病攻击单于的本部，并希望他取得单于的首级，以巩固霍去病在国内的威名，取代自己的大将军地位，成为汉帝国强大力量的象征。

明白武帝用心所在的卫青趁这次机会，悄然隐身，就如同一块水中的岩石般不语不动，在那充满诱惑的官场中静默了十一年，于公元前106年去世，成为一个全身全名的善终者。出生平常的卫青深得"宁谢纷华而甘淡泊"之精髓，方能"遗个清名在乾坤"。

忍者须有淡泊宁静之心，淡泊却来自于"遍阅人情，备尝世味"。如果能在清贫的生活中不急不躁，能因淡泊而明志，因明志而有得体的对人处事之法，自然不会为物欲、权势蒙蔽心智，时时警醒，事事谨慎，保持自己的志向和气节。

正如三国时期的诸葛亮，他自信自己的才能不亚于管仲、乐毅，也怀有救民济世的志向。可在未得遇明主之前，他不但没有愤世嫉俗，自暴自弃，反而是以一种平和的心境过着结庐耕学的生活，同时绝不懈怠自己的学习和放松对天下局势的关注。在不时与三两好友倾心交谈的过程中逐渐形成了自己独立完整的人格主张、思维定向、待人处事的方式方法，为入世做好了准备。

作为一个民族智慧化身的诸葛亮，从清贫走向荣华，却并未被富贵温柔迷失心智，而是以一位智者的胸襟和眼光保持着自己清爽如冰、纯洁似玉的高尚人格，更在《诫子书》中以"非淡泊无以明志，非宁静无以致远"来告诫儿子，也告诫着万千的后来者。

3. 将错就错，安知是错

对一般人来说，莫说是一个只有十一二岁的孩童，就是成年人在遇此突如其来的灾祸时亦不能够忍受，更别说还要镇定自若地应付过去，不暴露自己，避免一场灭顶之灾了。

郭德成与其兄郭兴是随明太祖朱元璋转战沙场的开国元勋。朱元璋称帝后，许多将领都已加官晋爵，而郭德成却只是一名骁骑指挥。郭德成有位妹妹在宫中颇得朱元璋宠爱，由此朱元璋便想提拔郭德成，郭德成却坚辞不就，并说自己脑瓜不灵，又爱喝酒，若做大官会误事的。朱元璋无奈，便只好经常赏赐一些好酒和钱物给他，又不时的邀他进宫陪自己饮酒。

一次，郭德成在宫中与朱元璋喝得兴起，不觉间已是烂醉如泥，当他歪歪倒倒地向朱元璋告辞时，朱元璋见他醉态十足，衣冠不整，不由关切说道："看你披头散发，语无伦次的样子，十足像个醉鬼。"

喝醉了酒的郭德成有些控制不住，摸着自己的头，脱口而出："皇上，我最讨厌这头发，若是把它剃成光头，那才舒服呢。"

朱元璋一听脸便沉了下来。原来朱元璋曾做过和尚，最忌讳别人说"光"、"僧"等字，他刚想发怒，却见郭德成还在自顾自地傻说着，便忍了下来，想到可能是郭德成酒后失言，于是打算等郭德成清醒后再算账。郭德成就这样侥幸地拾回了一条命。

当第二天酒醒后，郭德成忆起了这件事，吓得冷汗直流，如热锅上蚂蚁般不知所措。去解释，又怕惹上"此地无银三百两"之嫌，皇上更加嫉恨，不解释，话已出口，错已铸成，说不定就会赔上自己甚至一家老小的性命，那就实在是太不道得了。

最后，生性豁达的郭德成终于想出了一个保全身家性命的办法。

几天以后，郭德成虽然还是旧性不改，狂放不羁地继续喝酒，但他真的将自己的头发剃光，而且还穿上了和尚装，与木鱼青灯为伴了。

此举实乃无奈之策，以实践自己的酒后之言来打消了朱元璋的疑虑，避免了一场杀身之祸。

郭德成清醒地认识到只有舍弃手中的富贵，舍弃权势，方能避过这一劫难。事实证明，他的这一"失"实是一"得"，失去荣华，得的却是自己的一条命！以后，朱元璋将原来的许多大将功臣们均以不同的借口杀掉，郭德成却因此得免。

一"愚"，一"让"，使郭德成避祸趋福、因祸得福了。

4. 喜好什么就会受制于什么

天下任何事都不可能一切皆如你心你意，你必须充分发挥"随缘"之道，不强求，不硬取，才能做到心平气和。难怪清人有语："缘可随，不可逆。""随缘"一词，常见于许多时尚的装饰画像中，但这种装饰性的效果太强、太刺眼。有些人也好把这些装饰画放在自己的房屋，其实他们的境界往往离"随缘"两字相差甚远。真正能做到随缘的人，生活中就不会有烦恼。

收藏家多为痴人，为了获得自己心爱的东西，不惜倾家荡产；而一旦拥有，那东西便仿佛立即成了他身体的一部分，割舍不得。

　　清朝的纪晓岚却没有这么痴绝，以他文化高官的地位、老家雄厚的财力和见多识广的博雅，想收藏器物，应当不是难事。纪晓岚喜欢收藏砚台，而且乐此不疲，但没有达到痴绝的地步。他不是守物奴，自己喜欢的东西把玩一阵，就送给别人。他认为世间万物，聚散终有时，"且随现在缘"，不存贪心，何尝不是一种洒脱？

第五节　　以退为进

　　◆事物完美后就必然转向缺损，极端就必然转向反面，盈满后就必然转向亏失。

　　◆世上的一切事物，认真去琢磨，都有其规律可循，月不总圆，花不总红，物极必反。

　　◆有时候退一步，却能够达到前进数步的目的，这也是我们应该学习的办事技巧。

　　◆那种一往无前、有进无退的人表面上英勇，实则是成事不足，败事有余。

　　◆关乎己身权益的事，退比进更能达到目的。退一步能使对方重新审视彼此，作出更有利于己的决定。

1. 惟其不争，天下莫能与之争

　　上下级，同僚关系处理不好，往往结怨成仇。究其原因，为私事结怨的多，为公事结怨的少，能执乎中，以和为贵，即相安无事。争千秋不争一时，惟其不争，天下莫能与之争。

　　事物完美后就必然转向缺损，极端就必然转向反面，盈满后就必然转向亏失。

清代中兴名臣曾国藩最懂参悟保身之道。

攻下金陵之后，曾氏兄弟的声望，可说是如日中天，达于极盛，曾国藩被封为一等侯爵，世袭阁替；曾国荃一等伯爵。所有湘军大小将领及有功人员，莫不论功封赏。

当时湘军人物官居督抚位子的便有十人，长江流域的水师，全在湘军将领控制之下，曾国藩所保奏的人物，无不如奏所授。

但树大招风，朝廷的猜忌与朝臣的妒忌随之而来。曾国藩说："长江三千里，几无一船不张鄙人之旗帜，外间疑敝处兵权过重，权力过大，盖谓四省厘金，络绎输送，各处兵将，一呼百诺，其相疑者良非无因。"

颇有心计的曾国藩应对从容，马上就采取了一个裁军之计。他在战事尚未结束之际，即计划裁撤湘军。他在两江总督任内，便已拼命筹钱，两年之间，已筹到五百五十万两白银。钱筹好了，办法拟好了，战事一结束，便即宣告裁兵。不要朝廷一文，裁兵费早已筹妥了。

同治三年六月攻下南京，取得胜利，七月初旬开始裁兵，一月之间，首先裁去二万五千人，随后亦有裁遣。

世上的一切事物，认真去琢磨，都有其规律可循，月不总圆，花不总红，物极必反。曾国藩深谙此道。所以，当他功成名就封为一等侯爵，世袭阁替之时，他怕树大招风，引起朝廷猜忌，怕人说他拥兵自重，所以，自己先行一步自我裁军。这一计谋，果然奏效，朝廷没有了顾虑，曾氏家族也求得了安定。

退而不隐，强而不显，大智慧者往往掌握了以退为进的秘诀，为众人敬仰。而正因为他内心世界的极高道德修养和对人生、官场的透悟，使他遇事不慌、临难不惧，精心运筹，镇定应付。细品他的处世格言，苦涩中几多意味，消极中几多振发。

2. 表面上的退步能换取实际的进步

以退隐作为斗争手段，使上方认识到自己的价值，从而得以重用、晋升。这只有在特定条件下，当所负之才为时所急需，而自己又认为任不尽其才时方可使用。这种手段，类似要挟，故使用时宜慎之。

有进有退，能屈能伸，这是成功的必要条件。那种一往无前、有进无退的人仅仅是村夫莽汉，表面上英勇，实则是成事不足，败事有余。

同样，在现实生活中，有时候退一步，却能够达到前进数步的目的，这也是我们应该学习的办事技巧。

春秋时期，晋文公重耳因为遭受陷害，被迫离开晋国逃亡。在逃亡过程中，晋文公受到楚成王的厚待，当时他就承诺说：要是他当了国君，希望晋楚两国永远和好，但是万一两国开战的话，他一定会命令晋国军队退避三舍（一舍为三十里），来报答楚国的恩情。

当时，楚成王笑了笑，并未当真。

后来，晋文公在秦国的帮助下，回国即位。公元前634年，楚国借口宋国投靠晋国为名，派成得臣率兵攻宋，宋国派人向晋国求救。晋国于是决定派兵攻打楚国的盟国曹、卫，这样，晋楚两国直接对上了。

这时晋军的力量虽稍弱于楚军，且又远离本国作战，但已占领曹、卫两国作为前进的基地，况且齐、秦已与晋结成联盟，从而也很有实力。当晋、楚两军直接相对，正要开战时，狐堰对晋文公说："当初您在楚国为客时，曾对楚王说，万一交战，晋军

一定退避三舍。现在可不能失信啊。"

晋文公听了不语,身边的部将都纷纷反对。狐堰又说:"成得臣虽猖狂,但楚王的恩情我们不能忘。我们退避三舍正是对楚王表示谢意,并非怕成得臣啊。"

大家听狐堰讲得有道理,就同意了。

楚军见晋退兵,以为晋军害怕了,就在后面追。晋军将士奉命撤退,见楚军这样气盛、猖狂,不由得暗下决心,一定要打败楚军。晋军一退就是九十里,待扎下营来,成得臣派人送的战书也就到了。第二天两军对垒,都想借此一仗置对方于死地。

交战开始,晋军主帅先较派三军中的下军去攻由陈、蔡联军组成的楚军中的右军。这是一个薄弱环节,晋军一个冲锋就将陈、蔡联军击溃了。接着先较又命上军主将狐堰假充晋军主帅,迷惑对方。楚左军主将斗宜申看见晋军主帅旗,即指挥兵士冲杀过来,狐堰抵挡几下假意败逃,斗宜申不知是计,紧紧追赶。眼看就要追上,忽听一阵鼓声,晋军主帅先较率领精锐部队拦腰杀出,狐堰也率队反击,两边夹击,楚军顿时慌乱。成得臣见势不好,急令收兵,才避免全军覆没。

实际上,晋军的"退避三舍",是晋文公图谋战胜楚军的重要方略。晋军"退避三舍"后,退到了卫国的城池,这里距离晋国比较近,后勤补给、供应方便,又便于齐、秦、宋各国军队会合;在客观上,"退避三舍"也能起到麻痹楚军、争取舆论同情、诱敌深入、激发晋军士气等多重作用,将晋军的不利因素变为了有利因素,为夺取决战胜利奠定了基础。这样,表面上的退却,赢得了最终的胜利。

战国时候,有一次赵王派了孔青带领大军救援察丘。孔青是员猛将,加上足智多谋的宁越辅佐,所以赵军一战大败齐军,击毙了齐军统帅，并俘获战车两千辆。战场上留下了三万具齐军尸体，孔青决定把这些尸体封土堆成两个大高丘，以此彰明赵国的武功。

宁越劝阻道："这样做太可惜了，那些尸体可以另有用处。我看不如把尸体还给齐国人。这样做可以从内部打击齐国，从而让齐军不再侵犯！"

"死人又不可能复活，怎么能从内部打击齐国呢？"孔青想不通了。

宁越说："战车铠甲在战争中丧失殆尽，府库里的钱财在安葬战死者时用光了，这就叫做从内部打击他们。我听说，古代善于用兵的人，该坚守时就坚守，该进退时就进退。我军不如后退三十里，给齐国人一个收尸的机会。"

孔青大致明白了宁越的用意，但转念一想，又说："但是，齐国人如果不来收尸的话，那又该怎么办呢？"

"那就更好了，"宁越胸有成竹地说："作战不能取胜，这是他们的第一条罪状；率领士兵出国作战而不能使之归来，这是他们的第二条罪状；给他们尸体却不收取，这是他们的第三条罪状。老百姓将会因为这三条而怨恨齐国的高官将领。居于高位的人也就无法役使下面的人，而下面的人又不愿侍奉居于上位的人，这就叫做双重打击齐国！"

"好，还是您计高一筹啊！"孔青终于完全理解了宁越的良苦用心。

果然不出宁越所料，齐国因此而元气大伤，很长一段时间不能对外用兵。

宁越的主张看起来好像并不是那么咄咄逼人，相反，似乎还有点软弱，在向齐国让步，殊不知，这"让步"里面却大有文章，表面上的退步其实换取的是更大的进步。

流水，为了不"腐"，为了奔向大海，或者只是为了"流"这一信念，就能忍受高山的阻挡，深涧的恐吓，忍受万里险途的功苦、寂寞，忍受浊沙的污染，忍受烈日的烘烤，随着地势的起伏时急时缓，时分时合，可它没有停下自己的脚步，哪怕是九转十八弯，也不放弃信念，一路高歌着向东流去，流去，直至大海。

水，没有固定的形态，却以自己特有的方式适应着这个世界，可圆可方，能强能弱，它是柔韧的，"抽刀断水水更流"；它是弱小的，任由别人取之；它是坚强的，"水滴石可穿"。

人要做到忍让，则需要有比别人高一步的追求，高一步的立身，才可以超越眼前一切事物的局限、束缚，不为一时一事之小利小害所迷惑，为之苦恼，争执不休，无法容忍。

3. 算对每一步棋，最终胜出

人的"成功"并非侥幸所得，无数的骗人手段和害人伎俩，都是精心设计的结果，其邪恶智慧往往出人意料。历史上的奸雄都是善于造势的人。他们的演技炉火纯青，手法高人一等，人们从外表上是很难识破其本来面目的。

唐代诗人白居易有诗云："周公恐惧流言日，王莽谦恭未篡时。向使当初身便死，一生真伪复谁知。"

王莽的骗术一流，他未篡位时，甚至连他身边最贴身的人都不识其奸。

王莽于成帝绥和元年（前8年）任大司马。居于高位后，王莽仍故作谦虚，表现得俭朴好礼，礼贤下士。他让妻子穿着破烂的衣裳，如同婢女使妇，外人都称赞他们品德高尚。

一年过后，王莽因傅太后掌权，一时辞官家居。他为了东山再起，矫情自饰的功夫丝毫未减，他对家人告诫说："不在台上，我的所作所为才更引人注意，也最能让世人信服。这是我他日复官的最大资本，你们都要自律自爱，勿要坏了我的大事。"

王莽的二儿子王获偏不知趣，他杀死了一个家奴。王莽一知此事，立时勃然大怒，欲将儿子处死。

王莽的家人哭着说："儿子是你的亲生，你责罚他一顿也就是了，何况在达官贵人之中，杀死家奴也是常事，为何你却非要他的命呢？你太狠心了，这绝不是一个为父者该做的。"

王莽恨恨地说："他毁我清誉，此事若是轻轻放下，我的对手自会借此攻击于我，别人又该如何看我呢？我苦心经营这么多年，岂能因他前功尽弃？我不是想杀他，而是不得不杀啊！"

王莽逼着王获自杀偿命，此事传出，人们无不为他的大义灭亲之举交口称颂。一时朝野人士纷纷上书朝廷请求重用他，有人还以日食为由，说这是上天对不用王莽如此贤良之士而发出的警告。

哀帝死后，太皇太后王班君重新掌权，王莽也官复原职。为了收买人心，王莽上台后干的第一件事便是弹劾哀帝的宠臣董贤，他义正辞严地说："国有奸佞，朝政遂坏。奸佞误国，不可一日不除。大司马董贤无德无才，以貌获宠，贪婪无度，人人痛恨。请顺应民意，铲除此贼，以告天下。"

董贤畏罪自杀后，王莽的义举又传遍天下，人人生敬。他被视为小人佞臣的克星，天下人都把他当作中兴汉室的希望。

王莽为巧取江山，继续作戏，他上书太后说："百姓疾苦，这是我们做臣子应时刻关心的头等大事。奸臣当道，只知享乐，如今汉室中兴，自不能任百姓受苦。国库尚有不足，此事又刻不容缓，我愿出钱百万，田三十顷，由国家分给贫民。"

王莽的这一举措，立时招来国人的同声叫好。公卿们迫于无奈，只好也献出些钱财和土地。百姓把王莽视为自己的恩人，对他的仰慕更深了。

王莽为了表示与民同甘共苦，在发生水旱灾荒时，他不食肉，且还要上书自责。好几次因为他拒绝进食，太后都派使臣劝他保重身体。

为皇帝选美时，王莽故意上书请求不要把他的女儿列入名单。此事传出，天下人又为他的谦让美德所感动，反是纷纷上书请立王莽之女为皇后。王莽派人说服制止众人，他还故作诚恳地对群臣说："我德行不够，教女无方，自不敢让我女高居皇后之位。你们的好意我心领了，可一个忠心的臣子，又怎能愧受他不该拥有的名位呢？死也不能让我改变主意。"

王莽是读书人出身，他深知要想愚弄天下，夺取天下，获得他们的支持是必不可少的。他命人在京师修建了辟雍、灵台、明堂等学习场所，都建得富丽堂皇。他扩大了太学名额，又建了一座可住一万人的读书人宿舍，广招读书人到京师就读入学。读书人对他感恩戴德，奔走相告，竟有四十八万人上书朝廷，为王莽请功。

王莽是历史上惟一的一位书生皇帝，借着滴水不漏的忍让功夫，一步一步爬上权力的巅峰，能忍至此，不成功绝无道理。如果不是因为最后败亡，王莽远不是人们今天看到的这样一种形象了。

4. 关乎己身权益的事，退比进更能达到目的

能成就大业的人，应该在不息的生命中学会忍耐、忍让、忍受别人的诽谤，忍受命运的不公，忍受挫折的打击，忍受富贵权势的诱惑，忍受生与死的考验，方能铸就自己人生的辉煌。

有时候，在关乎己身权益的事，退比进更能达到目的。退一

步能使对方重新审视彼此，作出更有利于己的决定。

晋国公子重耳在外流亡十余年的日子，终于要结束了。秦穆公在将女儿嫁给重耳后，又派出军队，协助重耳返回晋国即位。

大军不日来到黄河。渡河之际，重耳见手下将过去流亡时的旧衣旧物搬到船上，不禁哈哈大笑说："我即将入国为君，这些破旧东西，留之何用？"

便命手下将旧物都丢入河中。

重耳的谋臣狐堰见了，心中很不是滋味。他见重耳尚未入国，已将过去的困苦抛在脑后；若一朝登基为君，是否会对这些过去随他一起流亡的臣下弃如敝屣？

轮到狐堰上船的时候，他却留在岸上，没有要离开的样子。众人催促声中，狐堰走到重耳面前跪下，手里捧着一块玉璧，说："我跟随公子周旋天下十余年，过多于功，尤其当初在齐国之时，趁着公子酒醉，强带公子离开齐国。狐堰待罪之身，不敢再叨颜相从。而且公子此去为君，晋国如云良臣，尽属公子；狐堰庸才，对公子已无助益，所以想留在秦国。临别之际，想将这块秦君赐赠的玉璧送给公子，望公子留作纪念。"

重耳急忙扶起狐堰，说："若非当时你勉强我离开齐国，我那有现在的成就？这不但无罪，反而是大功一件。"

然后接过狐堰手中的玉璧，投入河中，说："今天请河神做见证——我若能登大位，一定不忘与狐堰共富贵。"

狐堰大喜，拜谢再三，遂与众人登船。

后来重耳即位，果然拜狐堰为上大夫。

狐堰的观察及担忧其实是正确的，因为重耳的动作是潜意识的反映。也就是说，重耳要把过去的苦难日子彻底丢弃遗忘，狐堰从重耳丢弃衣物的小动作，看穿了重耳的心态！

狐堰以退为进，尤其挑在未渡河之前表明——若是渡河之后再提，就显不出自己的磊落了！重耳能不有所表态吗？如果他接受了狐堰的说辞，把狐堰留在岸边，其他的臣下怎么想呢？重耳不能不考虑到这一点呀！

狐堰那一段话不但情感充沛，而且不卑不亢，令人动容。

5. 掌握奇正之变，方知进退之机

孙子曰："战势不过奇正，奇正之变不可胜穷也。"

其实，奇与正，正是使用虚实的这种技巧和本能。奇正之变包括了虚实之变的各种手段，如果说虚实是武器，那么，奇正就是使用这种武器的技巧和方法。

两军相遇勇者胜。如果都勇该怎么办呢？龙在潭虎在穴，硬攻是白费精力，这就需要奇了。有了奇，正面的勇便显然只是一种蛮干。

西汉初年，漠北草原上东胡与匈奴两大部落势力最强。东胡听说冒顿弑父自立，便派出使者去告诉冒顿说："我们想要你父亲的那匹千里马。"

冒顿询问群臣，群臣都说："那是匈奴的一匹宝马，不能给人！"

冒顿道："怎么能与人家为友好邻国却还要吝惜区区一匹马呢？"

随即把那匹马送给了东胡。

过了不久，东胡又派使者来对冒顿说："我们想要您宠爱的一位妃子。"

冒顿再询问左右近侍，待臣都愤怒地说："东胡这般无礼，竟然索求阏氏！请发兵攻打它！"

冒顿道："和人家是邻国，怎么能舍不得一个女子呢！"就选取自己宠爱的阏氏送给了东胡。

东胡王于是越来越骄横放纵。东胡与匈奴之间，有被废弃的土地无人居住，方圆一千多里，双方各居一边，设立屯戍守望的哨所。

东胡再次派使者对冒顿说："这些无人居住的荒地，我想得到它。"

冒顿依旧召问群臣，群臣中有的说："这是块荒地，给他们也可以，不给也行。"

冒顿这时却勃然大怒道："土地是国家的根本，怎么能够给人呢！"

冒顿马上把那些说可以给予的大臣都杀了，然后一跃上马，领兵去攻打东胡。他下令说："部落中有人晚到一步者，斩首！"

东胡因为非常轻视冒顿，很快被灭掉了。

在特定的条件和情况下，在与别人斗争的过程中，自己并不是总处于优势。这是由于自己羽翼未丰，力量弱小，为了避免被人发现自己的真实想法或真实面目，防止招来麻烦，就要伪装自己；使别人不注意自己，就需要欲擒故纵，以达到良好的效果。

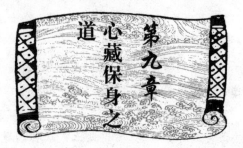

第九章
心藏保身之道

保身立命，不遭祸事，对天理人常、人情世故是不能不有所了解和体悟的。这是为人处事的行动指南，也是检验一个人是否真正成熟的标志之一。探求人们的保身之道，更要审觅其内在缘由，挖掘其思想真谛。这样，进而为我所用，保身去祸。

人都有选择环境的自由，但结局却有天壤之别。原因之一就是有人对生活缺乏真切的认识，对面临的处境掉以轻心，置身于其中而不知；而有人却能知非不处，危邦不人，乱邦不居，远离可能惹火烧身的环境。

人们的惰性，富贵的侵袭，权力的腐蚀，一般人对此是难以抵御的。他们成功之后往往变得骄狂、放纵和失去理智，再无谨慎之心，行事自然不合时宜和有违法理。如此一来，走向事情的反面，天怨人弃，便是他们的必然结局。与之相反，有智慧的人能顺应时势的变化，能预知成功之后所面临种种风险，故而扬长避短，谨小慎微，防范在先。他们不遭祸，也就绝非侥幸了。

荣华富贵不是命里就有的，先有谋划后才有成；吉利和凶险是选择人的，谨慎小心才能消灾免祸。

第一节　居安思危，未雨绸缪

◆君子惜名的个性，实在是君子们致祸的根源所在。保身之道，重要的是不树强敌，不成为众矢之的。

◆在无力辩护的情况下，主动承认错误，甚至违心地认下罪名，不失为摆脱厄运、获得新生的一条途径。

◆人不会永远处于顺境，因此，有远见的人便事事留有余地。

◆处世待人保持"适度"外，还应善于把眼前利益与长远利益联系起来。

◆即使立下盖世奇功，成为天下崇拜的英雄，假如自己产生自傲的念头，不但功劳会在自傲中丧失，还会招来意外的祸患。

◆人的一生变化无常，"得意不忘失意日，上台勿忘下台时"，越是春风得意，越是不能放纵自己。

1. 做大事需要大筹划

人们不会对一个平庸之人有过多要求，因为他平庸；相反的，对一个才华出众的人，便肯托付任于他，对他寄托很大期望。这一类的人，愈是本领大，也就愈会给自己招来一些艰巨的任务，做得好便罢，稍一不慎就大祸临头了。所以，即便自己完成了别人完成不了的事情，也不要自矜自夸，而要尽量淡化自己的作用，免受别人的攻击。

趁着还没下雨，先修缮房屋门窗。所谓"盛时当作衰时想"。天下之事知其已然而不知其将然者众；目其已然，知其所以然且知其将然而未然者鲜，盖非深谋远虑者不能也。仕者虽难知其必然，但应经营现在，谋及将来；鼠目寸光，难及远也。

周公姓姬名旦，周武王的弟弟，是儒家思想体系中的政治理想人物。周武王灭商后不久便死去，由周成王继位。周成王即位时还是个包在襁褓中的婴儿。周公怕天下人得知武王驾崩而谋反，便代成王摄政。周公的行为引起诸兄弟的猜忌。以管叔为首的一批人散布流言说："周公将要篡夺成王天子之位。"

周公得知后，对太公望和召公奭表白说："我之所以不避嫌疑代成王行政事，完全是因为怕天下叛周，落到无法向先王神灵交代的地步。先王们好不容易创下的事业，如今略显气象，可惜武王早逝，成王年幼。为了完成周的大业，我不得不挑起这副重担。"于是，他不顾流言，仍然留在京师辅佐成王。

后来，成王长大，能亲自临朝听政了，周公便将国政交还给成王，自己退回臣子行列，面北而立，态度恭敬，谨慎小心地伺候天子。

成王小时候也得过一次重病，周公剪下自己的指甲，扔到河里祷告神灵说："我王年少不懂事，违犯神命使神发怒的是我姬旦，请惩罚我，不要嫁祸于王。"祷告完毕，祷辞文册也被藏入内府，成王病便好了。

等到成王亲政后，有人向成王进谗言，诬陷周公。周公无法为自己辩白，只好跑到楚国。成王还以为周公心虚出逃。后来，成王查看内府，发现周公当年祷告河神，为自己祛病消灾的祷词，极为感动，便将周公请回朝廷。

周公作为彪炳千秋的政治家，确实有其超人的政治谋略。既善谋政，又善谋身。他精忠报国，深谋远略，在必要的时候，为保持国家的安定，毅然代成王摄政。同时，他又深知代成王摄政，为众目所瞩、众议所集，权力所准，亦祸患所生也。因而他经营现在，谋及将来。利用成王生病之机，剪掉自己的指甲，扔到河里，为成王祷告，并将祷辞藏之于内府，以备将来。果然，此举使他在后来受到诬陷时，得以免除祸患。

2. 示敌以弱，才能弥祸于无形

君子重仁重义，卑鄙的小人则无此挂碍，一切以私利为准。历史上因此缘故受制于小人的不乏其人，他们不爱名、不爱钱、不爱官、不爱色，却不能不讲仁义。小人正是利用这一点，毫无人性地施展其阴谋的。

对此必须有清醒的认识，并采取相应的措施，防患于未然，才能保家全身。

郭子仪是唐代的名将，功高无比，正气凛然。他带兵平定安史之乱，击退吐蕃的入侵，唐肃宗曾亲自对他说："国家能够重建，都是你的功劳啊。"

这样一位大功臣，却时刻受到朝中奸小的进谗，屡遭陷害。令人不解的是，郭子仪每次都没有表示出怨恨，相反却是极力自责。他手下的将士认为他太懦弱了，不少人自告奋勇要替他除奸，更有人对他说："元帅统领大军，强敌无不丧胆，却怎么任由朝中小人诬害？那些家伙手无缚鸡之力，元帅还怕斗不过他们吗？"郭子仪每次都训斥他们说："我乃统兵元帅，最忌分心他顾，让敌人有机可乘。何况有人说几句闲话，那也是历来常有的事，有什么可奇怪的呢？或许是我真的有失，也怪不得别人。你们只管安心带兵，如果再进此言，必军法从事。"

他这样说，不了解他的人更认为他懦弱了，对朝中奸小不禁倍增仇恨。

一次，郭子仪的心腹大将和他私谈此事，愤愤不平之色溢于言表。郭子仪长叹数声后，无奈道："人人以为我懦弱，不敢和朝中奸小抗辩，可他们哪知我的隐忧啊。我子孙满堂，一家大小都在京师，我常年出征在外，无暇顾及家人，他们无疑是朝中奸小手中的人质，我敢轻举妄动吗？朝中奸小是什么事都能干得出来的，只要不关及国家大事，我个人受点委屈又算得了什么呢？"

鱼朝恩一向嫉恨郭子仪的大功，多次在肃宗面前诋毁他。鱼朝恩的死党担心郭子仪手握重兵，会行报复之事，于是他对鱼朝恩反复劝说道："大人虽位高权重，可终敌不过郭子仪手下的几十万大军啊。一旦他被大人逼急了，起兵讨伐，那该如何是好？此事凶险，大人还要慎重为好。"

鱼朝恩冷冷一笑说："此节我早已考虑过，不必担忧，郭子仪仁孝，他的家人全在我的掌控之中，谅他也不敢草率行事。"

一次，郭子仪兵败，鱼朝恩借机再进谗言，肃宗于是把郭子仪召回朝廷，改任闲散官职。人人都为郭子仪鸣不平，郭子仪却痛快地交出兵权，毫无怨言。

后来郭子仪又被起用，他在灵州打败吐蕃军后，威望更高了，鱼朝恩恼羞成怒，竟派人掘了他父亲的坟，以泄其愤。听到这个噩耗，郭子仪暗中大哭，面上却只作不知。回朝之后，他的家人也痛哭失声，只盼他报此大仇。他的儿子哭着说："父亲只知忍让，却落得个让人掘坟的结果，天下人都会嘲笑我们的。这次我豁出命来，也要取奸人的命来。"

郭子仪亦流泪道："皇上宠信奸佞，忠言难进呐。奸佞挖我祖坟，他这是在激我冲动从事，以行其奸计，我们怎能上当呢？奸佞多行不义必自毙，我隐忍不发，虽是为了国家大局着想，可也是担心你们受害啊。"

他强压怒火，见到代宗时更丝毫不提及此事。代宗过意不去，就此事向郭子仪表示慰问，郭子仪却说："我领兵在外，禁止不了军兵捣毁他人的坟墓，常有愧疚，自认失职。现在我的祖坟被掘，非是人为，却是上天对我的惩罚，我能怪谁呢？"

郭子仪有八个儿子七个女婿，都在朝中为官，担任要职。他的几十个孙子，向他问安之时，他竟不能一一叫出名字。他最后高寿而终，备极荣宠。

对郭子仪来说，为了保全身家性命，别人挖了他的祖坟都能忍受，还有什么不能忍的呢？想必作恶的鱼朝恩心里也会感到一丝内疚的吧。

"降魔者先降其心，心伏则群魔退听；驭横者先驭其气，气平则外横不侵。"

一个人要能忍受荣华宠幸与屈辱、侮辱，必定要有一颗淡泊宁静之心。其实，一切的魔道皆在自己的心中，若能战胜自己，何人不能胜？若能先降己之心，则外来的一切诱惑均可洞察。我们自己能心平气和地面对一切，那么外界的羞辱、宠爱怎会侵入己身，怎会被它所伤害？

3. 转移别人的注意力

在人生的鼎盛期，应该及早做抽身隐退的准备，以免将来进退维谷无法脱身；当刚开始做一件事时，就应当预先计划好在什么情况下罢手，以后才不至于招致危险。

战国末年，秦国灭亡了韩、赵、魏三国，赶跑了燕王。秦王嬴政准备一鼓作气吞并楚国，继续统一中国的大业。为此，秦王集文臣武将们商议灭楚战争。青年将领李信，在攻打燕国时曾以少胜多，使得燕王被迫求和，因此深受秦王赏识。

秦王先问李信，伐楚需要多少兵将，李信不假思索的回答："二十万足够了。"

秦王又把目光转向老将王翦，问道："王将军，您的意见呢？"

久经沙场的老将王翦神色凝重地回答说："灭楚，非六十万

大军不可!"

秦王冷冷地说:"王将军果真是老了,为什么这么胆怯呢?还是李将军有魄力,我看他的意见是对的。"于是,秦王就派李信和蒙恬率领二十万大军南下攻楚。

王翦告病辞官,回老家休养去了。

李信率军攻打平与,蒙恬进攻寝邑,都取得了胜利。李信又攻下两地,之后挥师向西,与蒙恬在城父会师。此时,楚军趁势尾随追击秦军,三天三夜马不停蹄,攻入秦军的两个堡垒,李信大败而归。

秦王震怒,立即将李信查办革职,并亲自去请老将王翦出马,统帅灭楚大军。秦王道歉说:"由于寡人没有听从将军的意见,轻信李信,误了国家大事。现在楚军天天西进,务请将军抱病上阵,出任灭楚大军的统帅。"

王翦推辞道:"老臣体弱多病,脑筋糊涂,望大王另选良将。"

秦王恳求道:"老将军就不要再推辞了。"

王翦乘机说:"如果大王一定要任用我为统帅,那就非六十万人马不可。"

随后,王翦率领六十万大军出发攻楚。六十万人马几乎是秦国的全部军力,秦王当然不会完全放心。

大军出征那天,秦王亲自率领文武百官送行到灞上。

王翦深知秦王嬴政为人多疑,因此,喝了饯行酒后,王翦便请求秦王赐给他一大批良田、住宅和园林。秦王听了,笑道:"老将军放心地去作战吧。我富有四海,你还用得着担心贫穷吗?"

王翦说:"大王废除了裂土分封制度,臣等身为大王的将领,功劳再大,也不能封侯。所以只得趁着大王还相信我的时候,请求多恩赐些田产留给儿孙们。"秦王笑着答应了。

王翦到达函谷关后，先后五次派使者回朝廷，请求恩赐良田、住宅、园林和池塘。有的部将对王翦的做法不理解，问他说："老将军这样不厌其烦地请求赏赐，不是太过分了吗？"

王翦说："我这样做，是为了解除后顾之忧。秦王的为人你们不是不知道，他心性多疑，为了灭楚，他把六十万大军全部交给我，他心里不会不对我产生疑虑。我不断向他请求赏赐，就是为了让他感到我没有什么野心，从而使他不再疑心我军权在握会威胁到他的王位。"

秦王果然放手让他统军对楚作战，不到一年的时间就吞并了楚国。

王翦不但是一位善于领兵作战的将军，而且是一位善处君臣关系的政治家。他对秦王为人多疑的性格了如指掌，当自己的意见不被采纳时，他能以退为进，以守为攻。起初，雄心勃勃的秦王嬴政，对年轻气盛的李信宠信有加，李信提出的"二十万人马足以灭掉楚国"的意见，恰巧迎合了秦王的轻敌思想。此时此刻，争辩不但是徒劳的，说不定还会搭上这条老命。所以，王翦就推托有病，告老回乡休养去了。面对自己的正确意见不被采纳，王翦不气愤，因为他知道，气愤只能伤了自己的身体；他也不争辩，因为他明白，争辩可能会惹怒秦王招来祸殃。于是，他大智若愚，来个无官一身轻。当秦王屈驾其府，将伐楚帅印交付给他之后，他又以多求赏赐的策略消除秦王的猜忌之心，为取得战争的胜利扫除障碍。

老虎是一种凶猛的动物，俗话讲"骑虎难下"，就是用来比喻凡事要三思而行，以免日后造成进退两难的境地。

因此，只有居安思危，防患于未然，时刻提防来自四面八方的暗算，才能保身避祸。

4. 缺乏策略，等到的就是失败

君子和小人，从保身的实际效果看，君子往往是不如小人的。君子惜名的个性，实是他们致祸的根源所在。由于珍视名誉，他们才不同流合污，不媚上邀宠，不徇私枉法。如此一来，他们的行为都被束缚住了。

西汉宣帝时期，司隶校尉盖宽饶刚正耿直，惜名如金，不畏权贵，任何人犯在他的手里，他也毫不通融，依法治罪。

司隶校尉负责察举百官和惩治犯罪，这本是个肥差，也是晋升的阶梯，盖宽饶却因结怨公卿显贵，久不升迁，清贫依旧。他虽时有牢骚发作，却不改君子之风，依然故我。

盖宽饶的好朋友王生为此苦口婆心地对他说："当个君子的难处，就在为世不容。官场之上，更容不得君子了。君子百姓敬仰，小人却怨恨入骨；何况官场中小人甚多，他们以你为敌，百姓又帮不了你，你的处境还好得了吗？按理说你既身在官场，就该遵循为官之道，以明哲保身为要，不该妄求君子之名；可你一味固执，大丈夫立世应有所变通，切不可逆流而上。这是人人都该坚持的保身之道，你也不能例外。若再继续下去，像你这种人有好的结果，我是不敢想象的。"

盖宽饶被说到了痛处，他大哭了一场，有心稍作变通，可一旦遇事，他嫉恶如仇的个性便又发作了。

有一次，他应皇后之父许广汉的邀请，去他的新居赴宴。其间，他见前来捧场的满朝公卿个个喝得东倒西歪，口出秽言，但觉十分厌恶。九卿之一的檀长卿更是丑态不堪入目，他竟学着猴狗相斗之状，逗人发笑。

盖宽饶忍无可忍，他举目向上，目视屋顶，旁敲侧击地大声说："人生富贵，不过是过眼烟云，难道真的让人失去理智，无所顾忌？你们诸君现在快乐已极，肆无忌惮，可要当心好景不长，乐极生悲呀！"

一语既出，众人皆怒目相向，心中暗骂。盖宽饶不辞而别，又向皇上奏明此事，请求严办檀长卿的无大臣礼仪之罪。犷汉为檀长卿说情，皇上没有追究，满朝文武闻知此事，更增加了对盖宽饶的怨恨。

汉宣帝重用宦官，对他们言听计从，人们虽有不满，为求自保，却是无人进言。盖宽饶与众不同，他大胆上书，仗义执言，言辞颇有过激之处。

汉宣帝被其激怒，说他诽谤朝廷，目无尊长，将他逮捕。那些大臣们幸灾乐祸，这会纷纷落井下石，竟诬他要谋权篡位，极力主张将他处死。

可怜盖宽饶的亲戚朋友四处求人帮忙，竟是无人肯助。盖宽饶又悲又恼，只怪苍天无眼；他放声哭过，愤然自杀。

保身之道，关键是不树强敌，成为众矢之的。却往往为许多人忽视，遂在不经意之间，为自己埋下莫大的祸殃。好仁重义，这本是人们追求和崇尚的良好美德，可在小人眼里，便是格外刺眼，以之为仇。这就让人无形之中多了许多敌人，却是难以防范。所以保身有道者，不显山，不露水，不刻意追求虚名；有了大名也自我压抑，自掩其美。

5. 胜算有心策，狡兔有三窟

人的地位和处境，直接决定着人们保身的方法和戒律。不同的人，由于他们面临的危险和对象不同，因而对他们的要求自然有异。

以自己的定位和对形势的判断，只有做到准确和清醒，保身的效果才能达到。反之，定位不明，判断有误，常是致险招灾的根苗。人有强弱之分，强弱有转换之时，不同的人群，不同的阶段，所采取的策略都要对症下药，不可偏执。弱者如果强出头，硬逞能，无疑是鸡蛋碰石头，不但毁了自己，也失去了翻身的本钱，是百害无一利的。反观强者，他们若是一味贪心，永不知足，不适当地约束自己，就会胆大妄为，以至冒天下之大不韪，干下许多蠢事、恶事。结果天理不容、人所共愤，他的强者地位也就不保，直至最后失去，身死族灭。

刘邦当上皇帝后，宠信戚夫人。戚夫人的儿子如意被封为赵王，但戚夫人并不满足，她希望自己的儿子当上皇帝。仗着刘邦宠信她，她缠着刘邦废掉太子刘盈，改立如意。

刘邦的心里也慢慢活动了。他爱屋及乌，也喜欢如意。虽然大臣们极力劝谏，他还是一直想实现这一主张。

吕皇后是刘盈的生母，她心里为此感到十分不安。她知道，高祖一旦做出了决定，光靠大臣们劝谏是扭转不了局面的，况且大臣们在这个问题上意见也并不一致。她和亲信们商议，有人出主意说："这件事非留侯不可。留侯足智多谋，皇上事事都听他的。"

留侯张良自从刘邦当上皇帝后，就以身体不好为由，很少过问政事。吕后就让自己的兄弟吕泽设计把张良劫了来，对他说："先生常为皇上出主意，现在皇上要换太子，先生就真的高枕无忧吗？"

张良说："当初皇上处于危难之中，还能用臣的计谋。现在天下安定了，皇上要换太子，是出于个人的情爱。像这种骨肉之间的事，像我这样的大臣就是一百个也没有用。"

吕后一定要张良想办法，张良只好说："这种事情不是凭口舌就能争得了的。天下有四个人，是皇上没有请到的，这四个人都很老了，因为皇上对人傲慢，就逃到了山中，决定不再做汉朝的臣子，但皇上对这四人很看重。要真能不惜重金，叫能言善辩的人拿着太子的书信去请，请来了，就叫他们做客卿，时时跟随太子上朝，让皇上见到他们，可以有所帮助。"

吕后就照他的话做了。商山四皓是从秦始皇时就当隐士的四个老头儿，学问好，道德高，名气大。刘邦想请他们出山，他们认为刘邦喜欢开口说粗话，还曾经把书生的博士帽子拿来当便器，不会礼贤下士，因此一直不答应。

吕后教儿子卑辞厚礼把商山四皓请来，待为上宾。刘邦知道后，认为太子党羽已成，改立一事就没有进行。

孟尝君的狡兔三窟，更多地停留在原始意义上，寻求三个能避祸全身的地方。但这种做法并不保险，不但极易被识破，还会留下"有外心"的把柄，更高的智慧是建"三窟"于无形。张良就是这样的智者。

汉朝初定，张良目睹了彭越、韩信等功臣结局悲惨，又想到范蠡和文种逃生留死的教训，觉得已经到了为自己留下后路的时候了，于是开始为自己建三窟：

第一窟是封地。在赏封功臣时，刘邦曾准备齐地的三万户给张良作食邑，但张良没有接受，表示只要有一块小小的地盘就足够了，把它当作同刘邦会面的地方，表达对刘邦的知遇之恩。

第二窟是刘邦。张良有经天纬地之才，却又淡泊名利，有功而不居功，深受刘邦倚重。战争期间，他在鸿门宴上帮助刘邦脱身保命；他建议刘邦不要立六国的后代，以免留下后患，并建议刘邦把韩信封为齐王，以调动他攻楚的积极性；他还劝刘邦乘胜追击项羽，成就了汉室基业；他力主将关中作为定都之地，赢得了人心归附。

有这些功劳，张良自己却并不以功臣自居，而是专心研习黄老之学，避免了受到猜疑。

第三窟是吕后和太子。张良曾帮助太子保住继承人的位子，吕后和太子对他感恩戴德。

此三窟成了以后，张良就不仅保全一生富贵安荣，而且英名也没有受到任何损伤。

我们可能没有张良那样的智慧，但是却可以从这个故事得到启发，在处世为人时，奉行谨慎冷静，内敛低调的态度，纵无善报，也不致遭受恶报！这样为自己留下后路，遇到问题时，起码不会有人落井下石。孟尝君有了三窟，尚且勉强能够免除一死，更何况我们往往连一窟都没有筑好！

第二节　谦退自抑

◆争千秋不争一时，惟其不争天下莫能与之争。

◆如果美慕外界的荣华富贵那就会被物欲困惑包围，如果有贪恋功名利禄的念头，就会陷入危机四伏的险地。

◆上下级，同僚关系处理不好，往往结怨成仇。究其原因，为私事结怨的多为公事结怨的少，能执乎中，以和为贵，即相安无事。

◆权势蕴含着危险，恣意弄权，就会引发危险。得意之时，就须及早回头。

1. 好事不可占全

《菜根谭》云："处富贵之地，要知贫贱的痛痒；当少壮之时，须念衰老的辛酸。"意思是说，当一个人处于富有而高贵境地时，要了解贫贱者的疾苦；当一个人年轻力壮时，要想到年老体衰时的辛酸。

这句话有两层含义：第一层是说富贵不能忘本。陈胜没有称王的时候，曾和同伴相约："苟富贵，毋相忘。"可陈胜真的富且贵的时候，把这句话就丢到脑后去了。贫穷和富贵是相对立的，从古到今，很多人一旦有了权势，便觉身价百倍，忘却水能载舟也能覆舟的古训；有了财富，便显得趾高气扬，骄奢淫逸，仿佛自己的血统都比别人高贵了。在富贵时想不到贫穷，就难使富贵长久。

唐朝宰相李义琰的住宅没有正室。为帮助李义琰建造住宅，他的弟弟担任岐州司功参军时，便买了造屋用的木材送给他。等到弟弟进京时，李义琰对他说："以我的才德而言，担任宰相已经感到愧疚，如果再建造华丽的住室，这是让我加速招致灾祸，这哪里是真心爱我呀！"他弟弟解释说："一般人做到廷尉之类的小官，便营建大宅美室，况且哥哥位居宰相，难道就应该像平民百姓那样，一辈子居住在卑陋狭小的房子里吗？"

李义琰说："世间没有两全其美的事物。我已经做了高官，现在又要扩建宅第，如果没有高尚的品德，必然要遭受祸殃。并不是我不想建豪宅住美室，而是担心因此违法获罪。"

李义琰始终没有营建正室，他弟弟送来的木材经日晒雨淋都腐朽了。

李义琰身为宰相，仍然住在低矮狭小的偏房中，他的弟弟送些木材给他修建正室，本无可非议，可李义琰却坚辞不受。由此可见，他绝不是做做样子，他是真的"处富思贫"，保持戒心。古人曾说过："世之廉者有三：有见理明而不妄取者，有尚名节而不苟取者，有畏法律保禄位而不敢取者。"尽管这三种类型的廉吏在思想境界上有高低之分，却都是值得称道的。李义琰怕违法招祸而不造美室的保身意识值得称道。他对弟弟说，自己"并不是不想建豪宅，也不是不想住美室，而是恐怕由此招来灾祸。"建座好一点的房子怎么就能招来灾祸呢？李义琰分析道：既然当了高官，其他方面就应该注意谦卑一些，这样，才能够保持世间事物的平衡。如果既做高官，又建豪宅美室，稍不谨慎，就可能触犯法纪招来祸殃。可见，他不仅行动谨慎，而且头脑清醒。

2．该推开的一定要推开

世上最好的东西，并不一定全归你所有，也不能全归你所有，尤其是面对功劳，而要有推开之心。大家知道，"功劳"是非常诱人的，故有人争功，这叫势利眼；有人论功，这叫明白人，可以得到更大的功劳。

当面对诱惑力极大的功劳时，你最需要做的，不是争抢，而是推开。这一点是非常重要的做人成事之道。

王守仁是明代文武兼备的全才，他创立了"格物致知"学说，享有配祀文庙的殊荣。

王守仁以书生出身，却屡建战功。正德十四年（1519年）六月，朝廷命令王守仁前往福建平叛，行至丰城时，得闻宁王朱宸壕举兵造反的消息，王守仁当机立断，立时加入讨贼行列。

王守仁历经血战，将朱宸壕生擒活捉，立下大功。深受正德皇帝宠信的江彬，恨他夺走了他大显身手的机会，更嫉妒他的功绩，便要向皇帝进言直接陷害他，江彬的心腹手下阻止他说："王守仁为国擒贼，举国欢庆，这是人所共见的功劳，绝不可以此时攻击他。要置他死地，只有旁敲侧击，陷他于贼同党，互为勾结，这才是上上之策啊。不然，皇上不但不会相信，反会怪罪你了。"

　　江彬大笑称妙，于是他派人四下散布流言说："王守仁奸诈恶毒，其实他本和朱宸壕同党，一见朱宸壕大事不成，这才倒戈一击，抓他自救，以想蒙骗天下。"

　　王守仁听到流言，又愤又恼，心怀恐惧。他找来心腹将领商量说："朝中奸小不容于我，广布流言惑众，这个手段真毒啊。我自辩无门，此事若无解决之道，我必危矣。"

　　王守仁的心腹将领面面相觑，其中一人说道："大人足智多谋，苦思必有良策。末将以为，朝中奸恶狠毒至此，必不是泛泛之辈，大人还是考虑个万全之计才是，切不可草率。"

　　王守仁苦思一夜，腹有一谋。他深夜求见总督军门太监张永，先赞颂张永贤能无比后，他话锋一转，诉苦道："我无意之功，不想却招来多方的嫉妒，对我百般中伤。大人你公正严明，可以为我做个见证了。"

　　张永心中也羡慕王守仁的功劳，他漫不经心地说："大人功高盖世，自有人怪，你又何必在意？"

　　王守仁诚惶诚恐道："这岂是我的功劳？这全是大人你的功绩啊。"他见张永一愣，又解释说："倘无大人你大军作援，军威震慑，朱宸壕那有速败之理？我只是侥幸罢了，其实你才是真正的功臣。"

　　张永大喜。王守仁遂将朱宸壕交给张永，重新报告皇帝说："捉拿反贼朱宸壕，功劳全在总督军门张永。他指挥有方，谋略不凡，其智过人，方能为朝廷立此功勋。"

　　张永亦是正德皇帝身边的红人，江彬得闻他建此功，只是无言。张永回朝极力为王守仁美言，正德皇帝免除了对王守仁的处罚。王守仁事后还是心惊胆战地说："功是祸始。我从前只想建立奇功，现在我却惟恐有功让之不出，这其中的变故，真是一言难尽呐！"

3."好事"不见得就好

在君主专制时代，尤其是战乱分裂之时，当官并不是好职业，它随时面临着灭顶之灾，不仅需要不怕祸、不怕死，而且还要扭曲人格、违背本性。胆小者不能做，刚直者也不能做。既然不想冒此大祸，惟一办法就是当农夫、绝意入仕。这从魏晋、清初士大夫不愿当官的社会风气可以看出，士大夫为了避祸，视入仕如踏死路，有的人被人几次强抬到京城逼着做官，有的人以自杀来反抗。但既然选择了或无法回避，就得泰然处之。

元朝初年，奸臣卢世荣为元世祖宠信，风光无限。卢世荣家每日都聚集着求见、巴结他的人们，有的人甚至以见过一面卢世荣为荣，四处夸耀。

王挥学识广博，闲居在家。卢世荣竟一反常态，派自己的亲信主动上门，拜见王挥。王挥不知来者何意，招呼那人落座之后，他冷冷地说："草民蒙卢大人厚爱，愧不敢当，如若有事，但请直言吧。"来人先是一笑，后又恭喜王挥，口道："先生大材之身，岂能埋没乡间呢？卢大人惜才重义，已向皇上保荐先生为左司郎中，先生即可马上赴任了。"

他本想王挥必是感恩致谢，喜不自禁。待见王挥脸有不喜，眉头频皱，却是暗自心惊了。他沉吟片刻，又补充说："卢大人位高权重，别人想见一面都是难事，那有先生这样的幸运呢？先生若是和卢大人同朝为官，前程怎可限量？这是天大的好事，先生还犹豫什么呢？"

王挥至此面上作笑，方说："大人有所不知，草民浪得虚名，素喜不问世事。卢大人垂爱有加，草民感激不尽，无奈闲云野鹤之身，如何受得了朝廷拘束？卢大人的美意，草民只能心领了。"

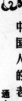

来人劝他多时，王挥就是不肯。来人走后，王挥的妻子儿女同声埋怨他，说："你平日口口声声说有志难酬，心有不甘，如今大好机会，你却轻轻放过，真是太可惜了。聪明人怎会干这等傻事呢？"

王挥耐心解释说："天下之事，总有它的内在之理。好事临近，若不冷静对待，也会迷途失陷。人们只见利，不见害；只看表，不看实，因此招祸的事还少吗？我不答应卢世荣之请，就是在此有所权衡，不想自身有失啊。"

王挥的家人非但不解，还反问他说："卢世荣是皇上宠信的近臣，又是他主动上门相邀，又有什么可担心的呢？你怕这怕那，还会有出头之日吗？"

王挥听此摇头，他分析说："能力不足而担任大事，靠盘剥众人而利自己的人，向来是不能保全的。卢世荣无才无德，献媚讨好是他的唯一本事，他虽窃取高位，可这岂能长久？我若依附于他，日后他倒台之时，我岂不要倒大霉吗？"

王挥态度坚决，家人见无法相劝，心中仍是暗暗着急。

卢世荣后来又多次派人相请，王都婉言谢绝了。此事传出，人皆为怪，更多人认为他不识时务，太过疯傻。王挥对之一笑，只说："用不了多久，他们就会明白我的心思。"

过了不长时间，卢世荣果然事败被杀，依附他的人也一一遭殃。消息传到王挥那里，他不惊不怪；他的家人庆幸之余，不得不佩服王挥的远见了。

4. 不妨满足一下别人的虚荣

有的人有一个毛病，认为自己的官比别人大，就是比别人有能力。对于才能高于自己的人，他的心胸气度都变得狭窄难容。在这种情况下，聪明大度的应对办法是：上级对你怨恨，就用仁爱来回应，上级攻击你，就用赞誉来回报，上级猜疑你，就用真诚来回应。没了嫌隙，自然就没有忧患了。

胡常和翟方进一同研究经书，他们一个是清河人，一个是汝南人，但关系却很好。

胡常先做了官，而翟方进的名望却比胡常大。人们见了胡常，只是客客气气地打招呼，但一提起翟方进，就都伸出大拇指说："人才呀，要人品有人品，要学问有学问！"

时间久了，胡常感到自己总是在翟方进的阴影下面。自己除了比翟方进官大，别的似乎什么都比不上他。于是他心存不满，后来竟忍不住说起对方的坏话来了："他有什么了不起？不过是一介书生，就会空谈！"

这话慢慢就传到了翟方进的耳中："胡大人对你颇有不满，总是贬低你！"

"胡大人就是比我有能力嘛！"翟方进说。说话的人摇摇头走开了。

以后每到胡常召集门生讲解经书的日子，翟方进就让自己的门生到胡常那里请教疑难问题，还把他讲解的话记录下来。一开始，胡常还不以为意，时间久了，他明白了对方有意地在推崇自己，心中感到不安起来，就不再讲翟方进的坏话了。后来，当人们开始称道起他的学问时，他也在赞扬翟方进了。

胡常也难免犯了类似的毛病：他当了官，就不能容忍没当官的朋友比自己强。于是他开始诋毁朋友了。这样下去，朋友还会是朋友吗？幸好对方度量大，修养好，不但不以为意，反而处处维护他、抬举他，让他的心理逐渐平衡，化解了矛盾。

在整个事件中，翟方进清楚一点：他和胡常大人没有本质上的矛盾，胡大人对自己不满，无非是因为自己名声比他大。那么抬举一下胡大人，矛盾就自然迎刃而解了。作为下级，这不失为化解矛盾、取得谅解的有效办法。

5. 不刻意求名而名声更显

秦国发兵攻打赵国，平原君派人向魏国求救，魏国待援军一到，秦军便知难而退。

有个大臣向赵王建议说："不发一兵一卒就解除国家危难，完全由于平原君的功劳，请求大王加封平原君土地。"

赵王马上就答应了。

平原君的宾客公孙龙知道了这件事，前去对平原君说："阁下没有斩将搴旗的战功，就已受封赵国大城。其实许多英雄豪杰之士，能力都远在阁下之上。阁下之所以出任相国，完全是由于王室宗亲的缘故。现在一旦解除国家的危难，便想增加封地，就好像是倚仗宗族的身份邀功，而一般臣民却必须论功才得封赏。我为阁下考虑，认为最好不要接受加封。"

于是平原君谢绝了赵王的加封，但名声反而更为显扬。

平原君的决定是正确的，因为他若接受加封，底下的人必然心里不舒服，他们会这样想——你只是派人去向魏国讨救兵，这样就要加封，太过分了吧！

其实平原君如果接受加封，在情理上也不会太离谱，因为无论如何，他解除了赵国的危机，这是事实！换成别人，还不一定讨得到救兵呢！

论功，平原君是有的；行赏，平原君是可接受的！但问题是，平原君身份特殊，动辄加封，形同特权，别人看在眼里当然不是滋味。因此按理平原君可受之无愧，但依情，谢绝比接受好！因为这样平原君可获得声名，不只手下、朝臣，连赵王也都

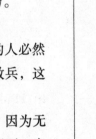

要赞赏平原君是个廉洁不贪，一心为国之人呢！这种声名所带来的周边效益是无论多少金钱都买不到的，这不是比什么都重要的一种东西吗？

第三节　慎言慎行

◆谨言慎行，是做人修养的又一重要层面！谨言慎行的目的，就是要少说话、多做事。

◆孔子曰："君子讷于言而敏于行。"所谓的言讷，就是慢言少语，所谓的行敏，就是多做快做，简言之，就是少说话，多做事。

◆《曾子·修身》曰："行欲先人，言欲后人。"说话，要经过深思熟虑，才不会流于胡言乱语招惹是非；做事，要说做便做，不拖泥带水，以养成雷厉风行之性。

◆常言道，病从口入，祸从口出。若不及早纠正乱说、胡说之病，总有一天，会自食苦果。

1. 越是大权在握越不能张扬

缜密的确是为官者成败祸福之关键。尤其要慎言，不可随意出口声张，既不可夸功，也不要议人，如需口说，则应机密处之，尽量使更少的人知道。古代大臣议事，一般都是单独与君主相见，并且跪在君主面前低语，连旁边侍者也难听见。

孔光是一个被汉武帝托以国家大政之人，对皇帝有废立之权，但终身无祸，活时安然大权在握，死后美名传世。他的成功之处关键不在其才智，而在他的过于谨密，平时议政连草稿都要毁掉，与家人相处，只字不提朝中事，连有人问他官中种什么

树，他都避而不答。

宋真宗时，李沆担任宰相，他从来不向皇帝上密奏。

有一次，宋真宗问他："大臣们人人都有密奏，爱卿独无，这是为什么呢？"

李沆回答说："公事就在朝廷公开奏对，还用密奏干什么呢？凡是密奏，不是诬陷别人，就是对上献媚，我一向厌恶这类做法。"

李沆接见宾客时常常沉默寡言。马亮与他是同年出生，又与他弟弟李维关系很好。有一天，马亮对李维说："外面都说你大哥是无嘴的葫芦。"

李沆还经常读《论语》，有人问他缘故，他说："我做宰相，就是要按照《论语》中所说的'节用而爱人，使民以时'的话去做。如果我做的达不到这个标准，那么，就说明我对圣人之言还没有真正理解读懂。所以，圣人之言，就要终身诵读。"

李沆性格直爽，为政廉谨，谦虚谨慎，不谋求大的声誉，为政办事遵纪守法，不以私害公。退朝回家后就正襟危坐。他家的厅堂前仅有一匹马转身的地方，有人说这太狭窄了，劝他扩大一下面积。他笑着说："自己家里的房子是传给子孙的私人财产。我这房子如果作为宰相府是狭窄了点，可是用来祭祖和接待客人已经很宽敞了。"

房屋的垣墙颓倒，他从不在意，家人都劝他修建房舍，他也不答应。弟弟李维也提到这件事，李沆说："我当宰相吃着国家的俸禄，还经常有优厚的赏赐。家中的钱修建一座新房也够用了。可是，我始终牢记佛经上的话，这世界本来就是有缺陷的，怎么可以求其圆满呢？现在如果买一块新房基地，要用一年的时间才能将房屋建成。人生在世，生死朝暮难保，在这房子里究竟能住多长时间呢？人的房子如同树枝上的鸟巢，能凑合着住就行，为什么一定要修建那么阔绰的房子呢？"

看来，李伉是深得避祸远罪的精义的。

一是从无密奏。他说："公事则公言之，何用密启"，凡"人臣有密启者，非谗即佞"。他的弦外之音，是在讽谏皇上不要被谗媚小人迷惑住。因为"佞言似忠，奸言似信"，对谗佞之徒的密奏不可不察。

古贤哲们一再告诫世人，对好阿谀奉承的人不能不防。他今天能对你极尽能事地巴结吹捧，明天也能对别人如此表演一番。这种人是地道的小人。喜欢吹捧别人的人是佞人，喜欢被奉承的人是愚人，都是无法长久的。

二是慎言避祸。在小人当道的险恶环境中，李伉宁愿被人笑为"无嘴葫芦"，这是他从现实中悟出来的道理。他从不与宾客及同僚们闲聊，口舌之祸，不可不慎。经常诵读《论语》，多读有益之书，实为一种处世智谋。

三是避盈戒满。在权势、名利、衣、食、住、行各方面都不求圆满如意。因为这世界本来就是有缺陷、不圆满的。知足常乐，可以无忧并可避祸。

2. 勿逞口舌之快

有不少人为了沽名钓誉，不惜以口舌之利败坏别人的名声。他们不知道，待人做事，如果一味多嘴多舌，可能就会适得其反，甚至可能触犯忌讳，触上霉头。泄漏天机的人，易遭天谴；打听人事的人，易招人怨。

明成祖时期，广东布政使徐奇进京觐见皇上，带了一批岭南的藤席，准备馈赠京城的官员，不料刚进京城就被巡城官扣下了。

巡城官把送礼的名单交给皇上。皇上一看，礼单上"群贤毕集"，惟独没有杨士奇的名字，很欣赏他的廉洁，就单独把他召来询问。

杨士奇说："当初，徐奇从给事中受命赴任广东时，众官员都作了赠别的诗为他送行，所以他才用藤席来回赠。当时臣有病没有做诗文，不然的话，我也在馈赠之列。今天虽然众官员的名字都在礼单上，他们是否都接受礼物，还不知道，再说东西很小，恐怕也没有其他目的。"

杨士奇一解释，皇上的疑惑打消了，就将名单交给宦官烧掉了，从此再未过问此事。

杨士奇不愧是开方便之门，闭是非之口的大人物。这名单一烧，皇帝对大臣们不再有疑心，许多官员也免于一场无妄之灾。杨士奇不借机卖弄口舌，为自己出名而用心，这种大智谋，又岂止是一句厚道或者忠君为国所能涵盖的呢？

然而越是如此，"沉默是金"也就越成为经得起实践检验的一句箴言。与卖弄口舌之利相比，沉默不仅是清醒的自我意识的体现，而且，正当行使"沉默权"的人会避免无端的伤害和获得别人的尊敬。

一个冷静的倾听者不但到处受人欢迎，且会逐渐增长自己的阅历；而一个喋喋不休的人，像一只漏水的船，每一个搭客都想赶快逃离它。同时，言多必失，多言多败，只有沉默才永远不会出卖你。

3. 狂傲轻薄定致祸端

《王阳明全集》中有这样的话："今人病痛，大抵只是傲。千罪百恶，皆从傲上来。傲则自高自是，不肯屈于人。故为子而傲必不能孝，为弟而傲必不能悌，为臣而傲必不能忠。"一个人涉身处世若不能看到别人的长处，轻视别人，则会骄傲自大，傲慢无礼，自以为是，而这些正是失败、死亡到来的前兆。

骄傲是个人修养的大敌，人有骄心便不能听进他人的忠言，不能躬身自省，不能摆脱俗情，消除物累。

三国时候，祢衡很有文才，他很有名气，但是，他恃才傲物，不把别人放在眼里。经常说除了孔融和杨修，"余子碌碌，莫足数也"。容不得别人，别人自然也容不得他。所以，他"以傲杀身"，被黄祖杀了。

祢衡最先经过孔融的推荐，去见曹操。见礼之后，曹操并没有立即让祢衡坐下。祢衡仰天长叹："天地这么大，怎么就没有一个人！"

曹操说："我手下有几十个人，都是当今的英雄，怎么说没人？"

祢衡说："请讲。"

曹操说："荀彧、荀攸、郭嘉、程昱机深智远，就是汉高祖时候的萧何、陈平也比不了；张辽、许褚、李典、乐进勇猛无敌，就是古代猛将岑彭、马武也赶不上；还有从事吕虔、满宠，先锋于禁、徐晃；又有夏侯惇这样的奇才，曹子孝这样的人间福将。怎么说没人？"

祢衡笑着说："您错了！这些人我都认识，荀彧可以让他去吊丧问疾，荀攸可以让他去看守坟墓，程昱可以让他去关门闭户，郭嘉可以让他读词念赋，张辽可以让他击鼓鸣金，许褚可以让他牧羊放马，乐进可以让他朗读诏书，李典可以让他传送书信，吕虔可以让他磨刀铸剑，满宠可以让他喝酒吃糟，于禁可以让他背土垒墙，徐晃可以让他屠猪杀狗，夏侯惇称为'完体将军'，曹子孝叫做'要钱太守'。其余的都是衣架、饭囊、酒桶、肉袋罢了！”

曹操很生气，说：“你有什么能耐？敢如此口出狂言？”

祢衡说：“天文地理，无所不通，三教九流，无所不晓；上可以让皇帝成为尧、舜，下可以跟孔子、颜回媲美。怎能与凡夫俗子相提并论！”

这时，张辽在旁边，拔出剑要杀祢衡，曹操阻止了张辽，悄声对他说：“这人名气很大，远近闻名。要是杀了他，天下人必定说我容不得人。他自以为了不起，所以我要他任教吏，以便侮辱他。”

一天，祢衡去面见曹操，曹操特意告诉看门人：“只要祢衡到了，就立刻让他进来。”祢衡衣衫不整，还拿了一根大手杖，坐在营门外，破口大骂，使曹操侮辱祢衡的目的没能达到。

有人又对曹操说：“祢衡这小子实在太狂了，把他押起来吧！”曹操当然很生气，但考虑后还是忍住了，说：“我要杀他还不容易？不过，他在外总算有一点名气。我把他送给刘表，看看结果又会怎么样吧。”就这样，曹操没动祢衡一根毫毛，让人把他送到刘表那儿去了。

到了荆州，刘表对祢衡不但很客气，而且“文章言议，非衡不定”。但是，祢衡骄傲之习不改，多次奚落、怠慢刘表。刘表又出于和曹操一样的动机，把他送给了江夏太守黄祖。

到了江夏，黄祖也能“礼贤下士”，待祢衡很好。祢衡常常帮助黄祖起草文稿。有一次，黄祖曾经握住他的手说：“大名士，大手笔！你真能体察我的心意，把我心里想说的话全写出来啦！”

但是，后来在一条船上，祢衡又当众辱骂黄祖，说黄祖“就像庙宇里的神灵，尽管受大家的祭祀，可是一点儿也不灵验。”黄祖下不了台，恼怒之下，把祢衡杀了。

祢衡死时不到三十岁。曹操知道后说：“迂腐的儒士摇唇鼓舌，自己招来杀身之祸。”

很有才华的祢衡本可建功立业，无奈其目中无人，恃才傲物，逢人就羞辱，然而狂傲至此，即便有孔明之才，也必招杀身之祸。可见，自视清高会带来什么样的后果。终于遭致杀身之祸，此谓聪明反被聪明误。三国时代是各类人才出将入相的大好时代，假使祢衡收敛一些，以其才华定可在任意一国封侯拜相，他的死是自己造成的，又能怪谁呢？

有些人不但不逞口舌之快，反而表现得像个蠢人，这就更需要智慧了。大智若愚不但能让人进身入仕，还能让人脱离险境。

《左传》中有这样一个故事：僖公二十八年冬，晋侯与各路诸侯在温地聚会，卫侯与人争讼失败被囚于京师问罪，宁武子是卫侯的助手，他极力掩饰才华，装出愚鲁之相，暗地里却贿赂晋侯的下属，救下了卫侯和自己的性命。

表现出愚笨其实也是一种谦逊的品质，别人可能会嘲笑你，那么你可以更加努力学习，让内心更加睿智，不到处张扬才华是要让自己永不自满，同时也是防止别人妒忌、诋毁、攻击和陷害。

4. 以言取祸，非智者所为

《菜根谭》云："十语九中未必称奇，一语不中则愆尤骈集；十谋九成未必归功，一谋不成则警议丛兴。君子所以宁默毋躁，宁拙无巧。"意思是说，十句话中能说对九句话，别人也不一定会对你称奇，一旦有一句话没有说准，立刻就会有许多人接二连三地指责你的过失。十次谋划有九次成功，别人也未必把功劳归于你，但一次谋划不成就立即会有许多议论、诽谤生出来。所以一个修养很高的人，就应该宁肯保持沉默，也不要急躁，宁肯保持拙朴的本性，也不要自作聪明。

历史上很多高明的智者，就遵循着这条"沉默是金"的处世原则。

"言多必失"，滔滔不绝的讲话自然会牵涉到对诸多事物的看法、见解，对他人的好恶、爱憎等，从而暴露出许多的问题，不是被人抓住把柄，怀恨在心，伺机报复，就是被人传话时曲解其意，增加不必要的误解、隔阂，徒添烦恼。

故而早有古人指出："询询，便便，侃侃，訚訚，忠信笃敬，益信诸神；讷为君子寡为吉人。乱之所生也，则言语以为阶，三五之门，祸由此而来。《书》有起羞之戒，《诗》有出言之悔，天有卷舌之星，人有缄口之铭。白硅之玷尚可磨，斯言之玷不可为。齿额一动，千驷莫追。"

南北朝（420～589）时，北周有位大将贺若敦，多次荣立战功，便不甘心屈居同僚之下，总想做大将军，当见到同僚晋升时，他心中便颇不服气，久而久之，抱怨、愤恨之情就溢于言辞之中。

后来，当他又一次打了胜仗凯旋时，自以为立了大功必定会得到封赏、晋升，孰料事与愿违，非但没有加官晋爵，反而丢掉了原有的官职。这次，贺若敦再也忍不住心中的不满与失望，将怨气、愤怒全撒向了传令史。

传令史为此很不高兴，便报告给了掌握北周大权的宇文护。宇文护听后大为恼火，于是下令让已被贬为中州刺史的贺若敦自尽。死到临头的贺若敦这才意识到自己的嘴为自己招来了大祸。贺若敦为了让儿子记住自己的教训，临死前拿起锥子刺破了儿子贺若弼的舌头。可是，自己的性命却再也救不回来了。

日子如流水般逝去。贺若敦的儿子贺若弼又做到了隋朝的右领大将军。

几十年的时间冲淡了父亲的遗训，贺若弼忘记了锥舌之痛，常常为自己没有当上宰相而怨言不断。他开始犯与父亲贺若敦相同的错误：忍不下别人的职位高于自己的现实。

历史在重演。当原本职位在贺若弼之下的杨素被晋升为尚书右仆射，而他仍为将军时，他也像其父一样大发怨言，无法隐藏心中的不满情绪。

贺若弼为此被捕下狱，也遭到了隋文帝的责备："你这人有三大过：一是嫉妒心；二是自以为是，以为别人不是；三是目无长官，随口胡说。"不久，隋文帝念他有功，没有深究，也就把他放了出来。

被放出来后的贺若弼却没有吸取父亲与自己这次的教训，不思悔改，又到处宣扬自己与太子杨勇之间的关系，以此来抬高自己的身价。

贺若弼一步步将自己推向了死地。

不久，杨广取代失势的杨勇成为了皇太子，贺若弼自然也失去了炫耀的本钱与仰仗的靠山。

这时，隋文帝再次召来贺若弼，责问他平日不满宰相高颖、杨素，言外之意是不是认为皇帝也是废物？贺若弼承认自己是说过高颖、杨素不适做宰相的话。

朝中的许多公卿大臣见贺若弼被问罪，受过气的或怕受株连的均纷纷揭发他过去说过的那些不利于朝廷的话，声称其罪已当死，要求处罚他，以解往日之恨或借此摆脱干系。

墙倒众人推，此时的贺若弼再无往日的盛气，也不再攻击别人，只求隋文帝能留他一条性命。后来，虽保得性命，却被贬为庶人了。

像贺氏父子这样不假思索的妄言，想求荣华富贵却反使其如

过眼云烟般从自己手中溜走，后悔已是不及。

言讷而行敏，少说话多做事，将自己培养成一个谨言慎语、在言语上颇有修养的人。

5. 勿授人以柄

把权柄送交别人，使自己反受其害。如果言行不慎，给了政敌以陷害自己的口实。故智者当善守其身，做事不留痕迹，不给政敌以攻击自己的口实，使自己立于不败之地。

东汉北海敬王刘睦，是光武帝刘秀哥哥的孙子，是汉明帝刘庄的堂侄。他年轻时喜欢学习，博通书传，光武帝很宠爱他，经常把他带到宫里。汉显宗刘庄在东宫为太子时，刘睦更被宠爱。东汉政权建立初期，"禁网"还不严酷，刘睦性情谦恭，喜好广泛结交有学问道德的名儒宿学，因此，声誉日广。

到了汉明帝永平年间，法治很严，在这种形势下，刘睦谢绝宾客，躲在府内专心于音乐、学问。

有一年年底，他派中大夫拿着玉璧进京向汉明帝朝贺，临行之前，他召来中大夫问道："天子如果问起我的情况，你将怎样回答呢？"

中大夫说："大王你忠孝仁慈，敬重贤良，喜欢名士，百姓都归附于您。我虽笨如蝼蚁，怎敢不将实情禀告皇上呢？"

刘睦说："您如果这样说，就使我陷入危险的境地了！您刚才说的，那是我小时候的行为啊。我现在心境有了很大变化。您应该对皇上这样说："敬王从承袭封爵以来，意奉衰退，身手懒惰，每天除了在王宫与嫔妃作乐，就是外出打猎游玩，整天沉湎于声色犬马之中。"

使者按照他的话向皇上禀报，汉明帝听了果然非常高兴。

生活在宽松的社会环境与生活在险恶的社会环境里，应该采取不同的生存策略，刘睦就深谙此道。在"禁网尚阔"的东汉初年，他广交大儒名流。而在"法宪颇峻"的永平年间，他则"谢绝宾客"，读书自娱，避免朋党之谗。可以想像，在当时的社会环境中，宗室中凡是有些志向，或者声望比较高的，往往受到朝廷的猜忌而招来杀身之祸。刘睦派人向皇上进贡时，自我贬低，自坏名声，就是一种通过"藏锋敛锷"避祸远罪的妙策。这种高明策略得益于刘睦对于人性的深透洞察。

感情是人人都有的，人与人之间相处，固然要珍惜和利用感情，但是，更要善于控制感情，不能被感情迷了心智。

尽管他与汉明帝是本家叔侄关系，在明帝为太子时，二人关系甚为密切。然而，此一时，彼一时也。现在，刘庄是至高无上的天子，自己则是刘庄的臣子。二者的地位发生了变化，相处的态度也应作相应的调整。

工作是要好好干的，可是汇报就要谦虚谨慎，以避功高盖主招来杀身大祸。如果因为不敬而触怒龙颜，叔侄关系是救不了命的。

因此，要善于通权达变。个人的言行是否行得当，要看世道是否允许；如果和世道不相投合，就是再高的本领会变得一无用处。所以，一个深才高德的人，处在招忌的环境中，最聪明的办法就是不要锋芒太露。可是很多人不明白这种道理，尤其是奋发向上的年轻人，往往会由于表现得太好，而遭受嫉恨，被造谣中伤。所以一个有为的人其处世节操不可变，待人方法须讲究。

汉朝张敞为妻画眉的例子，更是让人哭笑不得。

汉宣帝时，张敞被朝廷从胶东召到京师，担任京兆尹之职。初来乍到，便有好心人提醒张敞说："这里非比他地，因为有了当朝权贵的庇护，不但盗贼猖獗，且是无人敢管。你不要鲁莽行事，睁一只眼闭一只眼算了。"

张敞嫉恶如仇，却毫不理会。他将那些强盗头目一一寻来，或动之以刑，或晓之以法，待他们服罪之后，张敞便封他们都做了官府的小官。此举令许多人颇感惊诧，他们对张敞责怪说："不惩治他们，也就是了，这般委以官职，太过离谱，怎能服人呢？"

张敞无动于衷，坚持己见。那些强盗头目的手下一见他们的头目得官，于是从四面八方赶来表示祝贺。强盗头目便依张敞的吩咐把手下一一灌醉，并用红土在他们衣服后面标上记号。一待酒席散去，守候在外面的捕盗官员便依据标记，将出门的强盗抓捕归案。

如此炮制，张敞没有多长时间，便将盗贼一扫而光，首都长安变得一片安宁。

如此大得人心之举，那些朝中的权贵却恨在心上。他们不能公开为盗贼们辩护，便千方百计找寻张敞的错，只想对他打击报复。

难得张敞无劣迹，小失也遍寻不着，权贵们急了，他们听说张敞经常给妻子描眉，便以此作为把柄，向皇帝告状说："张敞毫无大臣之礼，行为下贱，举止不端，这样轻佻的人是不能立足于朝廷的，请皇上严肃法纪，罢斥此人。"

群情汹汹，讨伐张敞的人越来越多，他们所言的害处也越来越大，汉宣帝于是把张敞召来，当面向他问讯说："他们所言之事可是实情呢？"

张敞心中愤怒，却是强忍着点了点头，口道："此乃闺房私事，与他人何干？与朝政何干？他们小题大做，乃是别有用心，请皇上为我做主。"

汉宣帝一时哑言，后道："话虽如此，你也要自重啊。"

尽管张敞日后多有建树，汉宣帝却从不重用他。朝中的权贵仍抓住这个把柄不放，对张敞的攻击和责难始终也没有停息。

官场之中，人际关系复杂，应善其所处。众目聚焦，易扬其过，彰其恶。张敞以闺门不慎，授人以柄，给了政敌诬陷攻击的口实，导致不能升迁，实在不值。君不见即使在今天，类似以"作风"问题为口实而攻击别人的例子仍不绝于耳，能够不慎重吗。

6. 找出一条最安全的通道

在复杂的权势关系中，下属需要善于分析各种关系演变的趋势，从中找出可以保身避祸的可能性，从而借势行事。

陈平是汉高祖刘邦的重要谋士，他精于思考，善于谋略，特别是在汉朝建立后凶险四伏的情况下，其过人的智慧，得保平安。

刘邦病重之时，脾气暴躁，头脑不清。当他听到樊哙要等他死后诛杀赵王如意的消息时，不加分辨就怒火上冲，信以为真。刘邦召来陈平和周勃，简单说明了情由，便下令说："樊哙实属可恶，不可不除啊。他现在领兵在外，万一他举兵来攻，他的奸计就得逞了。你们马上赶至樊哙营中，不要和他理论，立斩此贼的人头。"

周勃还要替樊哙求情，陈平在旁却暗示不可，周勃欲言遂又止。从刘邦处出来，他埋怨陈平说："樊哙谋反之说，我实难相信。如今皇上病重头昏，万一杀错，我们岂不是有失臣子之责？你不让我开口讲话，真是让人难以猜测。"

陈平叹道："皇上如此大怒，你若不知进退，还有活命吗？他眼下神志不清，樊哙他都舍得杀掉，我们又算得了什么呢？"

周勃思之过后，也觉陈平之言有理。他们不敢怠慢，即时便出发了。一路之上，周勃见陈平眉头不展，一脸愁苦，遂劝他说："这是皇上的私事，我们劝不能劝，只好从命了。也算樊哙当有此劫，你就不要胡思乱想了。"

陈平认真地对周勃说："将军如此轻松，真的感觉不到时下的凶险？"

周勃一脸茫然，陈平接着说："此事甚为棘手。皇上之命，我们不能违抗；可若杀了樊哙，吕后必怀怨恨，日后她若掌权，我们必死无疑。"

周勃慌了，顿足叹道："这也不是，那也不行，我们就只能束手待毙了吗？你快想个好法子，只要能救得了我们，你但讲无妨！"

陈平早有了主意，只是需要周勃的配合。他见周勃说出此语，便没有了顾忌，说出了他的打算："我们还是将樊哙囚而不杀，押回长安，让皇上亲自发落吧。这样，我们即使遭到皇上的怪罪，也好托词说樊哙乃是一大功臣，不立斩于他，只怕皇上有悔。至于吕后，樊哙是她的妹夫，我们不杀樊哙，她只会心中感激，日后自不会亏待我们。"

周勃听过，连称妙计。后来樊哙被押回长安，其时刘邦已死；吕后执掌大权，立即赦免了樊哙。

源于对事态的准确判断，并找到一条最安全的通道，陈平和周勃不遭祸殃，心中自是无比的庆幸。

7. 不懂事上之道，功也会变成罪

有些人立了大功，便会不自觉地自我膨胀，高估了自己的重要性，不但敢否定在上位者的意见，也敢不接受上位者的处罚，更敢和上级赌气、耍脾气！就算你是人才，你的看法也百分之百正确，但一两次态度上的错误就会让你的一切化为乌有！这是世事的现实，也是人之常情呀！

声势浩大的七国之乱，不到三个月，就被周亚夫平定了。不久周亚夫就升为齐相。

汉景帝曾欲更易太子，却因周亚夫的强谏而作罢，于是君臣间的关系开始疏远。后来有五个匈奴的诸侯王降汉，景帝为表彰他们，并借以劝诱其他的匈奴王，便封此五人为侯。周亚夫强力反对而不得，遂称病辞官。

有一回，汉景帝在宫中举行宴会，召周亚夫同来。赐食时，却给了周亚夫一大块没切开的肉，又不为他准备筷子。周亚夫暗生闷气，径自向左右服侍之人索取筷子。

景帝见状笑问说："这样的款待你不满意吗？"

周亚夫按捺心中的愤愤不平，连忙免冠谢罪，过不久就借故离席而去。

汉景帝望着周亚夫气冲冲离去的模样，想起年幼的太子，若有所思地喃喃自语说："如此怏怏而功高者，实非少主之臣啊……"

后来周亚夫的儿子为父亲找了几位工匠，造了五百具殉葬用的甲盾，但他对工匠很苛刻，又不给工钱，工匠们便将此事上告朝廷。

汉景帝使人责问周亚夫，周亚夫却始终闭口不答，景帝因而大怒，骂说："要杀你难道还要等你辩解过吗？"便将周亚夫交付廷尉审治。

廷尉问周亚夫说："君侯想要造反吗？"

周亚夫回答："那五百付甲盾乃殉葬之用，哪里是要造反呢？"

廷尉却说："君侯不在地上造反，那必定是要在地下造反了！"酷吏蛮横无理，侵逼日甚，周亚夫有冤难伸，有口难辩，最后不堪凌辱，绝食五日，呕血死于狱中。

周亚夫不善应对，在君臣之道上，他犯了几个错误：

一、强谏汉景帝废立太子。周亚夫平七国之乱，景帝碍于情面，勉强接受周亚夫的强谏，心里却不舒服。

二、景帝赐给周亚夫一块没切开的肉，摆明了是要捉弄羞辱周亚夫，是要挫他的傲气。周亚夫不高兴，还自己去要筷子，也摆明了不理景帝的捉弄羞辱。这是一种不臣的举止，景帝看在眼里，当然不舒服！

三、景帝问周亚夫不付工钱的事，周亚夫闭口不答，这也是一种表现不服、心里有气的表示。站在景帝的立场，你不回答，难道要我求你？如果还要好脸色求你，我皇帝的尊严、权威何在？当然心里不舒服！

这几个方面的原因就注定了周亚夫的命运。

做下属的还是要学会顺应上级的方便来做事，内可方，外必圆，上下才可能融洽相处，你自己也才能无咎。

第四节　忍心制欲

◆人生之路布满荆棘，人生之事十之八九不遂人愿，忍苦耐劳，忍辱负重，忍受挫折，便是人生中一种经常性的忍，也是有志者必须做到的第一忍。

◆"吃得苦中苦，方为'人上人'。"历史上的成大器者，无一不在苦中浸泡，在劳累中走过。

◆"匹夫见辱，拔剑而起，挺身而斗，此不足为勇也。天下有大勇者，卒然临之而不惊，无故加之而不怒。"可见，能忍辱负重的人才是真正的"勇者"。

◆容天下难容之人、忍常人难忍之事，固然不易；克制自身的私欲、摒弃自己的邪念，尤为困难。

◆安于不公，以柔克刚、以韧对强，往往是对待命运不公的最佳策略。

◆面对人情冷暖、世态炎凉，最好还是超脱一些，与其"嫉恶如仇"，不如"忍恶扬善"。

◆在利益之争中处于劣势的一方，如果不懂得"忍"，不要说富贵难求，就是自身安危恐怕也成问题。

◆学会忍耐、忍让固然重要，但更要分清可忍与不可忍之事：不问缘由地一忍了之，无原则地一忍再忍，不是智者之举，只能表现出你的懦弱与愚蠢，有时更会害人害己。

1. 安贫乐道，留得自在于心间

忍让，关键在于己之一念。"此身常放在闲处，荣辱得失，谁能差遣我？此心常安在静中，是非利害，谁能瞒昧我？"

忍让，即能贫富坦然。贫不卑，富不傲，方为君子，方为智者。

世上之人，若能彻悟"荣华似烟云，钱财如粪土"，而天下又有何事不可忍，何事不能忍？

越是世风不古、人心躁动，越应该在自己的心头加一把"安贫乐道"的锁，监视着自己别因清贫而自寻烦恼。

厌恶穷困的人痛苦不堪，享受贫穷的人却自由自在。这是一种因为不执著于世俗的一切而安于贫困，用自己人格的全部力量，经过艰苦的奋斗之后，才可能达到的境界。

衣衫褴褛而心似锦缎的人会得世人的赞美。依靠别人不如依靠自己。依靠自己才能长久，容易满足才会幸福。顺天应人，所以保持长远。

公孙休在秦穆公时为相。很有权势。但他奉法循理，无所变更。据说他吃到园子里的菜，感到美味，就把园子里的菜全都拔光。他家的布织得好，就赶走妻子，烧掉织布机，说，我已得到俸禄，怎么能去和园夫和织布女争利？

公孙休喜欢吃鱼，据说每顿饭都是无鱼不欢。全国上下知道了他这个嗜好，就都争着买鱼给他。

但公孙休只吃自己买的鱼，别人的鱼一概不收。他的身边人劝他："先生爱吃鱼，别人送你鱼，却又不要，这是为什么？"

公孙休回答："正是因为我爱吃鱼，才不接受别人送的鱼。"听的人一脸茫然。公孙休笑了笑，解释说："道理很简单。我接受了别人的鱼，就要替别人办事；为别人办事，就难免营私舞弊，触犯法律；触犯了法律，我的相国就当不成了。那时候就算我喜欢吃鱼，也不会有人送我鱼了。我又不能自己养鱼，因此就吃不上鱼了。按现在这个样子，我不接受别人的鱼，就不会被免除职务，虽然喜欢吃鱼，凭着自己的俸禄还是买得起的。"

听的人大为服气。

公孙休的道理很简单，实实在在，并不深奥，就是在位者不要贪图钱财；得势时不能占势利者的便宜，这样才能保持长远。但很多人却无法做到这一点。究其实，那些人太贪，又抱有侥幸的心理，总是想吃免费的午餐，但天底下哪有那样的好事？吃别人的嘴短，吃了人家的鱼，就得给人家办事，这样，就会一步步地陷到了里面不能自拔。这些人自以为聪明，其实很愚蠢。但偏偏天底下又多的是这种愚蠢而又自以为聪明的人，所以贪污受贿之风代代不绝。其实，这些人吃到嘴里的不是鱼，而是钩上的钓饵。他们才真的是鱼。

有道是"一失足成千古恨",这失足处,往往就是自己心中的"邪念"。俗话说:"吃人家的嘴软,拿人家的手短。"有些人看中了你手里的权力,千方百计贿赂你。你若拒腐蚀,永不沾,自然能堂堂正正,秉公办事。你若贪念渐长,照收不误,日后必然腰杆子不硬,受制于人。有的人一生清廉,但晚节不保,就是因为在物欲的冲击中自毁。

2. 一忍得天下

忍让,有时又表现为舍弃。如果什么都不想放弃,那么,最后就什么也得不到,这就是生的辩证法。什么都不肯失去的人,永远不会更多拥有。不管是什么包袱,只要背在身上,就会成为一种思想负担。

有时候舍弃也是一种健心之术。好事获得太多,易于招来别人的嫉恨;最好的办法是把到手的好事让一些给别人。先舍后得,先平后安,人生如此。有时候,为了陶冶情操就应该节制欲望,为了实现远大志向就要摒弃世俗杂念。

公元前206年,刘邦率领一支人马最先攻进了关中,秦王子婴低着头,脖子上套着表示请罪的带子,手里捧着秦始皇的玉玺、兵符和节杖,率领秦朝的大臣,向刘邦投降了。

刘邦率领着胜利之师开进了秦王朝的首都咸阳。都城中辉煌壮观的建筑群,钱帛珠宝充盈的仓库,使大多出身于社会下层的将士们头晕目眩,大家纷纷钻进皇宫和国库中,挑选珍宝,抢夺金银,闹得咸阳城中一片混乱,人民怨气冲天。

刘邦在卫士们的簇拥下,进了占地数十里的秦宫殿。他先来到前殿阿房宫,看见那金碧辉煌的巨大殿堂,奢华无比的铺陈和精巧玲珑的摆设，惊得目瞪口呆。他又到了后宫，看见数以千计的美丽宫女，喜得合不拢嘴，挪不动步。

刘邦正眯着眼在那儿遐想的时候，他的部将樊哙闯了进来。樊哙是刘邦的同乡和连襟，追随刘邦多年，一见刘邦那神不守舍的样儿，便明白他动了凡心。樊哙一急，就直着嗓子喊了起来："沛公。"

"什么事？"刘邦头也不回，心不在焉地问道。

樊哙说："你是要打天下还是只想当个富家翁？"

"我当然想打天下。"刘邦口中说着，眼睛却没有离开婀娜多情的宫女。

樊哙说："臣下跟着沛公进了秦皇宫，您留意的不是珠玉珍宝，就是美女，而这正是秦朝皇帝失去天下的原因。沛公留此，就是重蹈亡秦的覆辙！恳请沛公立即出宫，到郊外驻扎。"

樊哙虽是刘邦的患难兄弟和亲戚，刘邦却认为他只不过是一员有勇无谋的战将，所以根本听不进去他的劝说。

刘邦略显不快地说："我们从关东打到关中，太累了。我只想在这儿歇几天，你就把我比作亡国的秦朝皇帝，真是胡说八道！"

樊哙不善言词，见刘邦不听他的话，急得团团转，又搓手又跺脚。他抬眼看到了张良。

张良问明了事情的缘由后，对刘邦说："沛公，您想过没有，您是怎样才得以进入这座官殿的？"

刘邦说："我是兴义兵、举义旗，一路攻杀换来的。"

张良又问："难道不是秦王朝君臣奢侈无度触怒了天下的老百姓，才使您有举义旗、兴义兵的机会吗？"

刘邦说："那当然。"

张良说："秦朝皇帝因为奢侈无度失去了民心，沛公想取秦而代之，就要反其道而行，以节俭有度来争取民心。现在，我们的人马刚刚进入秦朝首都，沛公就带头留恋奢侈，贪图安逸，老百姓会怎样看？他们会认为我们与秦朝君臣是一丘之貉，就会转而憎恨我们，反对我们。失去民心，您就失了天下啊！"

刘邦听了悚然动容。

张良又说："上行下效，沛公要享用秦宫殿中的财物、美人，将士们就会抢劫仓库与民宅，他们腰囊填满之日，也就是我们这支军队瓦解之时。如今，素来嫉恨您的项羽，正率领四十万大军，日夜兼程，破关斩将，逼近咸阳。一旦双方干戈相见，我方军心涣散，如何抵挡得住项羽的四十万强兵悍将？那时，沛公纵然愿意放弃天下，想去做个富家翁，也欲求无门了！"

刘邦听了，惊得一身冷汗，问："照你说，我该怎么办？"

张良说："忠言逆耳利于行，良药苦口利于病，樊将军的话说得很对，希望您听从他的劝告，立即离开宫殿，赶紧好好考虑一下，采取什么样的措施来安抚关中人民，争取天下民心。"

刘邦听完张良的话，马上醒悟过来，与百姓约法三章，不加侵扰，并下令撤出宫殿，封闭仓库，所有部队回到郊外驻扎。此一忍换来大得民心。

"舍"与"得"是个辩证的关系，没有"舍"便没有"得"。只有懂得舍弃，然后才能获得。

舍，就是放弃。如果什么都不想放弃，那么，最后就什么也得不到，智者知道在什么环境下放弃应该放弃的东西，所以，他才有大的收获。试想，在上面的一则故事中，如果刘邦不听从樊哙和张良的劝告，醉心于秦宫殿的辉煌以及宫殿里的金银珠宝、美女佳丽，他哪里会有后来的大汉天下？值得称道的是，刘邦这个人非常听劝，樊哙、张良二人陈诉利害后，他就马上放弃了眼前的小利益。

有的时候宏大的志向会拜倒在小小的享乐上，这里的玄机一言难尽。

　　刘邦的又一忍是在鸿门宴之前，项羽以刘邦想称王为由，率大军欲剿杀刘邦。此时，刘邦与张良一同找到了项羽的叔叔项伯，不仅再三向他表白自己不曾有反对项羽之意，还同他结成了儿女亲家，并请项伯为自己在项羽面前多说些好话。翌日清早，又与张良、樊哙一同带着百多名随从和许多精美的礼物到鸿门去拜见项羽，使出"以柔克刚"之法，忍气吞声、低声下气地向项羽赔礼道歉，让酷爱面子的项羽得到了极大的满足，化解了项羽怒气的同时也缓和了与他的关系。

　　在这次交锋中，刘邦表面上是输了面子，送了钱财，可实际上正是由于这次的"软弱"，使他赢得了回旋余地与发展壮大的时间；也正是由于这次的忍让才换来了刘邦与手下十万军士的安全，有了重整旗鼓的本钱与机会。刘邦的这一忍太值得了。

　　刘邦能成大业，并不是因为他是一位圣人，不食人间烟火，无贪恋之心。相反，据《史记》上记载，刘邦在沛县乡里做亭长时亦是好酒好色之人。但当你的大目标尚未实现，你正处于攀登阶段的时候，却一定要有能忍住一些小恩小惠以及物欲的诱惑和控制自己的贪念的定力和毅力，方有成功的可能。

　　忍一时之气，免百日之忧。有时事业的得失成败就在你的一念之间。刘邦的再一忍，是他被项羽围在荥阳时，曾向韩信求救。苦苦等待的结果不是韩信发兵救援的消息，而是韩信乘机要挟要求封他为齐王的信件。气急败坏的刘邦正想破口大骂韩信时，却被站在旁边的张良、陈平阻止住了，并要他先顾全大局，解脱自身的困境然后再图地位。刘邦虽怒气难耐，终还是忍住了心中的怒气，真的封韩信为齐王，并借韩信的兵力来攻打楚军，扭转了不利自己的形势，夺得天下。

　　"一忍得天下"是后人对刘邦的赞誉之辞，这其中确有值得我们深思的地方。

3. 安于不公，一半清醒一半醉

有道是"一失足成千古恨"，这失足处，往往就是自己心中的"邪念"。有的人晚节不保，就是因为"贪欲"滋生；有的人面对不公，怀恨在心，就是因为"怨恨"使然。切记：祸福苦乐，一念之差。

有些人受到了不公正的对待，就怀恨在心，伺机报复，陷入"冤冤相报"的循环不能自拔。因此，控制住自己的"邪念"，对于避祸远罪来说是非常重要的，也是必须要小心谨慎的一个重点。

唐朝时，李晟起初在西北边镇担任裨将，后来，调任神策军都将。唐德宗时为神策先锋都知兵马使，率军讨伐藩镇田悦，又率军营救赵州，进击朱滔、王武俊等叛军。建中四年（783年）又率军讨伐李怀光等，收复京师长安，屡立战功。

贞元二年（786年）十月，李晟派遣军队攻取了吐蕃的催沙堡，斩将焚粮，胜利回师。自此，吐蕃多次派使者向唐朝廷乞和。十二月，李晟上奏说："戎狄没有信用，不可答应他们的乞和请求。"

这时，唐德宗对李晟已有所疑忌，恰巧吐蕃又传过来离间李晟的流言。此时，宰相张延赏执掌朝政，他与李晟不和，为了打击李晟，多次在皇帝面前毁谤李晟。张延赏想用刘玄协助李抱真，代李晟掌管西北边事，企图借用刘、李二人立功之事，打击和排挤李晟。

贞元三年（公元787年），唐德宗罢免了李晟节度使的职务，解除了他的兵权。

自从被解除兵权以后，李晟除了奉朝请以外，其他事情很少过问。通王府长史丁琼也受到张延赏的排斥，心怀怨恨。他认为，李晨战功显赫，却被张延赏排斥罢官解除兵权，一定怀有怨恨之心，便想去联络李晨，共同报仇。于是，他到李晨府上说："将军为朝廷立下汗马功劳，却被无端解除了兵权。朝廷内外都为将军打抱不平。自古功臣没有能保全自己的。以后如果国家有什么变化，我甘愿鞍前马后为您效力。狡兔还有三穴，为什么不早作谋划呢？"

丁琼万万没有想到，李晨听了他的一番表白，不但没有把他引为知己，反而勃然大怒，指着他的鼻子说："你身为朝廷命官，怎么能说这种不安分的话呢？"接着，把丁琼囚禁起来，并向皇上秉告了这件事。

李晨由于战功赫赫，引起唐德宗的疑忌，受到宰相张延赏的排挤和打击，被无端罢官，遇到这种不公正的待遇心里不平也是很正常的。但是如果就此打击报复别人，就会给自己带来无穷的灾害。

已沉入苦海的人只要人还保留有一丝纯洁，就会使火坑变成水池，只要有一点警觉就能使苦海变为乐园。可见人的意识观念稍有不同，人生境界就可以完全改变，所以一个人的思想言行必须慎重。人的许多观念决定了事物的价值。佛教中讲的"相由心生，相随心灭"以生死的境界称为此岸，一切烦恼称为中流，以成正果为彼岸。同样，每个人的观念不同，其对事物的看法和行为也不同。人一旦起了利欲之念，心马上就会变成火一股炽烈的贪婪，这时你的人生幸福也就堕入痛苦的地狱中。心能清净，即使已经出现炽烈般的欲火，也能把它化为清凉水池。

4. 忍耐是一种柔韧的利器

忍是中国人为人处世的一项重大发明。在儒家哲学中，它是

为实现某种远大抱负而采取的一种自我克制的韬晦术。在道家学说中，忍更是一种柔韧的武器。

忍，不是软弱的表现，忍是一种策略，忍与坚韧是同义语。忍不是放弃，忍的最深含义是积蓄力量，待时而动。一个人在轻蔑和侮辱面前，如果能够忍得住，就能有所作为。

忍需要宽广的胸怀和度量。人在逆境中，最需要的防身术是一个忍字，学会忍辱负重，学会在利益和荣誉面前克制自己的欲望，要藏而不露，不树敌，才能在别人不知不觉中发展壮大自己。待时机成熟，你便可以马上脱颖而出。到那时，他人想扼制你的发展，已经来不及了。

根据祖宗的惯例，康熙满十四岁那年举行了亲政大典，可是亲政后的康熙帝，仍然没有实权，鳌拜继续大权独揽。皇帝与权臣之间的矛盾，终于在如何对待苏克萨哈的问题上公开化了。

苏克萨哈是顺治皇帝临终时指定的四位顾命大臣之一，一向为鳌拜所妒忌。在一次朝会上，鳌拜对康熙大帝说："苏克萨哈心怀不轨，蓄意篡权，我已下令将他抓了起来。请皇上同意将苏克萨哈立即正法。"

虽然表面上一个要杀，一个不准杀，谁也不肯让步，但是实际上还是鳌拜势力更大。

鳌拜一气之下，袖子一扬，扬长而去。满朝文武，人人惶恐，没人敢吱声。鳌拜一回到家，马上传令绞杀苏克萨哈，同时诛杀了他的一家人。

康熙听到苏克萨哈被处死的消息后，气得两眼冒火，决心要除掉这个欺君擅权的鳌拜。此时康熙尽管对鳌拜的做法不满，可自知实力太差，远不是鳌拜的对手，所以只好忍痛。

康熙心里清楚：鳌拜羽翼丰满，并且掌握着朝廷的军政大权，亲信党羽遍及朝廷内外；而且身高力大，武艺高强，平时行动总是戒备森严。康熙帝深知要除掉鳌拜绝非一件易事，弄不好，激起兵变，那么，他这皇帝的位子也就莫想再坐了。

经过一夜的冥思苦想，康熙帝最后定下了剪除鳌拜的计策。第二天鳌拜上朝时，康熙帝不露声色，也不再提苏克萨哈的事情，仿佛根本就没有发生过昨天那场争执。

鳌拜却心里暗自得意：皇上到底是个小孩子，你一厉害，他就软了下来了。其实他哪里知道，这是康熙大帝高明的地方，先忍一步为的是图最终的胜利。

没过几天，康熙帝给鳌拜晋爵位，又加封号，又给鳌拜的儿子加官晋爵，鳌拜心里美滋滋的。

康熙一面故作软弱无能，稳住鳌拜，一面挑选了十几个机灵的小太监，在宫内舞刀弄棒，练习角力摔跤。康熙帝自己也加入摔跤队伍与小太监们对阵取乐。消息传到宫外，大家认为只不过是小皇帝变着法子闹着玩罢了。鳌拜进宫奏事，见一伙小太监们练习摔跤，康熙在一旁忘情地呐喊助威，也认为是小皇帝瞎折腾，闹着好玩。

小小年纪就能如此机智，沉默忍耐，康熙确实有过人之处。康熙这样才使得自己掌握了主动权，所以从表面上看，朝中大事一切照旧，鳌拜还是那样为所欲为，康熙对鳌拜还是那样信赖，鳌拜渐渐放松了戒备。练习拳棒和摔跤的小太监们，技艺逐渐纯熟。康熙见时机已到，决定向鳌拜下手。

一天，康熙派人通知鳌拜，说是有要事商量，请他立即进宫。鳌拜直奔宫中，康熙此时正和小太监们摔跤玩哩，鳌拜上前，正要与康熙打招呼，十几个小太监打打闹闹地挨近了鳌拜身边，说时迟，那时快，大家一拥而上，拉胳膊扯腿地将毫无防备的鳌拜翻倒在地。

鳌拜很快反应过来，感到大事不妙，急得挣扎反抗时，十几个小太监已牢牢地将他制伏在地，哪里肯让他脱身。他们拿来准

备好的绳索，将鳌拜捆了个结结实实。

康熙正言厉色地对躺在地上动弹不得的鳌拜说："你欺凌幼主，图谋不轨，飞扬跋扈，滥杀无辜，今日下场，是你罪有应得。你鳌拜罪行累累，罄竹难书，待我查清你的罪行，一定严惩，绝不宽待。"

鳌拜自知难逃一死，紧紧地闭着双眼，一句话也不说。只能像待宰的羔羊那样，任人宰割！

学会忍耐、忍让固然重要，但更要分清可忍之时与不可忍之时：不问缘由地一忍了之，无原则地一忍再忍，不是智者之举，只能表现出你的懦弱与愚蠢，有时更会害人害己。

忍字头上一把刀，这把刀用好了会成为防身的武器，用不好，就会毁了自己。这取决于使用者的道行。

5. 今天忍受，是为了明天不忍受

忍受就是挑战自己承受挫折的个人能力，即指个人遭遇挫折时免于心理失常的能力，是指个人经得起打击或经得起挫折的能力。能忍受挫折的打击，具备良好的适应能力，以保持正常的心理活动，这是心理健康的标志，也是成大事者所必须具备的心理素质之一。

在实际操作中，一定要在忍耐中懂得进退之法，因为，进退之法，是许多成大事者都心知肚明的行动要略。在权力的争斗中，要能做到该让就让，绝不冒险，才有步步高升的机会。

记住：学会忍受别人不能忍受的事。

清朝时太监李莲英受慈禧太后的宠爱，权倾朝野，人人望而生畏，人称"九千岁"。此人狐假虎威，老谋深算，心狠手辣。

李鸿章以军功而升高官，最初看不起这些奴才。有时有点对太监李莲英不敬，有意无意间得罪了李莲英。

李莲英并非要整倒李鸿章，只是想教训他一下，让他知道自己的厉害。

慈禧太后有意静居，想把清漪园修缮一番，以便颐养天年。苦的是筹款无术，时常焦躁。李莲英曰："李伯爷是朝廷重臣，若能体仰上意，玉成此事，以慰太后，以宽圣心，当立下不世之功。"

李鸿章听到有这样贴近慈禧太后的好机会，岂肯轻易放过？当下满口应承，并马上献计献策，同李莲英商量，巧立名目，责成各疆吏岁拨定款，就中提取六七成作为造园经费。

李莲英听了大喜，拍手称善，笑容可掬地着实奉承了李鸿章一番。看到李鸿章志得意满的样子，他憋在心里已久的那口闷气，就像要爆炸的瓦斯一样，闹得他浑身火烧火燎，表面声色不动，心中却有了主意。

他谦恭有礼地希望李鸿章人园内踏勘一回，看看哪里该拆该建，做到心中有数。李鸿章看他想得周到，说得在理，当然点头赞成，哪能想到这不男不女的家伙在巧施计谋呢！

到了约定的日子，李莲英借口有事不能奉陪，派了个伶俐的太监领着李鸿章，园前园后，园左园右，着着实实转悠了一整天。

事后不久，李莲英故意拣了个光绪皇帝肝火最旺的时候，诬陷李鸿章在清漪园里游玩山水。

光绪帝自四岁进宫称帝，从小慑于西太后的淫威，始终当着一个傀儡儿皇帝角色，凡事都要看慈禧的脸色，自然有一肚子说不清道不白的委屈，他最忌讳的就是别人不尊重他的皇权帝位。听说权倾当朝的李鸿章竟敢大摇大摆地在他的御苑禁地游逛，顿时大怒，认为这是"大不敬"，是对皇权皇位的公然蔑视和冒犯！

光绪帝一怒之下，不问青红皂白，立即下诏"申饬"，将李鸿章"交部议处"。

所谓奉旨申饬，就是由皇帝、太后或皇后派一名亲信太监，捧着"圣旨"去指着某人的鼻子，当众数落臭骂一顿。而被骂的人，既不能申辩，也不能回骂，还要伏在地上谢恩，因为那骂人的太监代表着皇帝、皇太后或皇后呀！要是那太监学着皇帝、皇后的口气骂，可能还能忍受点，无奈那些太监总是用最不堪入耳的粗野的话，浑卷滥骂一气。骂到最后还要跺着脚大喝一声："混账王八蛋滚下去！"

这"申饬"虽不伤皮肉，却是极使人难堪的侮辱性惩罚。因受辱不过，一气成病，甚至一怒而亡的都大有人在。

光绪年间，邮传部刚刚成立，委任张百熙为尚书、唐绍义为侍郎，张百熙向皇上谢恩后，就去拜见唐绍义，说了很多自谦的话，唐绍义用广东方言回答他，张百熙听不明白，彼此发生了误会。

第二天，唐绍义回拜张百熙，请张百熙面奏皇上，调任一些官员充实邮传部，并交了一份调任人员名单，张百熙答应了。

等上头宣布结果，唐绍义提交的名单没有一个人选中，唐绍义十分气愤。于是两人关系恶化，都写了奏折揭发对方，奏折都留在皇帝那里没有批示。他们两人又都请了病假，不到部里办公，被御史弹劾，两人都受到圣上的指责，着太监"申饬"。

唐绍义把纹银送给了太监，而张百熙不知道。等传张百熙跪着听宣读圣旨后，太监跺着脚大骂："混账王八蛋滚下去。"张百熙磕头后站起来，面色苍白。

而要唐绍义听宣读圣旨时，却没有像张百熙那样挨骂。张百熙更加气愤，回家后就生了病，没有多久，因忧伤而死去了。

李鸿章被御批"申饬"，他自然懂得其中奥妙，立即送上银子，没有当众受辱。

李莲英看到李鸿章使钱告饶，也出了心中那口恶气，乐得"和气生财"。

李鸿章自然很快悟出了吃亏的原委，从此以后便对这位"九千岁"刮目相看，敬礼如仪。真可谓吃一堑，长一智。这就是李鸿章的退让之法——不去冒险与人争斗，而以守住自己为重。

对于李莲英这样的小人，你可以看不起他，但你不可以无视他的存在，这样的人也许别的本事没有，但陷害人的本领却是超一流的，大凡小人，都有这方面的天赋。李鸿章也算乖巧，懂得善于退让，也能赢得成功的道理，因为这样做一则保住了自己，二则保留了机会。

第五节 以其昭昭，示人昏昏

◆人生处世，要通权达变，因时进退，而不能固执迂腐，盲目进取。藏锋敛锷，含而不露，乃全身避祸之妙诀。

◆"大智若愚"可不是"真愚"，如果真的整天浑浑噩噩，不要说不可能抓住实施才华的机会，连保住身家性命都是奢望。

◆老子说："大巧若拙。"

◆孔子说："宁武子那个人，在国家政治清明的时候便聪明能干，在国家政治黑暗的时候便装糊涂了。他那聪明能干是别人赶得上的，他那装糊涂的本领却是没有人能赶得上的。"

◆以其昭昭，示人昏昏，而后可以全身。令以无示有，可获得利益；以无示无，可保身免祸。只要能够受得住这种压抑与折磨，就一定能够笑到最后。

1. 善于伪装麻痹，才能笑到最后

《三十六计》中说，宁伪作不知不为，不伪作假知妄为。静不露机，云雷屯也。意思是说，宁愿假装不知道而不采取行动，而不假装知道而轻举妄动。要沉着冷静，不露出真实动机，如同雷霆掩藏在云层后面，不显露自己。

三十六计中，走为上计。消除危险、避免事端也是一种"走"。

祸患对于人，避也避不开。只有智者可以发现它的苗头，自己清楚，却对别人装作一无所知，然后可以保全自己。司马懿就精于此道。

在司马懿二十九岁时，曹操作了汉朝的丞相。他邀请司马懿出来做官，司马懿看不起曹操，就借口有病，一再推辞。直到曹操以拘捕相威胁，司马懿才勉强出来做官。

后来魏王曹操病死，曹丕继位后不久就代汉称帝，任命司马懿为抚军将军，录尚书事。魏明帝曹睿即位后，又拜司马懿为骠骑将军，驻军宛城，总督荆豫二州的军事，封舞阳侯。

231年，诸葛亮第四次北伐，进攻天水，把魏将贾嗣、魏平围困在祁山。魏明帝请司马懿领兵对抗诸葛亮。于是司马懿来到了长安，都督雍、凉二州诸军事，统帅张郃、费耀、戴凌、郭淮等将领对付诸葛亮。

234年十月，汉丞相诸葛亮病逝于五丈原军中。司马懿抗击蜀军北伐的战争由此取得了决定性的胜利。

但此时的司马懿兵权在握，令大将军曹爽深为不安。他早就猜出司马氏父子有过人的智谋，也有与智谋相等的野心。蜀国的丞相诸葛亮智谋无人能比，司马懿竟然能与他打了个平手。诸葛亮一死，司马懿就没有了对手。曹爽现在担心的是司马氏会对皇室不利，这方面的例子用不着到外面去找，他们曹家就是这样从汉朝得到了天下。

他决定除掉司马懿。而司马懿也早已预感到曹爽对自己不利，于是也在暗中准备动手。他上表朝廷，说自己病得很重，向朝廷请假。

曹爽知道这不过是司马懿在使诈，正好河南郡李胜要到荆州办事，曹爽就让他去见见司马懿，也好一探虚实。

李胜见到的司马懿，已经完全变了样子。他面容憔悴，满脸花白的胡须乱成一团。见客人落座，司马懿就抓住侍女的衣襟，指着嘴说："渴，渴。"

侍女端来粥喂他吃，粥从他的嘴里流了出来，满身满脸都是。

看到这个样子，李胜说："外面传说你病了，没想到会病成这样！"

司马懿说："听说你要来并州，我们最近准备好好迎接一下你。我活不了几天了，师儿和昭儿还请你多加照顾。"

李胜说："这里是荆州，不是并州。"

司马懿却说："你刚刚到了并州？"

李胜纠正他："是到了荆州。"

司马懿说："我年纪大了，脑袋不清楚。你的话我弄不大明白。"

李胜叹息着告退。他对周围人说："想不到一代名将，到了老年会如此悲惨！"

他写了封密函，把经过一五一十地告诉了曹爽。曹爽看了大喜，说："想不到司马懿也有今天。既然他已苟延残喘，就让他自生自灭吧。"

于是他不再有杀司马懿的念头，以为天下高枕无忧了。

司马懿对自己的处境也很清楚，为了消除曹操的猜疑，他表面上对权势地位无所用心，只是勤勤恳恳、恪尽职守，埋头于日常公务，为人也很注意谦恭抑损，逐渐淡化了曹操的敌视态度。曹丕即位后，虽然他与曹丕关系不错，得到曹丕的重用，地位日益显赫，但他的防范心理并不因此懈怠。在征辽东公孙渊凯旋而归时，一些兵士因天气寒冷，乞求司马懿赏给厚衣，这本来不算过分的要求，但他却未答应。当别人对此表示不解时，他表白自己，说是不能让皇帝认为他是用国库的衣物为自己收买人心。可见他的谋术十分精细。

二十余年后，到了魏明帝曹睿的儿子曹芳登位时，司马懿已官至太尉，与宗室曹爽同为顾命大臣，辅助曹芳，二人实际共同掌握了曹魏的军政大权。他俩各领精兵三千余人，轮番在殿中值班。

曹爽虽为宗室皇族，但资历、声望、经验、才干均远不如司马懿，所以曹爽开始还不得不倚重司马懿，对他以长辈相待，引身卑下，每事必问，不敢独断专行，二人关系还算和睦。当时，曹爽门下有清客五百人，其中毕轨、何晏、邓扬、丁谧等常在曹爽周围，为他出谋划策。他们不断向曹爽进言，认为司马懿有一定野心，而且在社会上有很高声望，对皇室是潜在的威胁，不可对他推诚信任。

曹爽遂于景初三年（239 年）二月，使魏帝下诏，表面推崇司马懿，说他德高望重，理应位至极品，因而从太尉升为太傅。这一明升暗降的办法，使司马懿的兵权被剥夺，实际权势被架空。以后尚书奏事，均先经过曹爽，大权遂为其所独揽。紧接着，曹爽又将其三个弟弟和自己的心腹都安排在比较重要的岗位，执掌实权，朝中要职，全为曹爽之党控制，一时曹爽权倾朝野，满门称贺。

对于曹爽及其党羽的夺权之举，司马懿早已看破其用心，司马懿出山以来，苦心经营多年，根基也很深厚，当然不可能善罢甘休，二者之间的矛盾已经比较明显了。

但司马懿并未一怒而起，他洞察形势，认为自己目前处于不利地位，曹爽身为宗室，是功臣曹真之后；而自己却为外姓，是曹氏政权猜忌防范的对象，不可马上采取过激的对抗行动。于是，面对曹爽咄咄逼人的进攻声势，司马懿以退为守，收锋敛芒，藏形隐迹，一退再退，把政权拱手让给曹爽；并以年老病弱为由，不问政事。使得曹爽的政治警惕逐渐放松，自以为大权在握，可以不用担心地寻欢作乐、纵情声色，名声也就一落千丈了。

没过多久，司马懿起兵，杀了曹爽。他后来也走了曹操的老路子，代魏称王。

司马懿用的计谋说白了，就是"装死"。

这似乎算不上一种计谋，因为有些动物都会使用这种办法。当遇到强大的对手而又无法逃掉的时候，它们往往就躺在地上装死。等对手走了，才站起身，抖抖身上的土，又去干自己的勾当了。

装死也不容易。首先你要能隐忍。像司马懿这样的大人物，居然会让自己变得那样不堪入目。他毫不珍惜自己的身份，也难怪骗过了对手。

不过，这种计谋却真的很容易奏效。当对手丧失了战斗力时，人们一般不忍心，也似乎没有必要再去和你较量，很容易放过你，当然特别精明和狠毒的对手除外。它巧妙地利用了人们的同情心，也麻痹了人们的斗志。总之，打不过就跑，跑不了就装死。能否成功完全取决于对手的为人，也取决于你的表演天分。

有道是：蛟龙未遇，潜身于鱼虾之间；君子失时，拱手于小人之下。在很多情况下，实力与地位与发展都不是正比关系，这时就需要有效地把自己的实力和意图隐蔽起来，韬光养晦等待机会。所谓"韬"原意是指剑和弓的外套，韬光养晦是说故意将才华掩藏起来，收敛锋芒，使别人不注意自己。

真功夫不可告人，自有其理由。有时是时机不成熟，必须像猎人一样耐心潜伏着，等待猎物出现。有时是为了让对手充分表演，完全彻底地暴露出他的全部招数，然后再抓住其要害给予致命打击，让他领略后发制人的厉害。

2. 了解别人的隐秘而不说破，更需要智慧

齐国的大臣隰斯弥去拜见田成子。田成子和他登上高台眺望风景。高台建得很雄伟，举目四望，其中三面都很开阔，远处的风景可以一览无余，只有南面被一片树木遮住，而这片树木正是他家的。

"怎么样，风景还好吧？"田成子微笑着问隰斯弥。

"是呀，是很好。"隰斯弥若有所思地说。

回到家里，隰斯弥马上叫来仆人，要他们把树砍倒。他的侍妾问："你今天是怎么了？刚刚回家，就要砍树。"

隰斯弥皱了皱眉头，说："别砍了。"

他的侍妾问："一会儿砍，一会儿又不砍，你怎么变来变去的？"

隰斯弥摇摇头，说："你哪里知道。俗话说，知道深渊里的鱼是危险的。田成子想要有所图谋，这是天大的事情，要是我向他表明我能了解他的细微想法，我就面临杀身之祸了。不砍树到底算不上大错，知道了别人不愿说的事情，错可就大了。"

于是他不再提砍树的事。

田成子邀隰斯弥登上高台去看风景，也许是在暗示隰斯弥。他们的树遮住了自己的视线。而隰斯弥看出了田成子大人的心思，便要主动砍去这些树，免得无故得罪大人物。

如果只做到这一步，隰斯弥顶多是个乖巧的人，却无法做到明哲保身。但隰斯弥毕竟老道，他马上意识到这样做的后果。田成子包藏祸心，谋求篡位。他在成事之前，决不会愿意让别人知道。能看出他心思的人，也就一定会知道他要谋反。他带领隰斯弥看风景，也许意不在树，而是以此试探隰斯弥是否能看出他的心思。幸亏隰斯弥想到了更深一层，装作对一切全然无知，才保全了身家性命。

在封建社会的权力场，疑云密布，杀机四伏。螳螂捕蝉，黄雀在后，黄雀之后，更有捕手。聪明过人往往遭忌，而藏拙是最好的生存方式。

三国时杨修被认为是绝顶聪明，曹操有什么想法都瞒不过他，他自己知道不算，还到处卖弄，弄得曹操最后只好杀了他。当然，杨修或许只是聪明，而隰斯弥才是智慧。说到底，聪明和智慧大有区别。

3. 自强而示弱，可以制强敌

李牧是赵国的良将，奉命在北方防备匈奴。防守的时候，地方上的官吏，都由他任免；所得的税收，都归入军营，作为供养兵将的费用，赵王对此一律不过问。

李牧为人深沉大度，尽心报国。他认真训练士卒射箭骑马的技术，留心远方烽火的消息，又派遣许多间谍到敌方探查动静。而且他非常优待属下，每天都要杀好几只牛羊给士兵们享用，因此深得将士爱戴。

不过李牧严格命令：“如果匈奴进攻，就赶紧收拾好辎重，回城防守，有哪个人敢出去攻击擒掳，定斩不赦！"

于是每次匈奴来犯，李牧都事先得到烽火的报警，然后妥当地退守要地，不与之正面开战。一连好几年，没有任何土地被匈奴夺走。

久而久之，匈奴觉得李牧庸懦，对他毫不为意，甚至连赵国的士兵们，也认为主帅胆小无能。

赵王听说了，遣使责备李牧，但李牧依然如故，不改原来作风。赵王一怒之下，便召回李牧，派其他将领代替他的职位。

过了一年多，匈奴每来进犯，赵兵皆出与争战。但出战的结果多是失败，丧失了许多土地，边境百姓也无法正常安稳地生活。

赵王见边事不利，便想请李牧回来统御北方。这时李牧已经称病在家，不愿出仕，无奈赵王强请硬求，非要他重任边将不可。李牧于是要求必须依照他以前的方法治军，才肯奉命，赵王也答应了。

重作统帅的李牧令将士们遵循故约，使得匈奴数年里一无所获，但敌人终究还是以为他胆小怯懦。防守边塞的将士，天天得到赏赐却不用打仗，都很期待能和匈奴一决死战，以作回报。李牧知道军心可用了，而匈奴则轻心骄敌，便挑选了十多万精兵，让他们做好战斗的准备，并把百姓牲畜都放到了城外。

终于等到一少部分匈奴入寇，李牧先命数千人交战，然后假装不敌，故意败北。匈奴首领听说了，便率军大举侵边，这时李牧才悉出主力迎击，一鼓作气，歼灭了匈奴十多万兵马，令其元气大伤。从此匈奴人听到李牧的名字，简直闻风丧胆。

尔后十余年，匈奴皆不敢再靠近赵国边城。

作为边关守将看起来是大权在握，皇帝鞭长莫及，但其实责任相当重大，因为若没守好，外敌破关而入，后果不堪设想；另外一方面，也因为地远权大又手握重兵，常引起皇帝的不安，怕边将引兵作乱或自立为王。很多边将就因为皇帝的猜忌、奸臣的挑拨而被召回打入冷宫，甚至人头落地。而李牧扮演边将的角色，其进退可圈可点。

首先，他把军政合一，也就是地方官吏任免由他决定，地方税收也作为军需。换句话说，他把边关军民的指挥权统一了起来，如此可避免内部自乱阵脚，且可提升指挥的效益。

其次，他以不战来保全壮大军力。不战虽暂无战功，但战却也有可能大败而至边关失守。不战也可造成敌方的错觉，认为守将无能而生出骄慢之心。

另外，李牧也以不战及厚待来制造军士们对军人本分的愧疚感，而这正是为了蓄积军士们的战斗意志。

可惜的是李牧还是无可避免地因为朝廷的不信任而被召回，但可贵的是，他复出后仍坚持他的做法，终于大败匈奴，使边境保持了十几年的平静。

李牧另一个值得一提的是，他面对赵王的要求复出，坚持他的边关兵法，否则不复出。当然他也冒了一个险——赵王可以抗命为由杀了他呢！但作为一个负责任的边将，也不能不有所坚持，李牧示强或示弱的分寸与勇气，真是可敬佩啊！

4. 把对手显露在明处

把自己的真实底牌藏好，不让人摸透，同时却能让别人充分地显露底牌真相，如此不仅能自保，同时还能更有力地御人制人。

一般来说，下级都会顺着上级的意思行事，换句话说，你要听话的样貌，我便以听话的样貌出现，因此连奸佞小人都像君子了！当人们认为上司昏弱或监管机制隐藏、撤除或失去功能时，从而变得有恃无恐，表现出自己真实的一面！除了正直之士始终如一之外，凡是奸佞小人，无不呈现贪婪丑陋的嘴脸和偷鸡摸狗的行为。

齐威王在位九年期间，沉迷于酒色逸乐，国家政事皆委任给臣下。九年之中，齐国百官荒怠紊乱，人民不安，同时各国又交相来犯，齐国之危亡已在旦暮之间，但群臣都不敢谏诤于威王。

有一个名叫淳于髡的臣子，忧心国事，趁一次宴会时向齐威王说了个谜语："我们齐国有一只大鸟，栖息在王宫朝廷之中，三年里不飞也不叫，大王知道这是只什么鸟吗？"

齐威王知道他在比喻自己，笑着回答说："你不要小看这只鸟，它不飞则已，一飞冲天；不鸣则已，一鸣惊人！"

于是下令停止宴乐，召集全国的县令前来国都觐见。不久，县令们都到了朝廷。

齐威王对即墨的县令说："自从你去治理即墨之后，毁谤你的坏话，我每天都听到。但我派人去即墨视察，却见荒野尽辟，耕田广大，人民富给，政务都处理完毕，未曾积压。由此可见你勤政正直，不恭维我左右近臣，以求取名声。"乃重赏即墨县令，封给他万户的侍俸。

接着又对阿县的县令说："自从你去治理阿县之后，我天天听到别人称赞你的话语。但我派人去阿县视察，却见田野未辟，人民贫苦。之前赵国攻打齐国时，你不去救援；卫国夺去了你的邻县，你却装作不知道。由此可见，你平常政务废弛，怠惰苟安，只会贿赂我左右近臣，以博取名声。"乃下令将阿县县令以及曾经称赞过他的人，一并处死。

原来齐威王是个胸怀雄图霸略的君主，他故意先纵乐荒志以观察群臣，所以重理朝政后，深知臣下们的操守与能力。他除了把一干奸佞小人处死，还另外提拔那些从前不被重用的好官。于是群臣勤恳忠诚，不敢怠慢职守，齐国因而大治。

　　整顿内政后，齐国奋兵而出，接连击败邻近各国。震惊于齐国的复兴强盛，各国诸侯都归还了以前侵略的土地，此后二十余年间，再也不敢对齐国用兵。

　　荒废朝政九年，一夜之间改变作风，雷厉风行，大治齐国，震惊远近！不管这九年的荒废是不是齐威王的伪装，他能在一夜之间"醒"过来，证明他绝对不是一个昏庸之君！

　　齐威王表面上沉迷酒色逸乐，实则隐藏了他的监管机制，不动声色，把别人都暴露在明处，于是大小朝官之贤愚、忠奸清浊，了然于胸！

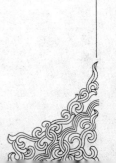

图书在版编目（CIP）数据

通人情懂世故/魏振斌著 . —北京：新世界出版社，
2005.12
　（中国人的老经验）
ISBN 7 – 80187 – 968 – 6

Ⅰ . 通… 　Ⅱ . 魏… 　Ⅲ . 谋略 – 中国 – 古代
Ⅳ . C934

中国版本图书馆 CIP 数据核字（2005）第 147327 号

中国人的老经验——通人情懂世故

策划：林　欢
作者：魏振斌
责任编辑：林　欢
装帧设计：刘大毛
出版发行：新世界出版社
社址：北京市西城区百万庄大街 24 号（100037）
总编室：＋86 10 6899 5424　　6832 6679（传真）
发行部：＋86 10 6899 5968　　6899 8733（传真）
网址：http：//www.nwp.cn（中文）
　　　http：//www.newworld – press.com（英文）
电子信箱：nwpcn@public.bta.net.cn
版权部电话：＋86 10 6899 6306　　frank@nwp.com.cn
印刷：大厂回族自治县彩虹印刷有限公司
经销：新华书店
开本：880×1230　　1/32
字数：230 千字　　印张：11.375
版次：2006 年 1 月第 1 版　2006 年 1 月第 1 次印刷
书号：ISBN 7 – 80187 – 968 – 6/G·471
定价：23.80 元